이 책을 검토해 주신 분들

학부모 검토단

강은경(서울)　강혜란(경기 용인)　권신자(경기 부천)　권지현(부산)　김경희(경기 여주)　김경희(서울)　김금순(서울)

김남희(경남 창원)　김미영(부산)　김미정(서울)　김민순(인천)　김봉림(전북 전주)　김선희(경기 안산)　김소연(대구)

김유정(경남 창원)　김은숙(서울)　김은연(경남 창원)　김은영(서울)　김은정(광주)　김은진(부산)　김정선(경기 구리)

김정선(경기 화성)　김정아(경기 광명)　김진희(경북 포항)　김현경(경기 성남)　김현미(경기 용인)　김현수(전북 익산)　김현정(서울)

김혜진(서울)　김희연(서울)　노정은(서울)　마소영(경기 화성)　박경미(경기 하남)　박선(서울)　박영미(충북 청주)

박정숙(경기 고양)　박현주(경기 용인)　박현진(전북 군산)　박혜진(경기 성남)　박효숙(대전)　복민경(서울)　손영미(경북 안동)

손진숙(경기 화성)　송춘화(경기 용인)　송혜란(대전)　신가혜(서울)　신경재(대구)　신현정(경기 오산)　심미선(경기 고양)

양경숙(서울)　양승아(대전)　오혜순(대전)　유진영(인천)　유회선(서울)　이경미(경기 남양주)　이경미(서울)

이경애(경기 화성)　이기정(경기 수원)　이미연(경기 의왕)　이상민(대구)　이상은(부산)　이영아(서울)　이윤정(대전)

이은미(서울)　이재형(경기 김포)　이점순(서울)　이현영(경기 양주)　이황희(서울)　임미희(서울)　임원주(서울)

정귀자(대전)　정미경(서울)　정미영(경북 경산)　정용주(서울)　정은숙(경남 창원)　정인영(경기 화성)　정재희(서울)

정지선(서울)　조미영(광주)　조미진(전북 전주)　조예완(전북 고창)　조이녀(경기 부천)　주하나(부산)　지유경(서울)

차정은(경기 부천)　최송란(경기 부천)　최연주(서울)　추진희(서울)　한석희(서울)　한진희(서울)　허지혜(전북 김제)

홍선영(서울)　황현숙(서울)　황혜경(서울)

교강사 검토단

강미(서울)　강선옥(서울)　강영기(대전)　강원용(부산)　강주희(대전)　고은정(서울)　구민경(대구)

김기홍(경기 평택)　김나래(서울)　김남연(경기 수원)　김대명(대전)　김두나(세종)　김명호(부산)　김민성(경기 김포)

김민주(서울)　김수영(부산)　김영미(충북 청주)　김영선(경기 군포)　김윤정(경기 성남)　김정욱(경기 용인)　김주현(서울)

김지연(경기 성남)　김현수(경남 김해)　김희동(서울)　노경임(부산)　마서영(서울)　문민호(서울)　문선희(경기 광주)

박대권(충북 청주)　박보희(경북 안동)　박상준(부산)　박승오(광주)　박윤선(광주)　박재한(대구)　박정민(서울)

박진영(충남 공주)　박해윤(경기 용인)　박혜린(대구)　백승재(경남 김해)　백형심(전남 순천)　봉정훈(경기 남양주)　성혜란(서울)

손윤정(강원 원주)　신영수(서울)　안정광(전남 순천)　양성정(전북 전주)　오승영(충북 청주)　오승현(서울)　오지희(제주)

윤미정(서울)　윤예미(경남 창원)　이금희(대구)　이기연(강원 원주)　이수진(경기 용인)　이신우(대구)　이애리(경남 거제)

이영지(경기 안양)　이유림(울산)　이주희(대구)　이태범(전남 영광)　임반석(경기 남양주)　임성애(서울)　임지은(서울)

장선영(서울)　전희재(경기 성남)　정경은(경기 용인)　정지현(경기 남양주)　정혜수(경기 화성)　제갈민(대구)　조영란(광주)

조은영(경기 김포)　조일양(광주)　진달래(전남 순천)　차승훈(울산)　천은경(충남 논산)　최수남(강원 강릉)　최연우(서울)

최영미(서울)　최홍민(경기 평택)　하선희(전남 순천)　한상철(충북 청주)　한연숙(서울)　허미선(서울)　홍성훈(부산)

홍승억(경기 안양)　황선욱(제주)　황양규(경남 진주)　황재준(인천)

Chunjae
Makes
Chunjae

▼

편집개발	김덕유, 강인애, 권소영, 김보경, 노신희,
	박유리, 송자영, 이동주, 이명진, 조은미
디자인총괄	김희정
표지디자인	윤순미, 장미
내지디자인	박희춘, 우혜림
제작	황성진, 조규영

발행일	2020년 12월 15일 초판 2020년 12월 15일 1쇄
발행인	(주)천재교육
주소	서울시 금천구 가산로9길 54
신고번호	제2001-000018호
고객센터	1577-0902
교재 내용문의	(02)3282-1788

소설
(개념)

시작은
하루
국어

하루 국어의 **차례 _ 소설(개념)**

하루 국어의 **구성**과 **활용**

시작하며

▌이번 주에는 무엇을 공부할까? ❶, ❷

❶ 공부할 내용을 만화로 가볍게 살펴봅니다.
❷ 공부할 내용을 간단한 문제로 확인하고 점검합니다.

공부할 내용이
무엇인지
확인해 봐!

한 주를 마무리하며

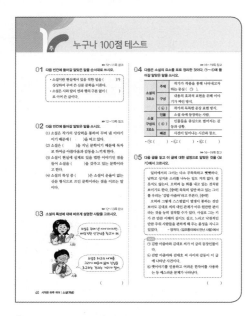

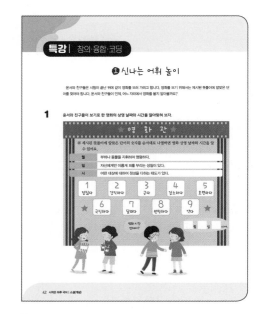

▌누구나 100점 테스트

매주 학습한 내용을 바탕으로 하여 다양한 문제를 풀어 봅니다.

▌특강 창의·융합·코딩

공부한 내용을 다양한 상황에 적용해 보며 창의력과 문제 해결 능력을 길러 봅니다.

5일 동안

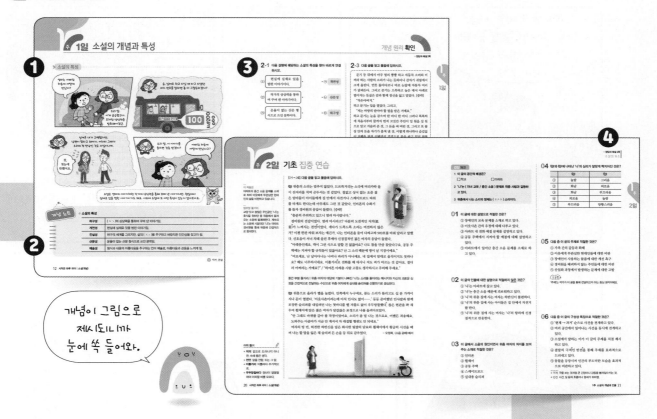

개념이 그림으로
제시되니까
눈에 쏙 들어와.

개념 설명 + 개념 원리 확인 + 기초 집중 연습

❶ 꼭 알아야 할 소설의 주요 개념을 그림을 통해 재미있게 이해합
니다.

❷ 그림으로 살펴본 개념을 보기 쉽게 정리한 개념 노트로 확인합
니다.

❸ 간단한 확인 문제를 풀어 보며 개념을 확실하게 이해합니다.

❹ 다양한 유형의 연습 문제를 풀어 보며 개념 이해를 점검합니다.

◑ 소설에 대해 한번 알아볼까요?

이번 주에는 무엇을 공부할까? ❷

1 할머니가 해 주는 옛이야기의 특징에 해당하는 것을 모두 골라 봅시다.

사실이다.

지어낸 이야기이다.

줄거리가 있다.

인물이 등장한다.

운율이 있다.

2 인물 간의 관계에 주목하며 다음 물음에 답해 봅시다.

콩쥐와 팥쥐

백설 공주와 왕비

해리 포터와 볼드모트

(1) 위 그림의 인물들을 ㉮와 ㉯로 분류했습니다. '백설 공주'와 '왕비'는 ㉮와 ㉯ 중 어느 바구니에 들어갈까요?

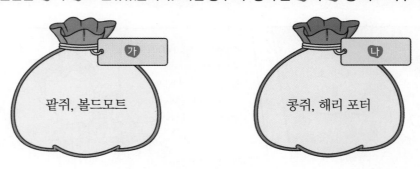

㉮ 팥쥐, 볼드모트

㉯ 콩쥐, 해리 포터

(2) 위 그림의 인물들을 (1)과 같이 분류한 기준은 무엇일까요? 빈칸에 공통으로 들어갈 알맞은 말을 쓰세요.

> 위 그림의 인물들을 (ㅈㅇㄱ)인 인물, (ㅈㅇㄱ)에 대립하는 인물로 나누었다.

▶ 소설의 개념

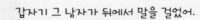

엄마는 아빠랑 처음에 어떻게 만났어?

아빠랑 처음에 어떻게 만났냐고? 엄마 대학생 때였어.

엄마가 100번 버스에서 내리는데 어떤 남자가 급하게 따라 내리더라.

갑자기 그 남자가 뒤에서 말을 걸었어.

저기, 저 이상한 사람 아니고 ○○대학교 ○○과 다니는 ○○라고 하는데요. 저…

이게 첫 만남이야. 그땐 정말 귀여웠는데.

첫, 첫눈에 반했습니다. 저랑 한번 만나 주세요.

어머, 정말 소설 같다!

당연히 소설이지. 그런 일은 실제로 없었으니까. 다 네 엄마가 상상해서 꾸며 낸 이야기야.

뭐? 지어낸 거였어? 실제 있었던 일인 줄 알았잖아!

엄마는 실제 현실에서 일어난 일인 것처럼 내용을 상상해서 이야기를 만들었죠?
소설도 같아요. 현실에서 있음 직한 일을 작가가 상상해서 꾸며 쓴 산문 문학이랍니다.

개념 노트

● **소설의 개념**

현실에서 있음 직한 일을 작가가 (ㅅㅅ)하여 꾸며 쓴 (ㅅㅁ) 문학.

답 상상, 산문

1-1 다음 가와 나를 읽고 물음에 답하시오.

> 가 어린 왕자는 소행성 325호, 326호, 327호, 328호, 329호 그리고 330호가 있는 근처를 여행하고 있었다. 그래서 일거리도 찾고 견문도 넓힐 겸 그 별들을 우선 둘러 보기로 했다. / 첫 번째 별에는 왕이 살고 있었다. 왕은 주홍빛 천과 흰 담비 모피로 된 옷을 입고서 매우 검소하지만 위엄 있는 옥좌에 앉아 있었다. – 생텍쥐페리, 〈어린 왕자〉에서
>
> 나 1942년 6월 4일 수요일
> 　키티, 찌는 듯한 더위예요. 가만히 앉아 있어도 몸이 축 늘어지는데, 우리는 이런 더위 속에서도 어디를 가나 걸어서 다녀야만 한답니다. 지금 생각하니 전차란 얼마나 고마운 것인가 새삼 느끼게 되는군요. 그러나 우리 유대인에게 전차는 허용되지 않는 사치품이 되어 버렸지요. 유대인 따위는 걸어서 다녀도 충분하다는 것이겠지요.
> 　　　　　　　　　 – 안네 프랑크, 〈안네의 일기〉에서
>
> ● 키티 안네 프랑크가 자신의 일기장을 친구라고 생각하며 붙인 이름.

(1) 다음에서 가와 나의 특징에 해당하는 것들을 각각 고르시오.

> ㉠ 실제 일어난 일을 다루고 있다.
> ㉡ 현실에서 있음 직하지만 실제로는 일어나지 않은 일을 다루고 있다.
> ㉢ 글쓴이가 자신이 경험한 일에 대해 쓰고 있다.
> ㉣ 글쓴이가 경험하지 않은 일을 상상하여 쓰고 있다.

　가: _____　　　나: _____

도움말

〈안네의 일기〉는 제2차 세계 대전 당시 유대인 소녀 안네 프랑크가 독일군을 피해 가족과 함께 숨어 지내면서 쓴 일기입니다.

(2) (1)을 참고하여 다음 괄호 안에서 알맞은 말을 고르시오.

> 소설은 일기와 달리 현실에서 있음 직한 일을 작가가 (상상하여 / 경험하여) 꾸며 쓴 이야기이다.

1-2 다음 가와 나를 읽고 물음에 답하시오.

> 가 다음 날도 좋은 날씨였다. 먼 산은 선잠 깬 여인의 눈시울처럼 자꾸만 선이 희미해 오고 수양버들은 아지랑이가 간지러운 듯 한들거렸다. 보리싹은 제법 파릇하고 남향 담 밑에는 민들레가 놀란 듯 활짝 피었다. [중략]
> 　날씨는 한결같이 좋았다. 산기슭 잔디 언덕에는 쑥 싹을 캐는 소녀들의 색 낡은 분홍 치마가 애틋하게 정다워 보이고 개울가에는 냉이랑 독새랑 여뀌랑 미나리랑 싹이 뾰족뾰족 돋아났다.　　　 – 오영수, 〈고무신〉에서
>
> 나 봄바람 하늘하늘 넘노는 길에
> 　연분홍 살구꽃이 눈을 틉니다.
>
> 　연분홍 송이송이 못내 반가와
> 　나비는 너훌너훌 춤을 춥니다.　　 – 김억, 〈연분홍〉에서
>
> ● 눈시울 눈언저리의 속눈썹이 난 곳.

(1) 가와 나에서 나타내고 있는 것은 무엇인가요?

> 봄날의 풍경　　　　　겨울날의 풍경

(2) 가와 나의 특징에 해당하는 것들을 바르게 연결하시오.

　가 ●　　　● ㉠ 연과 행으로 구분되어 있다.

　나 ●　　　● ㉡ 연과 행으로 구분되어 있지 않고, 죽 이어 쓴 글이다.

(3) (1)과 (2)를 참고하여 다음 괄호 안에서 알맞은 말을 고르시오.

> 소설은 시와 달리 줄글로 쓴 (산문 / 운문) 문학이다.

소설의 특성

소설은 엄마의 이야기처럼 작가의 상상력을 통해 꾸며 낸 이야기지만, 현실에서 실제로 있을 법한 이야기이기도 해요. 이외에 소설에 또 어떤 특성이 있는지 알아보아요.

소설의 특성

허구성	(ㅈㄱ)의 상상력을 통하여 꾸며 낸 이야기임.
개연성	현실에 실제로 있을 법한 이야기임.
진실성	허구의 세계를 그리지만, 삶의 (ㅈㅅ)을 추구하고 바람직한 인간상을 찾고자 함.
산문성	운율이 없는 산문 형식으로 쓰인 문학임.
예술성	형식과 내용의 아름다움을 추구하는 언어 예술로, 아름다움과 감동을 느끼게 함.

답 작가, 진실

2-1 다음 설명에 해당하는 소설의 특성을 찾아 바르게 연결하시오.

(1) 현실에 실제로 있을 법한 이야기이다. • • ㉠ 개연성

(2) 작가의 상상력을 통하여 꾸며 낸 이야기이다. • • ㉡ 산문성

(3) 운율이 없는 산문 형식으로 쓰인 문학이다. • • ㉢ 허구성

2-2 다음 학생들이 공통적으로 이야기하고 있는 소설의 특성이 무엇인지 고르시오.

 난 소설을 읽으면 아름다움을 느껴. 특히 상황이나 풍경을 그림처럼 묘사한 것을 보면 더 아름답게 다가와.

 난 아름다운 사랑 이야기를 다룬 소설을 좋아해. 감동적이거든.

 난 주로 가족을 다룬 소설을 읽고 감동을 받는 편이야. 특히 자식을 사랑하는 부모님의 이야기는 언제나 감동적이지.

허구성   개연성   진실성

산문성   예술성

2-3 다음 글을 읽고 물음에 답하시오.

문기 등 뒤에서 아주 멀리 뿡뿡 하고 자동차 소리와 비켜라 하는 사람의 소리가 나는 듯하더니 갑자기 귀밑에서 크게 울린다. 언뜻 돌아다보니 바로 눈앞에 자동차 머리가 달려든다. 그리고 문기는 으쓱하고 높은 데서 아래로 떨어지는 듯싶은 감과 함께 정신을 잃고 말았다. [중략]

"작은아버지."

하고 문기는 입을 열었다. 그리고,

"저는 마땅히 받아야 할 벌을 받은 거예요."

하고 문기는 눈을 감으며 한 마디 한 마디 그러나 똑똑하게 처음서부터 끝까지 먼저 고깃간 주인이 일 원을 십 원으로 알고 거슬러 준 것, 그 돈을 써 버린 것, 그리고 또 붙장 안의 돈을 자기가 훔쳐 낸 것, 이렇게 하나하나 숨김없이 자백을 하자 이때까지 겹겹으로 몸을 싸고 있던 허물이 한 꺼풀 한 꺼풀 벗어지면서 따라 마음속의 어둠도 차차 사라지며 맑아 가는 것을, 문기는 확실히 깨달을 수 있었다. 마음이 맑아지며 따라 몸도 가뜬해진다.

내일도 해는 뜨고 하늘은 맑아지리라. 그리고 문기는 그 하늘을 떳떳이 마음껏 쳐다볼 수 있을 것이다.

– 현덕, 〈하늘은 맑건만〉에서

(1) 이 글에서 문기의 마음이 맑아지며 몸도 가뜬해진 까닭은 무엇일까요?

자신이 한 일을 숨김없이 (ㅈㅂ)했기 때문이다.

(2) 이 글을 통해 찾고자 하는 바람직한 인간상은 어떤 사람일까요?

정직한 사람   부지런한 사람

(3) (1)과 (2)를 통해 알 수 있는 소설의 특성은 무엇일까요?

진실성   허구성

앞부분 줄거리
철수네 집에서 식모살이를 하는 남이는 추석 선물로 받은 옥색 고무신을 애지중지한다. 그런데 주인집 아들인 영이와 윤이가 그 고무신을 엿과 바꿔 먹는다. 남이는 마을에 들어온 젊은 엿장수에게 당장 옥색 고무신을 돌려 달라고 말한다.

어휘 풀이

- **식모살이** 남의 집에 고용되어 주로 부엌일을 맡아 하는 생활이나 일.
- **연신** 잇따라 자꾸.
- **히죽거리다** 좋아서 슬쩍 자꾸 웃다.
- **그믐밤에 홍두깨** 별안간 엉뚱한 일이나 행동을 함을 비유적으로 이르는 말.
- **고분거리다** 공손하고 부드럽게 행동하다.
- **앙살** 엄살을 부리며 버티고 겨루는 짓.
- **도가** 동업자들이 모여서 계나 장사에 관해 의논하는 집. 여기서는 엿장수가 팔 엿을 받아 오는 곳을 뜻함.
- **눈잼** 눈짐작. 눈으로 헤아려 보는 짐작.
- **앙감질** 한 발은 들고 한 발로만 뛰는 짓.

[01 ~ 06] 다음 글을 읽고 물음에 답하시오.

　남이는 입을 쌜쭉하면서 대뜸, / "내 신 내놓소!"
했다. 엿장수는 걸음을 멈추고 한참 동안 남이를 바라보다 말고 은근한 말투로,
　"신은 웬 신요?"
하고는 상대편의 의심을 받을 만큼 히죽이 웃어 보이자, 남이는 눈이 까칠해 가지고,
　"잡아떼면 누가 속을 줄 아는가 베!"
　그러나 엿장수는 수양버들 봄바람 맞듯 연신 히죽거리며,
　"뭘요? 그믐밤에 홍두깨도 분수가 있지."
　남이는 발끈하고, / "신 말이오!" / "신을요?"
　"어제 우리 집 아이들을 꾀어 간 옥색 고무신 말이오!" [중략]
　"그 신이 당신 신이던교?" / "누구 신이든 내 봐요, 빨리!"
　엿장수는 또 머리를 긁으면서,
　"당신 신인 줄 알았으면야, 이놈이 미친놈이 아닌 담에야……."
하고 지나치게 고분거리는데 남이는 한결같이 앙살을 부린다.
　"내 봐요, 빨리!"
　엿장수는 손짓으로 어르듯 달래듯, / "가만있소. 도가에 가 보고 신이 있으면야 갔다 주고 말고. 만일 신이 없으면 새 신이라도 사다 줄게요. 염려 마소!"
하고는 남이의 발을 눈잼하는데, 이때 난데없이 ㉠굵다란 벌 한 마리가 날아와 남이의 얼굴 주위를 잉잉 날아돈다. 남이는 상을 찌푸리고 한 손을 내저어 벌을 쫓고, 목을 돌리고 하는데, 벌은 갑자기 남이 저고리 앞섶에 붙어 가슴패기로 기어오르고 있다.
　이것을 조마조마 보고 있던 엿장수는,
　"가, 가만……." / 하고는 한걸음에 뛰어들어,
　"요놈의 벌이." / 하고 손바닥으로 벌을 딱 덮어 눌렀다.
　옆에서 보기에도 민망스러운 순간이었다.

　남이는 당황하면서도 귀 언저리를 붉히고 한 걸음 뒤로 물러서자 함께, 엿장수 손아귀에는 벌이 쥐어졌다. 쥐인 벌은 고스란히 있을 리가 없다. 한 번 잉 소리를 내고는 그만 손바닥을 쏘아 버렸다. 동시에 엿장수는,
　"앗!" / 하고, 쥐었던 손을 펴 불며 앙감질을 하는 꼴이 남이는 어떻게나 우스웠던지 그만 손등으로 입을 가리고 킥킥 하고 웃어 버렸다. 엿장수는 반은 울상 반은 웃는 상 남이를 바라보는데, 남이의 송곳니가 무척 예뻐 보였다.　　　– 오영수, 〈고무신〉에서

간단 체크

1 이 글의 갈래는?

  □ 시   □ 소설   □ 수필

2 이 글은 작가가 (실제 있었던 일을 옮겨 / 상상하여) 쓴 글이다.

3 이 글은 운율이 없는 (산문 / 운문) 형식으로 쓰인 문학이다.

01 이와 같은 글에 대한 설명으로 적절한 것은?

① 현실에서 있음 직한 일을 작가가 상상하여 꾸며 쓴 이야기이다.

② 글쓴이 자신의 생각이나 느낌을 형식의 제약 없이 표현한 글이다.

③ 마음속에 떠오르는 생각을 운율이 있는 언어로 압축하여 표현한 글이다.

④ 어떤 대상에 대한 지식이나 정보를 읽는 이가 이해하기 쉽게 풀어 쓴 글이다.

⑤ 상대를 설득하거나 이해시키기 위해 자신의 주장이나 의견을 체계적으로 밝혀 쓴 논리적인 글이다.

02 남이가 엿장수에게 화를 내는 이유로 적절한 것은?

① 엿장수가 주인집 아이들을 괴롭혀서

② 엿장수가 자신의 옥색 고무신을 가져가서

③ 엿장수가 남이의 말을 들은 척도 하지 않아서

④ 엿장수가 옥색 고무신을 돌려주지 않겠다고 해서

⑤ 엿장수가 주인집 아이들에게 고무신을 더 가져오라고 시켜서

03 이 글에서 남이와 엿장수의 만남의 매개체가 된 소재가 무엇인지 쓰시오.

남이와 엿장수의 만남의 매개체는 (ㄱ ㅁ ㅅ)이다.

———
● 매개체 둘 사이에서 양쪽의 관계를 맺어 주는 것.

04 엿장수에 대한 설명으로 적절하지 <u>않은</u> 것은?

① 남이를 마음에 들어 한다.

② 은근한 말투로 연신 웃어 보인다.

③ 남이에게 공손하고 부드럽게 대한다.

④ 고무신이 남이의 것임을 원래부터 알고 있었다.

⑤ 신을 어떻게든 돌려주겠다며 남이를 달래고 있다.

05 ㉠이 이 글에서 하는 역할로 적절한 것은?

① 새로운 인물이 등장할 것을 암시한다.

② 이 글의 사회·문화적 배경을 알려 준다.

③ 남이와 엿장수 사이의 갈등을 더 심화시킨다.

④ 식모살이하는 남이의 처지를 생생하게 보여 준다.

⑤ 엿장수에 대한 남이의 적대감이 사라지는 계기가 된다.

 도움말

엿장수가 벌에 쏘인 뒤 남이가 어떤 행동을 했는지 생각해 보세요.

06 다음 두 학생의 대화 내용과 관련 있는 소설의 특성으로 적절한 것은?

나도 남이와 비슷한 경험을 한 적이 있어. 동생이랑 싸우다가 목소리를 높였는데, 순간 딸꾹질이 나온 거야. 내 모습이 웃겼는지 동생이 피식 하더라고. 그래서 자연스럽게 싸움이 끝났어.

맞아. 그러고 보면 소설이 작가의 상상력으로 꾸며 쓴 글이라지만, 소설에 나오는 내용은 현실에서도 충분히 있을 법한 이야기야.

① 개연성   ② 산문성   ③ 주관성

④ 예술성   ⑤ 진실성

> **소설의 3요소**

개념 노트

● **소설의 3요소**

주제	작가가 작품을 통해 나타내고자 하는 (ㅈ ㅅ) 생각.
(ㄱ ㅅ)	내용의 효과적 표현을 위해 이야기가 짜인 방식.
문체	작가의 독특한 문장 표현 방식.

답 중심, 구성

1-1 다음 글을 통해 나타내려는 중심 생각을 고르시오.

> "나는 이 동네 사람인데, 우리 아버지가 앞을 못 보셔서 '공양미 3백 석을 지성으로 불공하면 눈을 떠 보리라.' 하기로, 집안 형편이 어려워 장만할 길이 전혀 없어 내 몸을 팔려 하니 나를 사 가는 것이 어떠하실는지요?"
> 뱃사람들이 이 말을 듣고,
> "효성이 지극하나 가련하군요." 하며 허락한다.
> – 지은이 모름, 〈심청전〉에서

형제간의 우애	부모에 대한 효성

1-2 다음 글을 읽고 물음에 답하시오.

> 참, 먹장구름 한 장이 머리 위에 와 있다. 갑자기 사면이 소란스러워진 것 같다. 바람이 우수수 소리를 내며 지나간다. 삽시간에 주위가 보랏빛으로 변했다.
> 산을 내려오는데, 떡갈나무 잎에서 빗방울 듣는 소리가 난다. 굵은 빗방울이었다. 목덜미가 선뜻선뜻했다. 그러자 대번에 눈앞을 가로막는 빗줄기.
> – 황순원, 〈소나기〉에서

● 먹장구름 먹빛같이 시꺼먼 구름.
● 듣다 눈물, 빗물 따위의 액체가 방울져 떨어지다.

(1) 이 글의 문장 표현 방식은 어떠한가요?

> 길이가 (긴 / 짧은) 문장을 연속하여 사용하고 있다.

(2) 다음 대화의 빈칸에 들어갈 알맞은 말을 순서대로 쓰시오.

 이 글은 _____ 문장을 연속적으로 사용하고 있어서 그런지 긴장감이 느껴져.

이처럼 내용을 전달하기 위해 사용하는 작가의 독특한 문장 표현 방식을 _____라고 해.

1-3 다음 글을 읽고 물음에 답하시오.

> 가 진수가 돌아온다. 진수가 살아서 돌아온다. 아무개는 전사했다는 통지가 왔고, 아무개는 죽었는지 살았는지 통 소식이 없는데, 우리 진수는 살아서 오늘 돌아오는 것이다. 생각할수록 어깻바람이 날 일이다. 그래 그런지 몰라도 박만도는 여느 때 같으면 아무래도 한두 군데 앉아 쉬어야 넘어설 수 있는 용머리재를 단숨에 올라채고 만 것이다. 가슴이 펄럭거리고 허벅지가 뻐근했다.
> 나 "아부지!"
> 부르는 소리가 들렸다. 만도는 깜짝 놀라며, 얼른 뒤를 돌아보았다. 그 순간 만도의 두 눈은 무섭도록 크게 떠지고, 입은 딱 벌어졌다. 틀림없는 아들이었으나, 옛날과 같은 진수는 아니었다. 양쪽 겨드랑이에 지팡이를 끼고 서 있는데, 스쳐 가는 바람결에 한쪽 바짓가랑이가 펄럭거리는 것이 아닌가. 만도는 눈앞이 노래지는 것을 어쩌지 못했다. 한참 동안 그저 멍멍하기만 하다가 코허리가 찡해지면서 두 눈에 뜨거운 것이 핑 도는 것이었다.
> – 하근찬, 〈수난이대〉에서

● 올라채다 재빨리 꼭대기에 이르다.

(1) 가에서 만도가 어깻바람이 날 정도로 기분이 좋은 이유는 무엇인가요?

> (진수 / 손자)가 전쟁에서 살아 돌아오기 때문이다.

(2) 나에 나타난 진수의 신체적 특징은 무엇인가요?

다리 한쪽이 없음.	팔 한쪽이 없음.

(3) 다음 대화의 빈칸에 들어갈 알맞은 말을 쓰시오.

 진수가 다쳐서 놀랐어. 만도가 진수가 살아 돌아온다고 노래를 부르길래 무사할 줄 알았거든.

이렇게 구성하니까 만도가 받은 충격이 더 (ㅎㄱㅈ)으로 드러나는 것 같아.

소설 구성의 3요소

개념 노트

● 소설 구성의 3요소

(ㅇㅁ)	소설 속에 등장하는 사람.
사건	인물들을 중심으로 벌어지는 갈등과 상황.
배경	사건이 일어나는 (ㅅㄱ)과 장소.

답 인물, 시간

2-1 다음 글을 읽고 물음에 답하시오.

수남이는 청계천 세운 상가 뒷길의 전기용품 도매상의 꼬마 점원이다. / 수남이란 어엿한 이름이 있는데도 '꼬마'로 통한다. 열여섯 살이라지만 볼은 아직 어린아이처럼 빨갛고 통통하며, 눈이 맑고 깨끗하다. 성숙한 것은 목소리뿐이다. 제법 굵고 부드럽다. 그 목소리가 전화선을 타면 점잖고 떨떠름한 늙은이 목소리로 들린다.

– 박완서, 〈자전거 도둑〉에서

(1) 이 글에 등장하는 인물은 누구인가요?

(2) 이 글의 등장인물의 특징에 해당하는 것을 모두 고르시오.

눈이 맑음. 키가 크고 마름. 목소리가 굵음.

2-2 다음 글을 읽고 물음에 답하시오.

앞부분 줄거리 | 이웃집 에밀이 공작나방을 잡았다는 소문을 들은 '나'는 그것을 보고 싶어 에밀의 방에 들어간다.

어느 상자에도 공작나방은 들어 있지 않았어. 그런데 문득 날개 판에 올려져 있을지도 모른다는 생각이 들어 찾아보니, 과연 생각한 대로였지. 갈색 비로드 날개가 길쭉한 종이쪽 위에 펼쳐진 채 날개 판에 걸려 있었어. [중략] 이것을 본 나는, 이 보배를 손에 넣고 싶은 견딜 수 없는 욕망에 그만 난생처음으로 도둑질을 했다네. 나방은 벌써 말라 있어서, 손을 대는 정도로는 형체가 일그러지지 않았어. 나는 그것을 손바닥 위에 받쳐 들고 에밀의 방을 나왔다네. – 헤르만 헤세, 〈공작나방〉에서

(1) 이 글에 등장하는 인물은 누구인가요?

(2) 이 글의 등장인물이 벌인 사건이 무엇인지 쓰시오.

공작나방을 훔침. 공작나방을 채집함.

2-3 다음 글을 읽고 물음에 답하시오.

보리밭 이랑에 모이를 줍는 낮닭 울음만이 이따금씩 들려오는 고요한 이 마을에도 올봄 접어들어 안타까운 이별이 있었다.

바다와 시가지 일부가 한꺼번에 내다보이는, 지대가 높고 귀환 동포가 누더기처럼 살고 있는 산기슭 마을이었다. 그렇기에 마을 사람들은 철수 내외와 같이 가난뱅이 월급쟁이가 아니면 대개가 그날그날의 날품팔이이다.

밤이면 모여들고 날이 새면 일터로 나가기가 바빴다. 다만 어린아이들만이 마을 앞 양지바른 담 밑에 모여 윤선이 오고 가는 바다를 바라보고, 윤선도 보이지 않는 날은 무료에 지쳐 버린다.

– 오영수, 〈고무신〉에서

────────
- 이랑 논이나 밭을 갈아 골을 타서 두두룩하게 흙을 쌓아 만든 곳.
- 귀환 동포 전쟁이나 징용으로 외국으로 나갔다가 고국으로 돌아온 사람을 부르는 말.
- 날품팔이 일정한 직장이 없이 일거리가 있는 날에만 하루치의 돈을 받고 일하는 사람.
- 윤선 증기 기관의 동력으로 움직이는 배를 통틀어 이르는 말.

(1) 이 글에서 소개하려는 사건은 무엇인가요?

이 마을에서 올봄 접어들어 일어난 안타까운 (ㅇㅂ)이다.

(2) 사건이 일어난 장소는 어디인가요?

섬마을 산기슭 마을

(3) 이 마을에 사는 사람들의 특징은 어떠한가요?

가난하다. 돈이 많다.

[01~06] 다음 글을 읽고 물음에 답하시오.

이 작품은
아파트의 층간 소음 문제를 소재로 하여 이웃에게 무관심한 현대인의 삶을 비판하고 있습니다.

앞부분 줄거리
교양 있고 점잖은 주인공인 '나'는 휴식을 취하던 중 위층에서 들려오는 소음에 불쾌해한다. 계속되는 소음에 시달리던 '나'는 아파트 경비원을 통해 위층에 간접적으로 항의한다.

㉮ 위층의 소리는 멈추지 않았다. 드르륵거리는 소리에 머리카락 올이 진저리를 치며 곤두서는 것 같았다. 철없고 상식 없는 요즘 젊은 엄마들이 아이들에게 집 안에서 자전거나 스케이트보드 따위를 타게도 한다는데 아무래도 그런 것 같았다. 인터폰의 수화기를 들자 경비원의 응답이 들렸다. [중략]

"충분히 주의하고 있으니 염려 마시랍니다."

경비원의 전갈이었다. 염려 마시라고? 다분히 도전적인 저의(底意)가 느껴지는 전언이었다. 게다가 드르륵드르륵 소리는 여전하지 않은가? 이젠 한판 싸워 보자는 얘긴가. 나는 인터폰을 들어 다짜고짜 909호를 바꿔 달라고 말했다. 신호음이 서너 차례 울린 후에야 신경질적인 젊은 여자의 응답이 들렸다.

"아래층인데요. 댁이 그런 식으로 말할 건 없잖아요? 나도 참을 만큼 참았다구요. 공동 주택에는 지켜야 할 규칙들이 있잖아요? 난 그 소리 때문에 병이 날 지경이에요."

"여보세요. 난 날아다니는 나비나 파리가 아니에요. 내 집에서 맘대로 움직이지도 못하나요? 해도 너무하시네요. 이틀거리로 전화를 해 대시니 저도 피가 마르는 것 같아요. 절더러 어쩌라는 거예요?" / "하여튼 아래층 사람 고통도 생각하시고 주의해 주세요."

중간 부분 줄거리 | 위층 여자의 대답에 기분이 나빠진 '나'는 소리를 줄이라는 메시지와 자신의 괴로운 심정을 간접적으로 전달하는 수단으로 위층 여자에게 실내용 슬리퍼를 선물하기로 결심한다.

㉯ 위층으로 올라가 벨을 눌렀다. 안쪽에서 누구세요, 묻는 소리가 들리고도 십 분 가까이 지나 문이 열렸다. '이웃사촌이라는데 아직 인사도 없이…….' 등등 준비했던 인사말과 함께 포장한 슬리퍼를 내밀려던 나는 첫마디를 뗄 겨를도 없이 우두망찰했다. 좁은 현관을 꽉 채우며 휠체어에 앉은 젊은 여자가 달갑잖은 표정으로 나를 올려다보았다.

"안 그래도 바퀴를 갈아 볼 작정이었어요. 소리가 좀 덜 나는 것으로요. 어쨌든 죄송해요. 도와주는 아줌마가 지금 안 계셔서 차 대접할 형편도 안 되네요."

여자의 텅 빈, 허전한 하반신을 덮은 화사한 빛깔의 담요와 휠체어에서 황급히 시선을 떼며 나는 할 말을 잃은 채 슬리퍼 든 손을 등 뒤로 감추었다.

― 오정희, 〈소음 공해〉에서

어휘 풀이

● **저의** 겉으로 드러나지 아니한, 속에 품은 생각.
● **전언** 말을 전함. 또는 그 말.
● **이틀거리** 이틀마다 주기적으로.
● **우두망찰하다** 정신이 얼떨떨하여 어찌할 바를 모르다.

1 이 글의 공간적 배경은?

☐ 학교   ☐ 아파트

2 '나'는 (자녀 교육 / 층간 소음) 문제로 위층 사람과 갈등하고 있다.

3 위층에서 나는 소리의 정체는 (ㅎㅊㅇ) 소리이다.

04 **가**와 **나**에 나타난 '나'의 심리가 알맞게 짝지어진 것은?

	가	나
①	놀람	그리움
②	화남	외로움
③	화남	부끄러움
④	외로움	놀람
⑤	부끄러움	당황스러움

01 이 글에 대한 설명으로 적절한 것은?

① 장애인의 교육 문제를 소재로 하고 있다.

② 이웃사촌 간의 우정에 대해 다루고 있다.

③ 아파트 내 전화 예절 문제를 설명하고 있다.

④ 공동 주택에서 지켜야 할 예절에 대해 설명하고 있다.

⑤ 아파트에서 일어난 층간 소음 문제를 소재로 하고 있다.

05 다음 중 이 글의 주제로 적절한 것은?

① 가족 간의 갈등과 화해

② 이웃에게 무관심한 현대인들에 대한 비판

③ 장애인이 사용하는 물품에 대한 개선 촉구

④ 경비원을 배려하지 않는 주민들에 대한 비판

⑤ 산업화 과정에서 발생하는 문제에 대한 고발

도움말

'주제'는 작가가 이 글을 통해 전달하고자 하는 중심 생각이에요.

02 이 글의 인물에 대한 설명으로 적절하지 <u>않은</u> 것은?

① '나'는 아파트에 살고 있다.

② '나'는 층간 소음 때문에 괴로워하고 있다.

③ '나'의 위층 집에 사는 여자는 하반신이 불편하다.

④ '나'의 위층 집에 사는 아이들은 집 안에서 자전거를 탄다.

⑤ '나'의 위층 집에 사는 여자는 '나'의 항의에 신경질적으로 반응한다.

03 이 글에서 소음의 원인이면서 위층 여자의 처지를 보여 주는 소재로 적절한 것은?

① 인터폰

② 휠체어

③ 공동 주택

④ 스케이트보드

⑤ 실내용 슬리퍼

06 다음 중 이 글의 구성상 특징으로 적절한 것은?

① '현재 → 과거' 순으로 사건을 전개하고 있다.

② 여러 공간에서 일어나는 사건을 동시에 전개하고 있다.

③ 소설에서 말하는 이가 이 글의 주제를 직접 제시하고 있다.

④ 결말의 극적인 반전을 통해 주제를 효과적으로 드러내고 있다.

⑤ 동물을 등장시켜 인간의 부도덕한 모습을 효과적으로 비판하고 있다.

● 극적 극을 보는 것처럼 큰 긴장이나 감동을 불러일으키는 것.

● 반전 사건, 일 등의 흐름이나 형세가 뒤바뀜.

3일 인물의 유형

인물

'인물'은 소설 속에 등장하는 사람을 말해요. 인물은 여러 기준에 따라 유형을 나눌 수 있어요.

동물이나 식물도 소설의 인물이 될 수 있어요.

주동 인물과 반동 인물

사건에서 어떤 역할을 하느냐에 따라 주동 인물과 반동 인물로 구분할 수 있습니다.

쉽게 말하면 주동 인물은 소설의 주인공이에요.
반동 인물은 이 주인공과 대립하는 인물이고요.

콩쥐가 주동 인물,
팥쥐와 새엄마가 반동 인물!

 개념 노트

● 인물
  • 소설 속에 등장하는 사람.
  • 동물이나 식물도 소설의 인물이 될 수 있음.
● 인물의 역할에 따른 인물 유형

(ㅈㄷ) 인물	사건을 주도적으로 이끌면서 작가가 표현하고자 하는 주제를 실현하는 인물.
반동 인물	주동 인물과 (ㄷㄹ)하여 갈등을 일으키는 인물.

답 주동, 대립

1-1 다음 글을 읽고 물음에 답하시오.

처음에는 어떤 일이나 그렇듯 대수롭지 않았다. '김포 쌀 상회'가 '김포 슈퍼'로 바뀌었을 뿐인 것이다. 원래는 쌀과 연탄만을 취급하면서 23통 일대의 쌀과 연탄을 도맡아 배달해 주던 김포 쌀 상회의 경호 아버지가 어지간히 돈을 모은 모양이었다. 비어 있는 옆 칸을 헐어 가게를 확장한 것이다. [중략] 충청도 산골 마을에서 야망을 품고 상경한 이들 내외는 품팔이로 번 돈을 모아 사 년 전, 원미동에 어엿하게 김포 쌀 상회를 내었다. 처음엔 고향 동네의 쌀을 받아다 파는 정도에 불과했지만 다음 해에는 연탄 배달까지 일을 벌일 만큼 내외간이 모두 억척스럽고 성실한 일꾼이었다. 성품 또한 모난 데 없이 두루뭉술하여 어른을 알아볼 줄 알고 노상 웃는 얼굴이어서 원미동 사람들에게 고루 인정을 받고 있었다.   – 양귀자, 〈원미동 사람들〉에서

● **내외** 남편과 아내.
● **두루뭉술하다** 모나거나 튀지 않고 둥그스름하다.
● **노상** 언제나 변함없이 줄곧.

(1) 이 글의 주요 등장인물은 누구인가요?

(2) 이 글의 인물과 관련하여 생긴 사건은 무엇인가요?
　① 김포 쌀 상회가 김포 슈퍼로 바뀐 것
　② 김포 쌀 상회가 연탄 배달을 그만둔 것

(3) 이 글의 주요 등장인물을 알맞게 분석한 학생을 <u>모두</u> 고르시오.

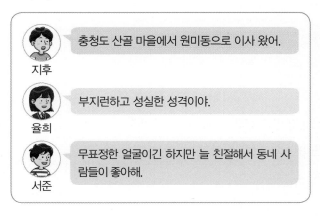

지후 　충청도 산골 마을에서 원미동으로 이사 왔어.

율희 　부지런하고 성실한 성격이야.

서준 　무표정한 얼굴이긴 하지만 늘 친절해서 동네 사람들이 좋아해.

1-2 다음 글을 읽고 물음에 답하시오.

형제는 오륜의 하나요 같은 부모에게서 몸을 나누어 받은 사이다. 그러므로 잘살고 못살거나 좋고 나쁜 일을 모두 함께 나누어야 하는 법이다. 그런데 어떤 사람은 우애 있고 어떤 사람은 화목하지 못할까.

충청도와 전라도, 경상도가 만나는 곳 한 마을에 연 생원이란 사람이 놀부, 흥부라는 두 아들을 두었다. 두 사람은 같은 어머니에게서 태어났지만 착하고 심술궂음이 완전히 딴판이다. 흥부는 마음이 착하고 효성이 지극하여 형제 사이의 우애가 극진하다. 그러나 놀부는 뱃속부터 다르게 생겨서 부모께는 불효하고 형제간에 우애 없으며 마음 쓰는 것이 괴상하기만 하다. [중략]

놀부는 욕심이 가득하여 부모가 물려준 유산을 혼자 다 차지했다. 논밭과 종이며 가축까지 모두 제가 다 가지고 흥부에게는 조금도 나누어 주지 않은 채 구박만 했다. 그래도 흥부는 조금도 다투지 않고 그저 고분고분 형에게 순종했다.   – 지은이 모름, 〈흥부전〉에서

● **오륜** 사람이 지켜야 할 다섯 가지 도리.
● **극진하다** 어떤 대상에 대하여 정성을 다하는 태도가 있다.

(1) 흥부와 놀부의 특징에 해당하는 것들을 각각 고르시오.

> ㉠ 착하다.　　　　　　㉡ 심술궂다.
> ㉢ 부모에게 효도한다.　㉣ 부모에게 불효한다.
> ㉤ 형제간에 우애가 없다.
> ㉥ 형제 사이의 우애가 극진하다.

• 흥부: _____　　• 놀부: _____

(2) 흥부와 놀부가 각각 어떤 인물 유형에 속하는지 바르게 연결하시오.

> 흥부 •　　　　　• ㉠ 주동 인물
>
> 놀부 •　　　　　• ㉡ 반동 인물

도움말
〈흥부전〉의 주제를 실현하는 인물이 누구인지 생각해 보세요.

3일 인물의 유형

전형적 인물과 개성적 인물

인물의 성격이 어떤 특정한 시대나 계층을 대표하느냐에 따라 '전형적 인물'과 '개성적 인물'로 구분할 수 있어요.

심청은 '효녀'를 대표하는 전형적 인물!

아버지, 부디 눈을 뜨시고 오래오래 사세요.

평면적 인물과 입체적 인물

또한 작품 안에서 성격이 변하는지, 변하지 않는지에 따라서 '평면적 인물', '입체적 인물'로 구분하기도 하지요.

썩 나가거라!

혀… 형님!

내가 잘못했다, 흥부야.

괜찮아요. 일어나세요, 형님.

흥부는 처음부터 끝까지 착한 평면적 인물, 놀부는 악독했지만 나중에 착해지는 입체적 인물이에요.

개념 노트

● 인물의 성격에 따른 인물 유형

전형적 인물	특정 시대, 특정 부류나 계층을 (ㄷㅍ)하는 성격의 인물.
개성적 인물	특정 시대, 특정 부류나 계층과 상관없이 독자적인 성격을 지닌 인물.

● 인물의 성격 변화 여부에 따른 인물 유형

(ㅍㅁㅈ) 인물	소설 속에서 처음부터 끝까지 성격 변화가 없는 인물.
입체적 인물	소설 속 환경이나 상황 등에 따라 성격이 변하는 인물.

답 대표, 평면적

2-1 다음 글을 읽고 물음에 답하시오.

'국어 상용의 가'

　해방되던 날 떼어서 집어넣어 둔 것을 그동안 깜박 잊고 있었다. 이인국 박사는 액자 틀 뒤를 열어 음식점 면허장 같은 두터운 모조지를 빼내어 글자 한 자도 제대로 남지 않게 손끝에 힘을 주어 꼼꼼히 찢었다. [중략]

　환자도 일본 말 모르는 축은 거의 오는 일이 없었지만 대외 관계는 물론 집 안에서도 일체 일본 말만을 써 왔다. 해방 뒤 부득이 써 오는 제 나라 말이 오히려 의사 표현에 어색함을 느낄 만큼 그에게는 거리가 먼 것이었다.

　마누라의 솔선수범하는 내조지공도 컸지만 애들까지도 곧잘 지켜 주었기에 이 종잇장을 탄 것이 아니던가. 그것을 탄 날은 온 집안이 무슨 경사나 난 것처럼 기뻐들 했었다.

　"잠꼬대까지 국어로 할 정도가 아니면 이 영예로운 기회야 얻을 수 있겠소." 하던 국민 총력 연맹 지부장의 웃음 띤 치하 소리가 떠올랐다.

　　　　　　　　　　－ 전광용, 〈꺼삐딴 리〉에서

● 국어 상용의 가　여기에서 국어는 '일본어'를 가리킴. '국어 상용의 가'는 일본어를 늘 사용하는 집이라는 뜻.
● 국민 총력 연맹　1940년 조선 총독부에서 조직된 친일 단체.
● 치하　고마움이나 칭찬의 뜻을 겉으로 드러냄.

(1) 이인국 박사가 '국어 상용의 가' 종잇장을 탄 이유는 무엇인가요?

> 일본 말만 사용해서　　　우리나라 말만 사용해서

(2) 다음 빈칸에 들어갈 알맞은 인물 유형을 쓰시오.

이인국 박사는 일제 강점기 때 받은 상을 광복이 되자마자 없애 버렸지. 이걸 보면 기회주의자의 (ㅈㅎㅈ) 인물임을 알 수 있어.

2-2 다음 글을 읽고 물음에 답하시오.

가 왕이 토끼에게 가로되,

　"과인(寡人)은 수궁의 으뜸인 임금이요, 너는 산중의 조그마한 짐승이라. 과인이 우연히 병을 얻어 고생한 지 오래되었도다. 네 간이 약이 된다는 말을 듣고 특별히 별주부를 보내어 너를 데려왔으니, 너는 죽는 것을 한스럽게 여기지 마라. [중략] 이것이 산중에서 살다가 호랑이나 솔개의 밥이 되거나 사냥꾼에게 잡혀 죽는 것보다 어찌 영화로운 일이 아니겠느냐? 과인의 말은 결코 거짓이 아니니, 너는 죽은 혼이 되더라도 조금도 나를 원망하지 말지어다." 하였다.

나 여러 신하들은 산중의 하찮은 토끼가 수궁의 군신을 속인 죄를 묻기 위해서 토끼를 잡아들여야 한다며 용왕에게 상소를 올렸다. 하지만 용왕이 이르기를,

　"여러 신하들의 말은 옳지 않다. 과인이 하늘의 명을 모르고 무고한 토끼의 목숨을 빼앗으려 하였으니 어찌 현명하다 하겠느냐? 그대들은 다시 아무 말도 하지 마라." 하였다.

　　　　　　　　　　－ 지은이 모름, 〈토끼전〉에서

● 과인　(낮추는 말로) 임금이 자기를 가리키는 말.
● 영화롭다　몸이 귀하게 되어 이름이 세상에 빛날 만하다.

(1) **가**와 **나**에 나타난 용왕의 모습을 바르게 연결하시오.

| **가**의 용왕 ● | | ● ㉠ | 토끼의 목숨을 빼앗으려 했던 것을 뉘우치는 인물 |
| **나**의 용왕 ● | | ● ㉡ | 자신을 위해 토끼를 죽이려 하는 이기적인 인물 |

(2) 이 글의 용왕은 어떤 인물 유형에 속하는지 고르시오.

이 글의 용왕은 사건이 전개되면서 성격이 변하니까 (평면적 / 입체적) 인물이야.

[01~06] 다음 글을 읽고 물음에 답하시오.

⑦ 자전거가 가고 노인이 오고 동이 뜬 그 중간을 타서 문기는 허옇게 흐르는 물 위로 공을 던져 버렸다. 이어 양복 안주머니에 간직해 두었던 나머지 돈을 꺼내 들었다. 그것도 마저 던져 버리려다가 문득 들었던 손을 멈춘다. 그리고 잠시 둥실둥실 물을 따라 떠나가는 공을 통쾌한 듯 바라보다가는 돌아서 걸음을 옮긴다.

문기는 삼거리 고깃간을 향해 갔다. 그리고 골목으로 돌아가 나머지 돈을 종이에 싸서 담 너머로 그 집 안마당을 향해 던졌다.

그제야 문기는 무거운 짐을 풀어 놓은 듯 어깨가 거뜬했다. 아까 물 위로 둥실둥실 떠가던 그 공, 지금은 벌써 십 리고 이십 리고 멀리 떠갔을 듯싶은 그 공과 함께 문기는 자기의 허물도 멀리 사라져 깨끗이 벗어난 듯 속이 후련했다. 그리고,

"㉠다시는, 다시는……."

하고 문기는 두 번 다시 그런 허물을 범하지 않겠다고 백번 다지며 집을 향해 돌아간다.

중간 부분 줄거리 | 문기는 집 근처에서 수만이와 마주친다. 수만이는 남은 거스름돈으로 환등 틀을 사러 가자고 문기를 재촉한다.

⑭ 문기는 생각 없이 몇 걸음 끌려가다가는 갑자기 그 팔을 쳐 내리며 물러선다.

"난 싫다." / 수만이는 어리둥절해 쳐다본다.

"뭐 말야? 환등 틀 사기 싫단 말야?"

"난 인제 돈 가진 것 없다." / "뭐?"

하고 수만이는 의외라는 듯 눈이 둥그레지다가는 금세 능청스러운 웃음을 지으며

"너 혼자 두고 쓰잔 말이지? 그러지 말구 어서 가자."

"정말 없어. 지금 고깃간 집 안마당으로 던져 주고 오는 길야. 공두 쌍안경두 버리구."

하고 문기는 증거를 보이느라고 이쪽저쪽 주머니를 털어 보이는 것이나 수만이는 ㉡흥 하고 코웃음을 친다.

"누군 너만 못 약을 줄 아니?" / 그리고 연신 빈정댄다.

"고깃간 집 마당으로 던졌다? 아주 핑계가 됐거든." / "거짓말 아니다. 참말야."

할 뿐, 문기는 어떻게 변명할 줄을 몰라 쳐다보기만 하다가 고개를 떨어뜨리고 울상을 한다.

"오늘 작은아버지에게 막 꾸중 듣구. 그리고 나두 인젠 그런 건 안 헐 작정이다."

"그래도 나하고 약조헌 건 실행해야지. 싫으면 너는 빠져도 좋아. 그럼 돈만 이리 내."

하고 턱 밑에 손을 내민다.

"정말 없대두 그래."

— 현덕, 〈하늘은 맑건만〉에서

간단 체크

1 문기는 남은 돈을 (ㄱㄱㄱ) 집 안마당으로 던진다.

2 문기는 집 근처에서 (수만이 / 작은아버지)를 마주친다.

3 수만이는 돈을 던졌다는 문기의 말을 (ㅍㄱ)라고 생각한다.

01 이 글의 내용과 일치하지 <u>않는</u> 것은?

① 문기는 흐르는 물 위로 공을 던져서 버린다.

② 문기는 돈이 없다고 수만이에게 솔직하게 말한다.

③ 수만이는 문기가 돈을 혼자 쓰려 한다고 생각한다.

④ 수만이는 남은 돈으로 환등 틀을 사려고 문기를 찾아온다.

⑤ 문기는 물을 따라 공이 떠내려가는 것을 보고 아깝다고 생각한다.

02 ㉮에서 돈을 던진 뒤 문기의 심리로 적절한 것은?

① 후련하다.

② 혼란스럽다.

③ 죄책감에 시달린다.

④ 수만이를 원망한다.

⑤ 억울하고 답답해한다.

03 다음 중 ㉠ 뒤에 이어질 말로 적절한 것은?

다시는, 다시는…….

① 수만이와 싸우지 않겠어.

② 고깃간에 심부름을 가지 않겠어.

③ 공부할 시간에 놀러 나가지 않겠어.

④ 양심에 어긋나는 일을 하지 않겠어.

⑤ 몰래 한 일을 작은아버지에게 들키지 않겠어.

04 이 글과 〈보기〉를 참고할 때 문기의 성격으로 적절하지 <u>않은</u> 것은?

보기

　다음 날 문기는 수만이에게 돈을 내놓으라는 협박을 받는다. 문기는 사실이 드러나는 것이 두려워 숙모의 돈을 훔쳐 수만이에게 준다.

① 강직하다.　　　　② 소심하다.

③ 순진하다.　　　　④ 심약하다.

⑤ 용기가 부족하다.

───────

● 강직하다 마음이 꼿꼿하고 바르다.

● 심약하다 마음이 여리고 약하다.

05 수만이가 ㉡처럼 행동한 이유로 적절한 것은?

① 문기의 작은아버지가 무섭기 때문에

② 돈이 없다는 문기의 말을 믿지 않기 때문에

③ 문기가 자신과 놀지 않겠다고 말했기 때문에

④ 문기가 선생님께 모든 사실을 고백했기 때문에

⑤ 문기가 돈을 어디에 숨겼는지 알고 있기 때문에

06 다음은 문기와 수만이의 인물 유형에 관한 대화이다. 빈칸에 들어갈 알맞은 말을 순서대로 쓰시오.

이 글의 주제는 양심을 속이지 않고 정직하게 사는 삶의 중요성이야.

이 글에서 문기는 주제를 실현하는 인물이야. 수만이는 그런 문기와 대립해서 갈등을 일으키는 인물이고.

아, 그럼 문기는 _____ 인물이고, 수만이는 _____ 인물이겠구나.

직접 제시

윤재는 지수의 성격을 동민이에게 직접 설명해 주고 있어요.
소설에서도 서술자가 인물의 성격을 직접 말하는 경우가 있답니다.

'서술자'는 작가를 대신해
이야기를 들려주는 사람!

개념 노트

● **직접 제시**
• 서술자가 (ㅈㅈ) 인물의 성격, 특성, 심리 등을 이야기하는 방법.
• (ㄷㅈ)에게 인물의 성격이나 심리를 정확하게 전달할 수 있음.

답 직접, 독자

1-1 다음 글을 읽고 물음에 답하시오.

> 카 일터에서의 그이는 다소 무뚝뚝하고 뻣뻣하다. 남하고 싱거운 소리를 나누는 일도 거의 없다. 잘 웃지도 않는다. 오히려 늘 화를 내고 있는 것처럼 보이기도 한다.
> 그런 얼굴로 그이는 늘 일을 하고 있다. 그이가 만드는 작품은 불티나게 팔리고 있으므로 하기야 쉴 틈도 많지 않다. 묵묵히 일만 하고 있는 그이를 우리는 '김밥 아줌마'라고 부른다.
> 나 그를 별명으로 부르는 데 어떤 악의가 있는 것은 결코 아니었다. 오히려 그렇게 스스럼없이 별명이 통하는 것만 보아도 김대호 씨의 대인 관계가 아주 원만한 편이라는 것을 능히 짐작할 수가 있다. 사실로 그는 키가 큰 만큼 이해의 길이도 길고, 느리고 낙천적인 만큼 주위 사람들을 편하게 해 주는 품성을 지니고 있었다.
> – 양귀자, 〈길모퉁이에서 만난 사람〉에서

(1) 다음 중 카의 김밥 아줌마와 나의 김대호 씨의 성격으로 알맞은 것을 각각 고르시오.

㉠ 뻣뻣하다.	㉡ 낙천적이다.
㉢ 무뚝뚝하다.	㉣ 이해심이 많다.

김밥 아줌마	김대호 씨

(2) 이 글에서는 인물의 성격을 어떻게 제시하고 있나요?

> 이 글에서는 인물의 성격을
> (ㅅㅅㅈ)가 직접 이야기하고 있어.

1-2 다음 글을 읽고 물음에 답하시오.

> 길동이 점점 자라 여덟 살이 되자 총명하기가 보통이 넘어 하나를 들으면 백을 깨달았다. 공은 더욱 귀여워했지만 천한 어미 소생이어서 길동이 늘 아버지니 형이니 하고 부르면 그때마다 꾸짖고 그렇게 부르지 못하게 하였다. 길동이 열 살이 넘도록 감히 아버지와 형을 부르지 못하는 데다가 종들로부터도 천대받는 것을 뼈에 사무치게 한탄하면서 마음 둘 바를 몰랐다. [중략]
>
> **중략 부분 줄거리** | 길동은 뜰에 나와 무술을 연습하던 중 아버지 홍 공과 마주친다. 길동은 홍 공에게 아버지를 아버지라 부르지 못하는 서러움을 말하지만, 자칫 길동이 방자해질까 걱정한 아버지는 길동을 크게 꾸짖는다.
>
> "재상가의 천한 자식이 너뿐이 아닌데, 네 어찌 이다지 방자하냐? 앞으로 다시 이런 말을 하면 내 눈앞에 두지 않겠다."
> 이렇게 꾸짖으니 길동은 감히 한마디도 더 하지 못하고, 다만 땅에 엎드려 눈물만 흘릴 뿐이었다. 공이 물러가라 하자 그제야 길동은 잠자리로 돌아와 슬퍼해 마지않았다.
> – 허균, 〈홍길동전〉에서

(1) 길동의 특성에 해당하는 것을 고르시오.

㉠ 어리석다	㉡ 총명하다

(2) 아버지에게 꾸중을 들은 뒤 길동의 심리로 알맞은 것을 고르시오.

㉠ 슬퍼한다	㉡ 분노한다

(3) 이 글에서는 길동의 특성과 심리를 어떻게 제시하고 있나요?

> 이 글에서는 길동의 특성과 심리를
> (직접적 / 간접적)으로 제시하고 있어.

주 4일 인물 성격 제시 방법

간접 제시

동민이는 지수의 행동과 말을 통해 지수의 성격을 파악해요. 소설에서도 인물의 성격을 인물의 행동이나 대화 등을 통해 보여 주는 경우가 있답니다.

● **간접 제시**

• 서술자가 직접 인물의 성격, 특성, 심리 등을 이야기하기보다는 인물의 (ㅎㄷ)이나 (ㄷㅎ) 등을 통해 보여 주는 방법.

• 직접 제시에 비해 생생한 느낌을 줄 수 있고, 독자가 자유롭게 상상할 수 있는 여지를 줌.

답 행동, 대화

2-1 다음 글을 읽고 물음에 답하시오.

"너 호랑나비 어디로 날아가는 거 봤니?" / 하다가는 바우 손에 잡히어 있는 나비를 보고는 반색을 한다.

"나 다우." / 하고 으레 줄 것으로 알고 손을 내미는 것이나 바우는 그 손을 툭 쳐 버리고 몸을 돌린다.

"넌 무슨 까닭으로 어린애들을 몰고 다니며 앰한 나비를 못살게 하는 거냐."

"뭐?" / 하고 경환이는 뜻하지 않은 말에 잠시 멍하니 바라보다가는,

"누가 장난으로 잡는 거냐. 학교서 숙제를 냈어. 동물 표본을 만들어 오라구."

"장난 아니믄, 벌써 너 나비 잡기 시작한 지가 며칠이냐. 그동안에 못 잡아도 백 마리는 잡았겠구나. 거다 동물 표본 만들고도 모자라서 또 잡는 거냐?"

"모두 못 쓰게 잡았으니까 그렇지. 날개가 상하구."

하다가는 경환이는 변색을 하고 한 발자국 다가서며,

"넌 남이 나비를 잡건 말건 무슨 상관이냐, 건방지게."

"나두 상관할 만해서 그런다."

– 현덕, 〈나비를 잡는 아버지〉에서

● 반색 매우 반가운 마음을 얼굴에 드러냄.

● 으레 두말할 것 없이 당연히.

● 변색 놀라거나 화가 나서 얼굴색이 달라짐.

(1) 이 글에 나타난 경환이의 성격을 바르게 파악한 사람은?

자기중심적이고
거만한 성격이야.

진우

다른 사람을 배려하고
겸손한 성격이야.

소미

(2) 다음을 읽고 괄호 안에서 알맞은 말을 고르시오.

이 글은 (서술자의 설명을 / 인물의 대화를) 통해 인물의 성격을 (직접적 / 간접적)으로 제시하였다.

2-2 다음 글을 읽고 물음에 답하시오.

동길이는 웬일인지 기차만 보면 좋았다.

'울 아부지도 저런 차를 타고 척 돌아올 끼라. 울 아부지 빨리 돌아왔으면 좋겠다.'

사라져 가는 기차 꽁무니를 바라보며 동길이는 잠시, 노무자로 나간 아버지 생각에 가슴이 뻐근했다. [중략]

동길이는 얼른 누워 있는 아버지 곁으로 가까이 갔다. 아버지는 자고 있었다. 그러나 동길이는 아버지를 향해 꾸벅 절을 했다.

㉠'아까 그 기차를 타고 오신 모양이지? 헤 참, 그런 줄 알았으면 얼른 집에 올걸……'

꼬박 2년 만에 돌아온 아버지……. 동길이는 조심스럽게 아버지의 얼굴을 들여다보았다. 시꺼멓게 탄 얼굴에 움푹 꺼져 들어간 두 눈자위, 그리고 코밑이랑 턱에는 수염이 지저분했다. 목덜미로 식은땀이 흐르고 있었고, 입 언저리에는 파리떼가 바글바글 붙어 있었다. 그러나 아버지는 그런 줄도 모르고 '푸푸' 코를 불면서 자고만 있다. ㉡동길이는 파리란 놈들을 쫓았다.

– 하근찬, 〈흰 종이수염〉에서

● 노무자 육체노동을 하여 돈을 받고 살아가는 사람.

● 눈자위 눈알의 바깥 부분.

(1) ㉠에 담긴 동길이의 심리로 알맞은 것을 고르시오.

| 걱정과 근심 | 반가움과 기쁨 |

(2) ㉡에 담긴 동길이의 심리로 알맞은 것을 고르시오.

| 아버지에 대한 애정 | 아버지에 대한 분노 |

(3) (1)과 (2)를 바탕으로 다음 빈칸에 들어갈 알맞은 말을 쓰시오.

이 글에서는 아버지에 대한 동길이의 심리가 _____으로 제시되고 있어.

[01~06] 다음 글을 읽고 물음에 답하시오.

가 소년은 개울가에서 소녀를 보자 곧 윤 초시네 증손녀딸이라는 걸 알 수 있었다. 소녀는 개울에다 손을 잠그고 물장난을 하고 있는 것이다. 서울서는 이런 개울물을 보지 못하기나 한 듯이.

벌써 며칠째 소녀는, 학교에서 돌아오는 길에 물장난이었다. 그런데 어제까지는 개울 기슭에서 하더니, 오늘은 징검다리 한가운데 앉아서 하고 있다.

ⓐ소년은 개울둑에 앉아 버렸다. 소녀가 비키기를 기다리자는 것이다.

요행 지나가는 사람이 있어, 소녀가 길을 비켜 주었다.

다음 날은 좀 늦게 개울가로 나왔다. / 이날은 소녀가 징검다리 한가운데 앉아 세수를 하고 있었다. 분홍 스웨터 소매를 걷어 올린 팔과 목덜미가 마냥 희었다.

중간 부분 줄거리 | 다음 날 소녀는 개울둑에 앉아 있는 소년에게 "이 바보." 하고 조약돌을 던지고 달아나고, 소년은 이 조약돌을 집어 주머니에 넣는다. 며칠째 보이지 않던 소녀가 다시 개울가에 나타난 날, 소녀는 소년에게 먼저 말을 건넨다.

나 갈림길에 왔다. 여기서 소녀는 아래편으로 한 삼 마장쯤, 소년은 우대로 한 십 리 가까운 길을 가야 한다.

소녀가 걸음을 멈추며, / "너, 저 산 너머에 가 본 일 있니?" / 벌 끝을 가리켰다.

"없다." / ⓑ우리, 가 보지 않을래? 시골 오니까 혼자서 심심해 못 견디겠다."

"저래 봬두 멀다."

"멀믄 얼마나 멀갔게? 서울 있을 땐 아주 먼 데까지 소풍 갔었다."

소녀의 눈이 금세 '바보, 바보.' 할 것만 같았다.

논 사잇길로 들어섰다. 벼 가을걷이하는 곁을 지났다.

허수아비가 서 있었다. 소년이 새끼줄을 흔들었다. 참새가 몇 마리 날아간다. ㉠'참, 오늘은 일찍 집으로 돌아가 텃논의 참새를 봐야 할걸.' 하는 생각이 든다.

"아, 재밌다!" / 소녀가 허수아비 줄을 잡더니 흔들어 댄다. 허수아비가 대고 우쭐거리며 춤을 춘다. 소녀의 왼쪽 볼에 살포시 보조개가 패었다.

저만치 허수아비가 또 서 있다. 소녀가 그리로 달려간다. 그 뒤를 소년도 달렸다. 오늘 같은 날은 일찌감치 집으로 돌아가 집안일을 도와야 한다는 생각을 잊어버리기라도 하려는 듯이.

㉡소녀의 곁을 스쳐 그냥 달린다. 메뚜기가 따끔따끔 얼굴에 와 부딪힌다.

– 황순원, 〈소나기〉에서

이 작품은
서울에서 온 소녀와 시골 소년의 순수한 사랑을 그린 소설입니다. 소나기처럼 짧게 끝나 버린 소년과 소녀의 사랑이 가을 풍경을 배경으로 아름답게 그려져 있습니다.

어휘 풀이

• **초시** 과거의 첫 시험. 또는 그 시험에 합격한 사람.

• **증손녀딸** 손자의 딸 또는 아들의 손녀를 귀엽게 이르는 말.

• **요행** 뜻밖에 얻는 행운.

• **마장** 오 리나 십 리가 못 되는 거리를 이르는 말. 1리는 약 393미터에 해당한다.

• **우대** 위쪽.

• **벌** 넓고 평평하게 생긴 땅.

• **텃논** 집터에 딸리거나 마을 가까이 있는 논.

• **대고** 무리하게 자꾸. 또는 계속하여 자꾸.

1 소년과 소녀가 처음 만난 곳은?

☐ 개울가 ☐ 논 사잇길

2 이 글은 (ㄴㅊ)을 배경으로 소년과 소녀의 순수한 사랑을 그리고 있는 소설이다.

3 이 글은 인물의 성격이나 심리를 (직접적 / 간접적)으로 제시하고 있다.

01 이 글에 대한 설명으로 적절하지 않은 것은?

① 이 글의 공간적 배경은 농촌이다.
② 이 글의 계절적 배경은 가을이다.
③ 짧고 간결한 문장을 연속적으로 사용하고 있다.
④ 인물의 말과 행동을 통해 성격이 드러나고 있다.
⑤ 작품 속 주인공 '나'가 자신의 이야기를 독자에게 전달하고 있다.

02 소녀에 대한 설명으로 적절하지 않은 것은?

① 서울에서 살다 왔다.
② 윤 초시네 증손녀딸이다.
③ 소년의 옆집에 살고 있다.
④ 분홍색 스웨터를 입고 있다.
⑤ 며칠째 개울에서 물장난을 하고 있다.

03 ⓐ와 ⓑ를 통해 알 수 있는 소년과 소녀의 성격으로 적절한 것은?

	소년	소녀
①	긍정적	부정적
②	낙천적	비관적
③	소극적	적극적
④	외향적	내성적
⑤	적극적	소극적

• 낙천적 세상과 인생을 즐겁고 좋은 것으로 여기는 것.
• 비관적 인생을 어둡게만 보아 슬퍼하거나 절망스럽게 여기는 것.
• 외향적 마음의 움직임을 적극적으로 나타내는 것.

04 ㉠에 담긴 소년의 내적 갈등을 바르게 파악한 사람은?

집안일을 도와야 하는데 소녀와 놀고 싶어 갈등하는 것 같아.

아니야. 집에 가서 공부를 해야 하는데 소녀와 놀고 싶어 갈등하는 거야.

은수 훈기

05 ㉡에 나타난 소년의 행동에 대한 설명으로 적절한 것은?

① 소녀와 그만 놀고 싶어서 한 행동이다.
② 메뚜기를 피하기 위해 빨리 달리고 있다.
③ 소나기를 피해서 산을 내려가기 위해 서두르고 있다.
④ 집안일 때문에 서둘러 집으로 돌아가기 위해 한 행동이다.
⑤ 소녀를 뒤따르기만 하던 소년이 이전과 달리 적극적으로 행동하고 있다.

06 〈보기〉는 이 글의 뒤에 이어지는 장면 중 일부이다. 〈보기〉에 담긴 소년의 심리로 적절한 것은?

> 보기
>
> "저기 송아지가 있다. 그리 가 보자."
> 누렁 송아지였다. 아직 코뚜레도 꿰지 않았다.
> 소년이 고삐를 바투 잡아 쥐고 등을 긁어 주는 척 후딱 올라탔다. 송아지가 껑충거리며 돌아간다. [중략]
> 어지럽다. 그러나 내리지 않으리라. 자랑스러웠다. 이것만은 소녀가 흉내 내지 못할, 자기 혼자만이 할 수 있는 일인 것이다.
>
> • 코뚜레 소의 콧구멍 사이를 꿰뚫어 끼는 나무 고리.
> • 바투 두 대상이나 물체의 사이가 썩 가깝게.

① 불안감을 느끼고 있다.
② 소녀가 다칠까 봐 걱정하고 있다.
③ 송아지 등이 높아 무서워하고 있다.
④ 송아지를 탄 것을 자랑스러워하고 있다.
⑤ 생각보다 어지러워 자신감이 떨어지고 있다.

개념 한번 더 체크

소설의 개념과 특성

소설의 개념

현실에서 있음 직한 일을 작가가 상상하여 꾸며 쓴 산문 문학.

소설의 특성

허구성	작가의 ☐☐☐으로 꾸며 낸 이야기임.
개연성	현실에 실제로 있을 법한 이야기임.
진실성	허구의 세계를 그리지만, 삶의 진실을 추구함.
☐☐성	운율이 없는 줄글로 쓰임.
예술성	형식과 내용의 아름다움을 추구함.

꾸며 낸 이야기지만 실제 있음 직한 얘기지.

소설의 요소

소설의 3요소

☐☐	작가가 작품을 통해 나타내고자 하는 중심 생각.
구성	내용의 효과적 표현을 위해 이야기가 짜인 방식.
문체	작가의 독특한 문장 표현 방식.

소설 구성의 3요소

인물	소설 속에 등장하는 사람.
사건	인물들을 중심으로 벌어지는 갈등과 상황.
☐☐	사건이 일어나는 시간과 장소.

소설의 인물

인물   소설 속에 등장하는 사람.

인물의 유형

| 역할에 따라 | 주동 인물: 소설의 □□□. |
| | 반동 인물: 주인공과 대립하는 인물. |

인물의 성격에
따라
— 전형적 인물: 특정 시대나 계층을 대표하는 성격의 인물.
— □□□ 인물: 독자적인 성격을 뚜렷이 지니고 있는 인물.

성격 □□
여부에 따라
— 평면적 인물: 소설의 처음부터 끝까지 성격이 변하지 않는 인물.
— 입체적 인물: 소설 속 상황 등에 따라 성격이 변하는 인물.

말풍선: 난 실다.
말풍선: 그러지 말고 여기서 가자.

인물 성격 제시 방법

직접 제시

서술자가 직접 인물의 □□, 특성, 심리 등을 이야기하는 방법.

간접 제시

서술자가 인물의 성격, 특성, 심리 등을 직접 이야기하기보다 인물의 □□이나 대화를 통해 보여 주는 방법.

말풍선: 지민이의 성격은 어때?
말풍선: 계단으로 가면 운동도 되고 좋지~
직접 제시 — 말풍선: 많이 낙천적이야.
간접 제시 — 말풍선: 엘리베이터가 고장 나면 운동 된다고 좋아해.

📄 답 상상력, 산문, 주제, 배경, 주인공, 개성적, 변화, 성격, 행동

[01~05] 다음 글을 읽고 물음에 답하시오.

가 오늘따라 엿장수는 일찍 왔다. 엿장수가 오는 시간을 누구보다 더 잘 알고 있는 이 마을 아이들에게는 작지 않은 사건이었다. 또 하나 의외의 일은 한 담배 참씩이면 다음 마을로 가 버리는 엿장수가 오늘은 제법 아이들과 시시덕거리고 놀기를 시작한 것이다. 그뿐만 아니라, 길목 타작마당에서 아이들과 뜀뛰기까지 하다가 점심때 가까이 해서야 다음 마을로 건너가는 것이었다. [중략]

엿장수는 한결같이 왔고 와서는 갈 줄을 몰랐다. 어떤 날은 벙글벙글 웃었고, 웃는 날은 애들에게 엿을 나눠 주었으나 벙어리처럼 덤덤히 앉았다가 가는 날은 엿 맛을 못 보았다. 그렇기에 아이들은 엿장수가 오면 엿판보다 먼저 엿장수 눈치부터 보는 버릇이 생겼다.

㉠요즘은 그 텁수룩한 머리에다 기름 칠갑을 해 가지고는 억지로 빗어 넘기고 또 옥색 인조견 조끼도 입었다. 낯익은 동네 아낙들이, / "엿장수 요새 장가갔는가 베?"
라고 할라치면 엿장수는 수줍게도 씩 웃으며 그 펑퍼짐한 얼굴을 모로 돌리곤 했다.

중간 부분 줄거리 | 어느 날 남이의 아버지가 남이를 시집보내겠다고 주인집에 찾아온다. 남이는 주인집을 떠나고 싶지 않지만 아버지의 뜻을 거스르지 못한다. 남이가 마을을 떠나는 날 아침, 때마침 엿장수가 나타난다.

나 바로 이때다. 골목에서 엿장수 가위 소리가 들려왔다. 남이는 재빨리 윤이를 업고, 영이의 손목을 잡은 채 밖으로 나갔다. 남이 아버지는 벌써 저만치 철수와 하직을 하면서 내려가고, 엿장수는 막 철수네 집 앞에서 대문을 나서는 남이와 마주쳤다. 엿장수는 얼빠진 사람처럼 남이를 바라보는데 ㉡남이의 눈에는 순간 어두운 그림자가 지나갔다.

남이는 윤이를 업은 채 허리를 굽히고, 몸을 약간 돌려 치맛자락을 걷고 빨간 콩 주머니에서 십 원짜리 두 장을 꺼내 엿장수를 주었다. 엿장수는 그제서야 눈을 돌려 남이와 돈을 번갈아 보다 말고, 신문지 조각에 엿을 네댓 가락 싸서 아무 말도 없이 돈과 함께 내민다.

남이는 약간 망설이다가 역시 암말도 없이 한 손으로 받아 가지고는 영이를 앞세우고 안으로 들어왔다. 엿장수는 멍하니 대문만 쳐다보고 있다가 침을 한 번 꿀걱 삼키고 나서 엿판을 둘러메고는 혼잣말로,

"꽃놀이를 가면 자천 골짜기지. 그럼 한 걸음 앞서 울음 고개로 질러감 되겠지."
이렇게 중얼대면서 엿장수는 빠른 걸음으로 담 모퉁이를 돌아 울음 고개로 향해 갔다.

– 오영수, 〈고무신〉에서

이 작품은
산기슭 마을에 찾아온 봄을 배경으로, 식모살이를 하는 남이와 마을에 드나드는 엿장수 청년의 애틋한 사랑을 다루고 있는 소설입니다.

앞부분 줄거리
남이의 주인집 아들인 영이와 윤이가, 남이가 애지중지하는 고무신을 엿과 바꿔 먹는다. 남이는 고무신을 찾기 위해 엿장수를 만난다. 고무신을 매개로 남이와 만나게 된 엿장수는 남이를 마음에 두게 되고, 남이를 만나고 싶어 마을에 자주 나타난다.

어휘 풀이

● **참** 일을 시작하여서 일정하게 쉬는 때까지의 사이.
● **시시덕거리다** 실없이 웃으면서 조금 큰 소리로 계속 이야기하다.
● **타작마당** 곡식의 이삭을 떨어서 낟알을 거두는 일을 하는 마당.
● **엿판** 엿을 담는 속이 얕은 목판.
● **칠갑** 물건의 겉면에 다른 물질을 흠뻑 칠하여 바름.
● **인조견** 사람이 만든 명주실로 짠 비단.
● **하직** 먼 길을 떠날 때 작별을 고하는 인사.

간단 체크

1 이 글은 (ㄴㅇ)와 (ㅇㅈㅅ)를 중심으로 사건이 전개되고 있다.

2 엿장수는 남이에게 잘 보이기 위해 (말투 / 외모)에 신경을 쓴다.

3 남이는 (아버지 / 엿장수)를 따라 주인집을 떠나기로 한다.

01 이 글의 내용과 일치하지 <u>않는</u> 것은?

① 엿장수는 남이가 꽃놀이를 간다고 생각하고 있다.
② 아이들은 엿을 얻어먹기 위해 엿장수의 눈치를 보았다.
③ 남이는 자신이 떠나는 것을 엿장수에게 말하지 못했다.
④ 마을 아이들은 엿장수가 마을에 오는 시간을 잘 알고 있었다.
⑤ 엿장수는 이 마을에서 엿을 많이 팔 수 있어서 마을에 자주 찾아왔다.

02 다음 중 남이를 만나고 싶어 하는 엿장수의 마음이 드러난 행동으로 적절하지 <u>않은</u> 것은?

① 남이가 사는 마을에 일찍 옴.
② 엿판을 길목에 내리고 손님을 기다림.
③ 다음 마을로 가지 않고 아이들과 시시덕거리며 놂.
④ 길목 타작마당에서 아이들과 뜀뛰기를 하며 마을에 머무름.
⑤ 어떤 날은 벙글벙글 웃고, 어떤 날은 덤덤히 앉았다가만 감.

03 엿장수가 ㉠과 같이 꾸민 이유로 적절한 것은?

① 남이에게 잘 보이고 싶기 때문이다.
② 엿을 많이 팔아서 수입이 늘었기 때문이다.
③ 동네 아낙들에게 좋게 보이고 싶기 때문이다.
④ 엿장수 말고 다른 직업을 갖고 싶기 때문이다.
⑤ 아이들과 놀아 주기 편한 옷차림이기 때문이다.

04 ㉡에 담긴 남이의 심리로 적절한 것은?

① 엿을 살지 말지 고민하고 있다.
② 꽃놀이에 대한 기대감으로 들떠 있다.
③ 엿장수와의 이별을 앞두고 슬퍼하고 있다.
④ 새로운 마을에서 적응할 수 있을지 걱정하고 있다.
⑤ 영이, 윤이와 헤어지는 것 때문에 안타까워하고 있다.

05 〈보기〉는 이 글의 결말 부분이다. 〈보기〉에 대한 감상 내용이 적절하지 <u>않은</u> 사람은?

> 보기
>
> 남이가 어이한˙ 옥색 고무신을 신고 가는 것이다. 더구나 한 번도 신지 않은 새것을……
> 철수 내외는 서로 얼굴만 처다볼 뿐 도로 물어본달 수도 없고 해서 그만두었다.
> 보리밭 사이 조그만 언덕길로 옥색 고무신을 신은 남이는 갔다. 자천 골짜기로 꽃놀이를 가는 줄만 알았던 남이가 난데없는 영감 하나를 따라가고 있는 광경을 엿장수는 울음 고개 위에서 멀거니 바라보고 있는 것을 남이 자신이야 알 리도 없었다.

● 어이한 '어디에서 생겼는지 알 수 없는'의 뜻으로 쓰임.

윤서 엿장수는 남이가 꽃놀이를 가는 게 아니라 마을을 떠나는 것임을 알아차린 것 같아.

혜수 그런데 남이가 신은 옥색 고무신은 어디에서 난 걸까? 영이랑 윤이가 엿과 바꿔 먹었잖아.

지후 한 번도 신지 않은 새것이라고 했으니까 원래 갖고 있던 고무신도 아닐 거야.

율희 엿장수가 남이에게 새 고무신을 선물해 준 게 아닐까? 남이를 보려고 마을에 자주 왔었잖아.

서준 맞아. 남이의 새 출발을 축하해 주기 위해서 엿장수가 선물한 것 같아.

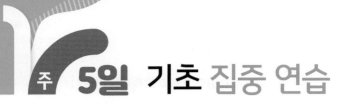

[06~10] 다음 글을 읽고 물음에 답하시오.

이 작품은
작가가 누구인지 알려지지 않은 고전 소설입니다. '춘향'과 '이몽룡'을 중심으로 보면 '신분을 초월한 남녀 간의 사랑'이 주제이지만, '춘향'과 '변학도'를 중심으로 보면 '부패한 지배 계층에 대한 비판'을 주제로 볼 수 있습니다.

앞부분 줄거리
남원 부사의 아들 이몽룡은 기생의 딸 춘향을 만나 사랑에 빠진다. 그러나 이몽룡의 아버지가 한양으로 가게 되자, 이몽룡과 춘향은 어쩔 수 없이 이별하게 된다. 새로운 남원 부사로 부임한 변학도는 춘향에게 수청을 강요하고, 춘향이 이를 거역하자 옥에 가둔다. 하지만 장원 급제한 이몽룡이 암행어사가 되어 나타나 변학도와 탐관오리를 벌한다.

어휘 풀이

- **호령하다** 부하나 동물을 지휘하여 명령하다.
- **포악** 성격이나 행동이 사납고 악함.
- **본관** 고을의 수령을 이르던 말. 여기서는 '변학도(변 사또)'를 가리킴.
- **절개** 남편에 대한 신의를 지키는 여자의 태도.
- **거역하다** 윗사람의 뜻이나 명령에 따르지 않고 거스르다.
- **어사또** '어사'의 높임말. 여기서는 '이몽룡'을 가리킴.
- **수절하다** 정절을 지키다.
- **명관** 유능하고 인품이 훌륭한 관리.
- **낭군** (옛날에) 젊은 여자가 남편을 다정하게 이르는 말.

"옥에 갇힌 죄인들을 다 올리라."

호령하니 죄인을 올리거늘 다 각각 죄를 물은 후에 죄 없는 자들을 풀어 줄 때,

"저 계집은 무엇인고?" / 형리가 아뢴다.

"기생 월매의 딸이온데 관가에서 포악을 떤 죄로 옥중에 있사옵니다."

"무슨 죄인고?"

"본관 사또를 모시라고 불렀더니 절개를 지킨다면서 사또 명을 거역하고 사또 앞에서 악을 쓴 춘향이로소이다."

어사또 분부하되,

"너만 한 년이 수절한다고 나라의 관리를 욕보였으니 살기를 바랄 것이냐. 죽어 마땅할 것이나 기회를 한 번 더 주마. 내 수청도 거역할 테냐?"

이 어사는 춘향의 마음을 떠보려고 짐짓 한번 다그쳐 보는 것인데, ⓐ춘향은 어이가 없고 기가 콱 막힌다.

"내려오는 사또마다 빠짐없이 명관이로구나! 어사또 들으시오. ㉠충충이 높은 절벽 높은 바위가 바람이 분들 무너지며, 푸른 솔 푸른 대가 눈이 온들 변하리까? 그런 분부 마옵시고 어서 빨리 죽여 주오." [중략]

어사또 다시 분부하되, / "얼굴을 들어 나를 보아라."

하시기에 춘향이 천천히 고개를 들어 대 위를 살펴보니, 거지로 왔던 낭군이 어사또로 뚜렷이 앉아 있었다. 순간, ⓑ춘향은 깜짝 놀라 눈을 질끈 감았다가 떴다.

"나를 알아보겠느냐? 네가 찾는 서방이 바로 여기 있느니라."

어사또는 즉시 춘향의 몸을 묶은 오라를 풀고 동헌 위로 모시라고 명을 내렸다. 몸이 풀린 춘향은 웃음 반 울음 반으로,

"ⓒ얼씨구나 좋을씨고, 어사 낭군 좋을씨고. 남원읍에 가을 들어 낙엽처럼 질 줄 알았더니 객사에 봄이 들어 봄바람에 핀 오얏꽃이 날 살리네. 꿈이냐 생시냐? 꿈이 깰까 염려로다."

– 지은이 모름, 〈춘향전〉에서

간단 체크

4 이 글은 (ㅊ ㅎ)과 이몽룡의 사랑을 다루고 있다.

5 춘향은 (변학도 / 어머니) 때문에 옥에 갇혔다.

6 이 글은 (행복한 / 불행한) 결말을 맺고 있다.

06 이 글에 대한 설명으로 적절한 것은?

① 부모에 대한 효성을 강조하고 있다.

② 신분을 초월한 남녀 간의 사랑을 다루고 있다.

③ 주인공이 꿈과 현실을 오가며 사건이 전개된다.

④ 가족 구성원의 다툼과 화해 과정을 다루고 있다.

⑤ 천상이나 용궁과 같은 비현실적인 공간에서의 사건을 다루고 있다.

07 이 글에 등장하는 인물에 대한 설명으로 적절하지 않은 것은?

① 어사또가 된 이몽룡은 춘향을 알아보지 못한다.

② 춘향은 변학도 앞에서 악을 쓴 죄로 옥에 갇혔다.

③ 춘향은 기생의 딸이고, 이몽룡은 양반의 아들이다.

④ 춘향은 절개를 지키기 위해 변학도의 명을 거역했다.

⑤ 어사또가 된 이몽룡은 죄 없는 사람들을 풀어 주었다.

08 ⓐ~ⓒ에 담긴 춘향의 심리가 바르게 짝지어진 것은?

	ⓐ	ⓑ	ⓒ
①	기쁨	분노	슬픔
②	분노	슬픔	아쉬움
③	슬픔	반가움	안타까움
④	어이없음	놀람	기쁨
⑤	당황스러움	안타까움	슬픔

09 다음 대화를 참고하여 ㉠의 의미를 해석한 것으로 적절한 것은?

윤서: '바람'과 '눈'은 변학도와 같은 시련을 상징하는 것 같아.

혜수: 그럼 바람이 불어도 무너지지 않는 '높은 절벽 높은 바위'는 춘향을 상징하겠네?

지후: 마찬가지로 눈이 온들 변하지 않는 '푸른 솔 푸른 대'도 춘향을 상징할 거야.

율희: 그렇다면 춘향의 저 말에 담긴 것은 이게 아닐까?

전송

① 변학도를 반드시 처벌하겠다는 의지야.

② 옥에서 풀려나게 되어서 기쁘다는 의미야.

③ 어려운 사람을 불쌍히 여기겠다는 마음이야.

④ 욕심을 부리지 않고 자신이 처한 상황에 만족하겠다는 태도야.

⑤ 시련에 굴복하지 않고 이몽룡만을 사랑하겠다는 굳은 마음이야.

10 〈보기〉를 참고할 때, 이 글의 인물 유형에 대한 설명으로 적절한 것은?

> **보기**
>
> 〈춘향전〉의 주제는 두 가지로 볼 수 있다. 하나는 '남녀 간의 변치 않는 사랑'으로 춘향과 이몽룡의 사랑을 다루고 있다.
>
> 다른 주제는 '부패한 지배 계층에 대한 비판'이다. 〈춘향전〉에서 '부패한 지배 계층'으로 등장하는 인물은 '변학도(변 사또)'로, 춘향은 이 변학도와 서로 대립하고 갈등한다.

① 춘향이 주동 인물, 이몽룡이 반동 인물이다.

② 이몽룡이 주동 인물, 춘향이 반동 인물이다.

③ 춘향이 주동 인물, 변학도가 반동 인물이다.

④ 변학도가 주동 인물, 춘향이 반동 인물이다.

⑤ 변학도가 주동 인물, 이몽룡이 반동 인물이다.

▶▶10~11쪽 참고

01 다음 빈칸에 들어갈 알맞은 말을 순서대로 쓰시오.

> • 소설이란 현실에서 있음 직한 일을 (　　　)가 상상하여 꾸며 쓴 산문 문학을 이른다.
> • 소설은 시와 달리 연과 행의 구분 없이 (　　　)로 이어 쓴 글이다.

▶▶12~13쪽 참고

02 다음 빈칸에 들어갈 알맞은 말을 쓰시오.

(1) 소설은 작가의 상상력을 통하여 꾸며 낸 이야기이기 때문에 (　　　)을 띠고 있다.

(2) 소설은 (　　　)을 지닌 문학이기 때문에 독자로 하여금 아름다움과 감동을 느끼게 한다.

(3) 소설이 현실에 실제로 있을 법한 이야기인 점을 들어 소설을 (　　　)을 갖추고 있는 문학이라고 한다.

(4) 소설의 특성 중 (　　　)은 소설이 운율이 없는 산문 형식으로 쓰인 문학이라는 점을 이르는 말이다.

▶▶12~13쪽 참고

03 소설의 특성에 대해 바르게 설명한 사람을 고르시오.

> 소설은 꾸며 낸 이야기이지만, 바람직한 인간상을 찾고자 해.

시하

> 소설은 허구의 세계를 그리기 때문에 삶의 진실을 추구하는 것과는 거리가 멀어.

시후

(　　　)

▶▶16~19쪽 참고

04 다음은 소설의 요소를 표로 정리한 것이다. ㉠~㉢에 들어갈 알맞은 말을 쓰시오.

소설의 3요소	주제	작가가 작품을 통해 나타내고자 하는 중심 (㉠).
	구성	내용의 효과적 표현을 위해 이야기가 짜인 방식.
	(㉡)	작가의 독특한 문장 표현 방식.
소설 구성의 3요소	인물	소설 속에 등장하는 사람.
	(㉢)	인물들을 중심으로 벌어지는 갈등과 상황.
	배경	사건이 일어나는 시간과 장소.

• ㉠: (　　　)　• ㉡: (　　　)　• ㉢: (　　　)

▶▶16~19쪽 참고

05 다음 글을 읽고 이 글에 대한 설명으로 알맞은 것을 〈보기〉에서 고르시오.

> 　일터에서의 그이는 다소 무뚝뚝하고 뻣뻣하다. 남하고 싱거운 소리를 나누는 일도 거의 없다. 잘 웃지도 않는다. 오히려 늘 화를 내고 있는 것처럼 보이기도 한다. [중략] 묵묵히 일만 하고 있는 그이를 우리는 '김밥 아줌마'라고 부른다. [중략]
> 　오히려 그렇게 스스럼없이 별명이 통하는 것만 보아도 김대호 씨의 대인 관계가 아주 원만한 편이라는 것을 능히 짐작할 수가 있다. 사실로 그는 키가 큰 만큼 이해의 길이도 길고, 느리고 낙천적인 만큼 주위 사람들을 편하게 해 주는 품성을 지니고 있었다.　　　　－ 양귀자, 〈길모퉁이에서 만난 사람〉에서

보기

> ㉠ 김밥 아줌마와 김대호 씨가 이 글의 등장인물이다.
> ㉡ 김밥 아줌마와 김대호 씨 사이의 갈등이 이 글에 나타난 사건이다.
> ㉢ 옛이야기를 인용하고 어려운 한자어를 사용하는 등 예스러운 문체가 나타난다.

(　　　)

○ 정답과 해설 9쪽

06 다음 글을 읽고 이 글에 등장하는 인물이 누구인지 <u>모두</u> 찾아 쓰시오.　▶▶22~23쪽 참고

> "아부지!" / 부르는 소리가 들렸다. 만도는 깜짝 놀라며, 얼른 뒤를 돌아보았다 그 순간 만도의 두 눈은 무섭도록 크게 떠지고, 입은 딱 벌어졌다. 틀림없는 아들이었으나, 옛날과 같은 진수는 아니었다. 양쪽 겨드랑이에 지팡이를 끼고 서 있는데, 스쳐 가는 바람결에 한쪽 바짓가랑이가 펄럭거리는 것이 아닌가.　– 하근찬, 〈수난이대〉에서

（　　　　　　）

07 인물의 유형과 설명을 바르게 연결하시오.　▶▶22~25쪽 참고

(1) 주동 인물　•

(2) 전형적 인물　•

(3) 입체적 인물　•

• ㉠ 소설 속 환경이나 상황 등에 따라 성격이 변하는 인물.

• ㉡ 특정 시대, 특정 부류나 계층을 대표하는 성격의 인물.

• ㉢ 사건을 주도적으로 이끌면서 작가가 표현하고자 하는 주제를 실현하는 인물.

08 소설의 인물에 대해 바르게 설명한 사람을 고르시오.　▶▶22~25쪽 참고

주동 인물과 대립해서 갈등을 일으키는 인물은 개성적 인물이야.

소설의 인물은 소설 속에서 성격이 변하기도 하고 변하지 않기도 해.

은수　　　　　훈기

（　　　　　　）

09 다음 빈칸에 들어갈 알맞은 말을 순서대로 쓰시오.　▶▶28~31쪽 참고

> 직접 제시는 서술자가 인물의 성격, 특성, 심리 등을 （　　　） 이야기하는 방법으로, 독자에게 인물에 대한 정보를 정확히 전달할 수 있다는 장점이 있다. 이와 달리 （　　　） 제시는 인물의 행동이나 대화 등을 통해 인물의 성격, 특성, 심리 등을 보여 주는 방법으로, 독자가 인물에 대해 자유롭게 상상할 수 있는 여지가 비교적 크다.

10 다음 글에서 밑줄 친 인물의 성격을 직접 제시하였으면 '직', 간접 제시하였으면 '간'을 쓰시오.　▶▶28~31쪽 참고

(1)
> 벌써 며칠째 소녀는, 학교에서 돌아오는 길에 물장난이었다. 그런데 어제까지는 개울 기슭에서 하더니, 오늘은 징검다리 한가운데 앉아서 하고 있다.
> <u>소년</u>은 개울둑에 앉아 버렸다. 소녀가 비키기를 기다리자는 것이다.　– 황순원, 〈소나기〉에서

（　　　　　　）

(2)
> 처음엔 고향 동네의 쌀을 받아다 파는 정도에 불과했지만 다음 해에는 연탄 배달까지 일을 벌일 만큼 <u>내외간이 모두 억척스럽고 성실한 일꾼이었다. 성품 또한 모난 데 없이 두루뭉술하여 어른을 알아볼 줄 알고 노상 웃는 얼굴이어서 원미동 사람들에게 고루 인정을 받고 있었다.</u>　– 양귀자, 〈원미동 사람들〉에서

（　　　　　　）

① 신나는 어휘 놀이

윤서와 친구들은 시험이 끝난 뒤에 같이 영화를 보러 가려고 합니다. 영화를 보기 위해서는 제시된 뜻풀이에 알맞은 단어를 찾아야 합니다. 윤서와 친구들이 언제, 어느 자리에서 영화를 볼지 알아볼까요?

1 윤서와 친구들이 보기로 한 영화의 상영 날짜와 시간을 알아맞혀 보자.

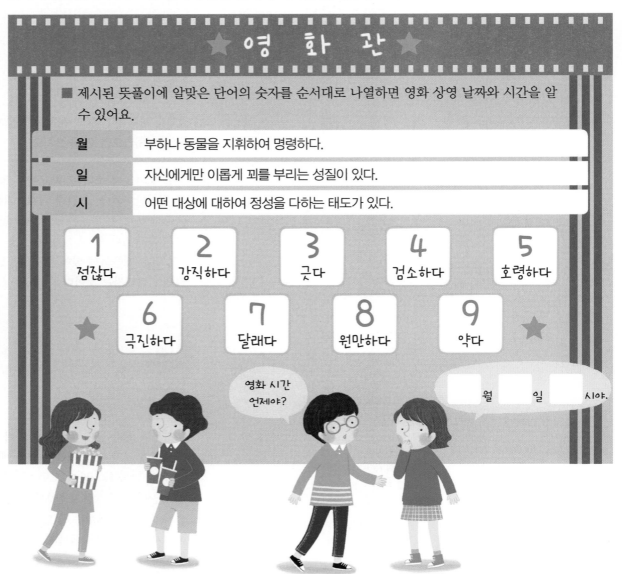

★ 영 화 관 ★

■ 제시된 뜻풀이에 알맞은 단어의 숫자를 순서대로 나열하면 영화 상영 날짜와 시간을 알 수 있어요.

월	부하나 동물을 지휘하여 명령하다.
일	자신에게만 이롭게 꾀를 부리는 성질이 있다.
시	어떤 대상에 대하여 정성을 다하는 태도가 있다.

1 점잖다   2 강직하다   3 긋다   4 검소하다   5 호령하다

6 극진하다   7 달래다   8 원만하다   9 약다

영화 시간 언제야?

□월 □일 □시야.

2 다음 놀이 방법을 참고하여 친구들의 좌석 번호를 알아맞혀 보자.

놀이 방법
① 입장권에 적힌 뜻풀이에 해당하는 단어를 좌석 배치도에서 찾아요.
② ①에서 찾은 단어의 '열'과 '번호'를 입장권에 적어요.

★ ★ ★ — 좌석 배치도 — ★ ★ ★

화면

	1	2	3	4	5
가 열	솔선수범	눈시울	무료	눈잼	반색
나 열	윤선	날품팔이	앙감질	하직	요행
다 열	보배	이랑	저의	증손녀딸	앙살

출입문

김윤서
매우 반가운 마음을 얼굴에 드러냄. □ 열 □ 번

정채현
겉으로 드러나지 아니한, 속에 품은 생각. □ 열 □ 번

한정우
논이나 밭을 갈아 골을 타서 두두룩하게 흙을 쌓아 만든 곳. □ 열 □ 번

이유리
먼 길을 떠날 때 작별을 고하는 인사. □ 열 □ 번

❷ Q&A 특강

Q 소설의 제재와 주제는 어떻게 다른가요?

○ 정답과 해설 9쪽

A 소설의 (　　　)는 작가가 작품을 통해 나타내고자 하는 중심 생각이고, (　　　)는 이 (　　　)를 구현하는 중심 소재이다.

빈칸에 들어갈 알맞은 말을 순서대로 써넣어 봐!

❸ 작가의 개성이 담긴 문체

소설에서 작가가 내용과 주제를 전달하기 위해 사용하는 독특한 문장 표현 방식을 '문체'라고 해요. 작가마다 언어를 사용하는 방식이나 취향, 그리고 사고방식 등이 다르기 때문에 문체도 작가마다 다르게 나타날 수 있어요. 문체의 종류를 몇 가지 살펴보면서, 문체에 따라 어떤 효과가 있는지 알아보기로 해요.

일상 대화에서 사용하는 말투가 나타나는 문체

일상 대화에서 사용하는 말투를 구어체라고 해요. 구어체를 사용하면 독자들이 사건이나 이야기를 좀 더 생생하게 느낄 수 있어요.

나는 금년 여섯 살 난 처녀 애입니다. 내 이름은 박옥희이고요. 우리 집 식구라고는 세상에서 제일 예쁜 우리 어머니와 나와 단 두 식구뿐이랍니다. 아차 큰일났군, 외삼촌을 빼놓을 뻔했으니.

지금 중학교에 다니는 외삼촌은 어디를 그렇게 싸돌아다니는지 집에는 끼니때 외에는 별로 붙어 있지를 않으니까 어떤 때는 한 주일씩 가도 외삼촌 코빼기도 못 보는 때가 많으니까요, 깜박 잊어버리기도 예사지요, 무얼.

우리 어머니는, 그야말로 세상에서 둘도 없이 곱게 생긴 우리 어머니는, 금년 나이 스물네 살인데 과부◦랍니다. 과부가 무엇인지 나는 잘 몰라도, 하여튼 동리 사람들이 나더러 '과부 딸'이라고들 부르니까 우리 어머니가 과부인 줄을 알지요.

– 주요섭, 〈사랑손님과 어머니〉에서

◦ 과부 남편을 잃고 혼자 사는 여자.

〈사랑손님과 어머니〉에서는 '-습니다', '-어요'를 사용해서 독자에게 말을 건네듯이 서술하고 있어요. 이 경우 독자에게 친근감을 줄 수 있지요.

사투리가 나타나는 문체

사투리를 활용하면 향토적인 느낌을 주기도 하고 인물의 특성을 구체적으로 보여 줄 수도 있어요.

"아부지, 우리도 소 한 마리 사 불어."

내가 골이 나서 말하면 아버지는 오냐, 그러자 하면 좀 좋을까만,

"소가 토깽이냐? 사고 잡다고 달랑 사게. 당장 저 도짓소라도 없으면 니하고 니 형, 학교도 끝이여. 그란다고 네놈이 목에다가 멍에를 걸그냐?" / 하며 씨도 안 먹힌다는 반응이었다.

"그람, 차차 송아지 낳으면 우리 주라고 해. 우리가 키워 주는디 고것 하나 못해."

– 전성태, 〈소를 줍다〉에서

● 도짓소 한 해 동안에 곡식을 얼마씩 내기로 하고 빌려 부리는 소.
● 멍에 수레나 쟁기를 끌게 하려고 소나 말 목에 얹는 둥글게 휜 나무 막대기.

〈소를 줍다〉는 한 농촌 마을을 배경으로 하고 있어요. 제시된 부분에서는 전라도 사투리를 활용해서 작품의 사실감과 생동감을 잘 살리고 있어요.

문장이 긴 문체

길이가 긴 문장을 사용하면 소설 속 상황이나 인물의 심리를 자세하게 전달할 수 있어요.

영신은 입술만 떨며 얼른 말을 꺼내지 못하고 섰다. 사제 간의 정을 한칼로 베어 내는 것 같은 마룻바닥에 그어 놓은 금을 내려다보고, 그 금 밖에 오십여 명 아동이 옹기종기 모여 앉아서 무슨 무서운 선고나 내리기를 기다리는 듯한 그 천진한 얼굴들을 바라볼 때, 영신은 눈두덩이 뜨끈해지며 목이 막혀서 말을 꺼낼 수가 없다. 한참 만에야 그는 용기를 내었다. 그러다가 풀이 죽은 목소리로,

"여러 학생들, 조용히 들어요. 오늘은 선생님이 차마 허기 어려운 섭섭헌 말을 헐 텐데……."

하고 나서 다시 주저하다가,

"저…… 금 밖에 앉은 아이들은 오늘버텀 공부를…… 시킬 수가…… 없게 됐어요."

하였다.

– 심훈, 〈상록수〉에서

〈상록수〉에서는 "사제 간의 정을 한칼로~말을 꺼낼 수가 없다."와 같이 긴 문장을 쉼표를 활용해 사용하고 있어요. 이 긴 문장을 활용해 영신의 참담한 심경을 사실적으로 드러내고 있어요.

● 소설의 갈등과 구성

◐ 민서와 준서는 무엇 때문에 갈등하였나요?

이번 주에는 무엇을 공부할까? ❷

1 다음은 우리가 일상생활에서 흔히 겪을 수 있는 갈등 상황입니다. 잘 보고, 물음에 답해 봅시다.

(1) 가 의 인물은 무엇 때문에 갈등하고 있는지 빈칸에 알맞은 말을 쓰세요.

> _____를 먼저 해야 한다는 생각과 _____를 먼저 보고 싶다는 서로 다른 두 가지 생각 때문에 갈등하고 있다.

(2) 나 의 인물들은 무엇 때문에 갈등하고 있는지 빈칸에 알맞은 말을 쓰세요.

> 각자 보고 싶은 채널이 달라서 서로 _____을 차지하려고 갈등하고 있다.

(3) 가 와 나 에 나타난 갈등은 어떤 차이가 있나요? 괄호 안에서 알맞은 기호를 각각 골라 보세요.

> (가 / 나)에서는 한 인물의 마음속에서 두 가지 생각이 충돌하고 있고,
> (가 / 나)에서는 두 인물의 서로 다른 생각이 충돌하고 있어.

2 다음 **가**와 **나**는 장면의 순서를 서로 다르게 배열하여 이야기를 구성한 것입니다. **가**와 **나**를 살펴보고, 물음에 답해 봅시다.

(1) **가**와 **나**의 공통점과 차이점은 무엇인가요? 괄호 안에서 알맞은 말을 각각 골라 보세요.

공통점	차이점
나타난 장면이 (같다 / 다르다).	장면을 배열한 순서가 (같다 / 다르다).

(2) 다음 대화를 읽고 괄호 안에서 알맞은 기호를 각각 골라 보세요.

나는 (**가** / **나**)와 같은 구성이 더 좋아. 시간의 흐름에 따라 장면이 나열되어 있어 이해하기 쉬워.

모든 것이 꿈이었다는 반전이 있어서 나는 (**가** / **나**)가 좀 더 흥미롭게 느껴져.

> **갈등의 개념**

개념 노트

● 갈등의 개념

소설에서 인물의 (ㅁㅇㅅ)에 여러 가지 생각이 얽혀 있음을 나타내거나 인물과 (ㅇㅁ) 또는 인물과 외부 환경이 대립 관계에 있음을 나타내는 말.

답 마음속, 인물

1-1 다음 글을 읽고 물음에 답하시오.

> **가** 그 그림은 내가 그린 그림이 아니었어. 풍경은 내가 그린 것과 비슷했지만 절대로, 절대로 내가 그린 그림이 아니야. [중략]
>
> 내가 주 선생님을 찾아가서 말해야 했을까. 이건 내 그림이 아니라고. 다른 사람이 그린 그림이라고. 나는 그 사람만 한 재능이 없다고. 실수를 바로잡아 달라고. 나는 그렇게 하지 못했어. 주 선생님의 품에 안겨 울지만 않았더라도 찾아갈 수 있었어. 가능성이 크지는 않지만.
>
> **나** 어라, 저기 걸어가는 저 사람, 백선규 같네. 저 사람 도대체 무슨 생각을 저렇게 골똘하게 하고 있을까. 인사를 해 볼까? 안녕하세요, 라고 해야 하나? 그냥 안녕이라고? 그러고 나서 고향, 연도, 초등학교를 말하면 알아볼까? 아이, 귀찮아. 그런 걸 하면 뭘 해. 우리는 가는 길이 다른데. 나는 그림을 좋아하고 저 사람은 자신의 그림을 열심히 그리면 그만이지.
>
> 점점 멀어지네. 사라졌네. 나는 여기에 있고. 나도 곧 가야 하지만.
>
> — 성석제, 〈내가 그린 히말라야시다 그림〉에서

(1) **가** 에서 갈등하고 있는 인물은 누구인가요?

 ① '나' ② 주 선생님

(2) **나** 에서 갈등하고 있는 인물은 누구인가요?

 ① '나' ② 백선규

(3) **나** 의 인물이 무엇 때문에 갈등하고 있는지 쓰시오.

나 의 인물은 길을 걷다 마주친 이에게 _____를 할지 말지 갈등하고 있어.

1-2 다음 글을 읽고 물음에 답하시오.

> "야, 근데, 너 요새 뭐 하고 돌아댕기니?"
> "내가 뭘요?"
> "네 책상 위에 있던 웬 여학생한테서 온 편지, 내가 압수했다."
> 아차, 미옥이에게서 온 편지. 나는 엄마에게 나지막한 목소리로 조용히 말했다. 이럴 때 악을 쓰면 더 어린애 취급을 받을 것이 확실하기 때문에. 목소리가 변하고 나서 좋은 점은 바로 이럴 때다. 어린애 목소리로는 도저히 이런 '공포의 저음'이 나오지 않기 때문에 어떻게 할 방법이 없다.
>
> "엄마, 그 편지 도로 저에게 주세요."
> "자기한테 온 편지를 제대로 간수하지도 못하는 애한테 내가 왜 주냐?" [중략]
> "하여간, 그 편지 돌려줘요."
> "싫다면?" / "왜 싫은 건데요?"
> 나는 될 대로 되라는 심정으로 다시 한번 악을 꽥 쓰고 말았다.
> "너 공부에 지장 있으니까 그렇다, 왜. 이제 3학년인데, 괜히 이성 문제에 휩쓸리다 보면 바닥으로 떨어지는 거 순식간이야. 건넛집 순길이 봐라, 약국집 애랑 사귄다고 돌아댕기다가 지난번에 성적이 꼴등이 났잖아."
>
> — 공선옥, 〈일가(一家)〉에서
>
> ─────
> ● 악 있는 힘을 다하여 마구 쓰는 기운.

(1) 이 글에서 갈등하고 있는 인물은 누구인가요?

 ① '나'와 미옥 ② '나'와 엄마

(2) 이 글의 인물들이 무엇 때문에 갈등하고 있는지 쓰시오.

이 글의 인물들은 _____를 돌려주는 문제로 갈등하고 있어.

▶ 갈등의 기능

갈등의 기능은 여러 가지가 있어요.

갈등에 대처하는 인물의 말이나 행동, 태도 등을 통해 인물의 성격과 가치관이 드러난답니다.

한 푼도 못 줘!

형님!

도움을 요청하는 동생을 내쫓다니 놀부는 너무 매정해.

사람 살려!

내가 잘못했다, 흥부야.

괜찮아요. 일어나세요, 형님.

못된 놀부는 벌을 받고 흥부에게 용서를 구하네.

또한 갈등이 일어나고 해결되는 과정 속에서 작가가 전달하고자 하는 주제가 자연스럽게 드러나게 되지요.

개념 노트

● 갈등의 기능

- 인물의 (ㅅㄱ)과 가치관을 드러냄.
- 갈등의 해결 과정에서 (ㅈㅈ)를 드러냄.
- 사건을 전개시키는 기능도 함.
- 이야기에 긴장감을 주어 독자의 흥미와 관심을 불러일으키기도 함.

답 성격, 주제

2-1 다음 글을 읽고 물음에 답하시오.

산기슭을 돌아 고갯길에 올라섰을 때 그들은 모두 용이 발밑에 책 보퉁이를 던졌습니다. 3년 동안 용이 어깨에 매달려 재를 넘어가고 넘어오던 책 보퉁이들입니다. 용이 아버지가 같은 동네에서 머슴살이를 하고 있기 때문에 아이들은 모두 용이까지 남의 짐을 날라 주어야 하는 것으로 생각하고 있는 것입니다.

"자! 인마, 너 인제 4학년이 돼서 기운도 세졌잖아. 하나 더 날라라." [중략]

책 보퉁이는 용이 제 것까지 모두 일곱 개나 되었습니다.

책 보퉁이를 용이에게 맡겨 버린 아이들은 모두 소리치면서 산길을 달려 올라갔습니다.

"올해만 참자!"

용이는 언제나처럼 바위 밑에 가서 참나무 지겟작대기를 찾아와 책 보퉁이를 모두 꿰어 달았습니다. 그러고는 어깨로 가운데를 메고 올라가기 시작했습니다.

— 이오덕, 〈꿩〉에서

● **보퉁이** 물건을 보자기에 싸 놓은 것.
● **재** 넘어 다닐 수 있게 길이 나 있는, 높은 산의 고개.

(1) 동네 아이들과의 갈등에 대응하는 용이의 태도로 알맞은 것을 고르시오.

동네 아이들은 아버지가 머슴이니 용이도 머슴처럼 남의 짐을 대신 날라 주어야 한다고 생각한다. 용이는 남의 책 보퉁이를 대신 메고 가는 것이 답답하지만 동네 아이들의 요구를 (거절한다 / 거절하지 못한다).

(2) 이 글에서 알 수 있는 용이의 성격으로 알맞은 것을 고르시오.

| 염치없고 뻔뻔함. | 순박하고 참을성 있음. |

2-2 다음 글을 읽고 물음에 답하시오.

소설 〈자전거 도둑〉(박완서) 줄거리

열여섯 살 수남이는 고향을 떠나 서울의 한 전기용품 도매점에서 일하고 있다. 주인 영감은 수남이에게 적은 돈을 주고 마구 일을 시키지만 순진한 수남이는 그런 주인 영감을 마냥 의지한다. 어느 날 다른 가게에 배달을 간 수남이는 가게 밖에 자전거를 세워 두었는데, 그 자전거가 바람에 쓰러지면서 옆에 있던 고급 자동차에 상처를 내고 만다. 자동차의 주인인 신사는 수리비를 물어내기 전에는 자전거를 가져갈 수 없다면서 수남이의 자전거에 자물쇠를 채워 버리고, 수남이는 신사가 자리를 비운 틈을 타 자전거를 들고 도망친다.

가게로 돌아온 수남이가 주인 영감에게 사실을 털어 놓자 주인 영감은 잘했다며 칭찬하고, 수남이는 자신의 잘못된 행동을 칭찬하기만 하는 주인 영감에게 실망한다. 수남이는 자전거를 들고 달아날 때 쾌감을 느꼈던 것을 자책하며 괴로워하다가, 도둑질만은 하지 말라고 했던 아버지의 말을 떠올린다. 수남이는 문득 자신의 부도덕한 행동을 견제해 줄 수 있는 어른이 그리워져 고향으로 내려갈 결심을 한다.

(1) 이 글의 내용과 일치하는 것을 고르시오.

① 자전거를 들고 도망친 수남이는 주인 영감에게 칭찬을 받고 만족감을 느꼈다.

② 수남이는 자전거를 들고 뛸 때 느꼈던 쾌감 때문에 죄책감이 들어 갈등하였다.

(2) 다음 빈칸에 들어갈 알맞은 인물을 고르시오.

이 글은 자전거를 둘러싼 갈등을 통해 ＿＿＿처럼 부도덕하고 이익만을 추구하는 사람들에 대한 비판 의식을 드러내고 있어.

| 수남이의 아버지 | 주인 영감 |

[01~05] 다음 글을 읽고 물음에 답하시오.

가 "아저씨, 그러시지 말고 한 번만 봐주세요. 네, 아저씨?"

수남이는 주머니 속에 든 만 원 생각을 하면 얼굴이 화끈대고 공연히 무섭기까지 하다. 그렇지만 주인 영감님을 위해 그 돈만은 죽기를 무릅쓰고 지킬 각오를 단단히 한다.

"아니, 이 녀석이 이제 보니 이런 큰일 저지르고 그냥 내뺄 생각 아냐? 요런 악질 녀석 같으니라고." [중략]

신사는 다시 네놈은 쳐다보기도 싫다는 듯이 수남이를 전혀 상대하지 않고 묵묵히 자전거 바퀴에다 자물쇠를 채우고, 눈앞에 서 있는 빌딩을 가리켰다.

"나 저기 306호실에 있으니까 돈 오천 원 갖고 와. 그러면 열쇠 내줄 테니."

중간 부분 줄거리 | 신사가 빌딩으로 돌아가고, 주변에서 구경하던 어른들은 수남이에게 도망가라고 부추긴다. 결국 수남이는 자물쇠가 채워진 자전거를 들고 달아난다. 가게로 돌아온 수남이가 주인 영감에게 사정을 털어놓자 주인 영감은 자동차 수리비를 물어내지 않고 도망쳐 온 수남이를 칭찬한다. 수남이는 그런 주인 영감의 태도에 거부감을 느끼고, 도둑질을 했다는 죄책감에 괴로워한다.

나 낮에 내가 한 짓은 옳은 짓이었을까? / 옳을 것도 없지만 나쁠 것은 또 뭔가. 자가용까지 있는 처지에 나 같은 어린아이에게 오천 원을 우려내려고 그렇게 심하게 굴던 신사를 그 정도 골려 준 것이 뭐가 나쁜가? 그런데도 왜 무섭고 떨렸던가. 그때의 내 꼴이 어땠으면, 주인 영감님까지 "네놈 꼴이 꼭 도둑놈 꼴이다."라고 하였을까.

그럼 내가 한 짓은 도둑질이었단 말인가.

그리고 나는 도둑질을 하면서 그렇게 기쁨을 느꼈더란 말인가.

수남이는 몸을 부르르 떨면서 낮에 자전거를 갖고 달리면서 맛본 공포와 함께 그 까닭 모를 쾌감을 회상한다. / 마치 참았던 오줌을 시원하게 눌 때처럼 무거운 긴장감이 갑자기 풀리면서 온몸이 날아갈 듯이 가벼워지는 상쾌한 해방감이었다. 한 번 맛보면 도저히 잊혀질 것 같지 않은 그 짙은 쾌감…….

아아, 도둑질하면서도 나는 죄책감보다는 쾌감을 더 짙게 느꼈던 것이다.

혹시 내 피 속에 도둑놈의 피가 흐르고 있기 때문이 아닐까.

순간 수남이는 방바닥에서 송곳이라도 치솟은 듯이 후닥닥 일어서서 안절부절못하고 좁은 방 안을 헤맸다.

– 박완서, 〈자전거 도둑〉에서

1 수남이는 전기용품 도매점의 점원으로 (ㅈㅇ ㅇㄱ) 밑에서 일하고 있다.

2 이 글에는 (ㅈㅈㄱ) 때문에 발생한 갈등이 나타나 있다.

3 수남이는 자물쇠가 채워진 자전거를 들고 도망치면서 (ㅋㄱ)을 느꼈다.

01 이와 같은 글에서 갈등의 기능으로 적절하지 <u>않은</u> 것은?

① 사건을 전개시킨다.
② 작품의 주제를 드러낸다.
③ 작품에 예스러운 분위기를 더한다.
④ 인물의 성격이나 가치관을 드러낸다.
⑤ 독자의 관심과 흥미를 불러일으킨다.

02 가에 나타난 수남이와 신사의 갈등을 이해한 내용으로 적절하지 <u>않은</u> 것은?

① 신사는 수남이에게 오천 원을 받아 내려고 한다.
② 수남이가 용서를 빌지만 신사는 받아 주지 않는다.
③ 거짓말하는 수남이의 모습에서 뻔뻔한 성격이 드러난다.
④ 수남이를 대하는 태도를 통해 신사가 냉정한 사람인 것을 알 수 있다.
⑤ 돈을 받아 내려는 신사와 돈을 지키려는 수남이 사이에 갈등이 일어나고 있다.

03 다음 빈칸에 들어갈 수남이의 성격으로 적절한 것은?

수남이의 주머니 속 만 원은 가게 물건을 배달하고 받은 물건값이야. 그 돈을 급한 대로 신사에게 줄 수도 있지만 주인 영감에게 꼭 갖다 주려는 걸 보니 수남이는 _____ 아이야.

① 냉정한   ② 게으른
③ 상냥한   ④ 충동적인
⑤ 책임감이 강한

04 다음은 나에 나타난 수남이의 마음속 갈등이다. ⓐ~ⓕ를 순서에 따라 나열할 때, 빈칸에 알맞은 기호를 쓰시오.

ⓐ 그런데도 왜 무섭고 떨렸던가.
ⓑ 내가 한 짓은 도둑질이었단 말인가.
ⓒ 낮에 내가 한 짓은 옳은 짓이었을까?
ⓓ 옳을 것도 없지만 나쁠 것은 또 뭔가.
ⓔ 내 피 속에 도둑놈의 피가 흐르고 있기 때문이 아닐까.
ⓕ 나는 도둑질을 하면서 그렇게 기쁨을 느꼈더란 말인가.

(ⓒ)-(   )-(   )-(ⓑ)-(   )-(ⓔ)

05 〈보기〉는 이 글의 마지막 부분이다. 〈보기〉를 바르게 이해하지 <u>못한</u> 것은?

보기

소년은 아버지가 그리웠다. 도덕적으로 자기를 견제해♦ 줄 어른이 그리웠다. / 주인 영감님은 자기가 한 짓을 나무라기는커녕 손해 안 난 것만 좋아서 "오늘 너 운 텄다."며 좋아하지 않았던가.
수남이는 짐을 꾸렸다.
'아아, 내일도 바람이 불었으면. 바람이 물결치는 보리밭을 보았으면……'
마침내 결심을 굳힌 수남이의 얼굴은 누런 똥빛이 말끔히 가시고, 소년다운 청순함♦으로 빛났다.

● 견제하다 상대방이 자유롭게 행동하거나 힘이 강해지지 못하도록 하다.
● 청순하다 깨끗하고 순수하다.

① 수남이는 아버지가 계신 고향으로 돌아가기로 결심했다.
② 수남이는 아버지가 자신을 도덕적으로 견제해 줄 수 있는 어른이라고 생각한다.
③ 수남이는 주인 영감이 자신의 부도덕한 행동을 꾸짖어 줄 어른이라고 생각한다.
④ 수남이의 얼굴에서 누런 똥빛이 가셨다는 표현을 통해 수남이의 갈등이 해소되었음을 알 수 있다.
⑤ 수남이가 한 행동을 나무라지 않고 손해 안 난 것만 좋아하는 주인 영감과 같이 자신의 이익만 좇는 사람들에 대한 비판적 태도를 드러내고 있다.

> **내적 갈등**

갈등의 유형은 크게 두 가지로 나눌 수 있어요.

먼저, 한 인물의 마음속에서 두 가지 이상의 욕구나 감정이 동시에 일어나서 생기는 갈등인 내적 갈등이 있어요.

 무엇을 먹을지 고민하거나 누군가에게 말을 걸지 말지 망설이는 것도 모두 내적 갈등이에요.

개념 노트

● **내적 갈등**

한 인물의 (ㅁㅇㅅ)에서 두 가지 이상의 욕구나 감정이 동시에 일어나서 생기는 갈등.

답 마음속

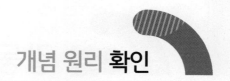

1-1 다음 글을 읽고 물음에 답하시오.

> 나는 얼굴이 빨갛게 달아올랐어.
> '보리 방구 조수택이 내 짝이 되다니…….'
> 수택이 냄새보다 아이들이 킥킥대는 소리가 더 참기 힘들었지.
> 나는 바로 짝을 바꿔 달라고 말하고 싶었어. 그전에 수택이 짝이 된 아이들은 그렇게 해서 바꿨거든. 선생님은 물론 들어주시지 않았지. 번번이 수택이가 바꿔 달라고 한 거였어. [중략]
> 그래도 나는 대놓고 싫어하는 눈치를 보일 수가 없었어. 일 학기가 끝나 갈 무렵 나는 '착한 어린이 상'을 탔거든. 아이들이 투표해서 뽑아 준 거였지. 내가 그 상을 타고 싶어서 착하게 군 건 아니었어. 하지만 그 상을 탄 다음부턴 착한 어린이답게 행동하고 싶었어. 애들은 수택이를 보리 방구라고 놀리고 가까이 오는 것도 싫어했지만, 막상 짝을 바꾸겠다고 하면 나를 좋지 않게 볼 것만 같았어.
> – 유은실, 〈보리 방구 조수택〉에서

(1) 다음은 이 글에 나타난 '나'의 고민이다. 빈칸에 들어갈 알맞은 말을 쓰시오.

> '나'는 _____을 바꾸고 싶지만 착한 어린이답게 행동하고 싶어서 고민하고 있어.

(2) 이 글에 나타난 갈등으로 알맞은 것을 고르시오.

'나'의 내적 갈등 　　　　 '나'와 수택이 사이의 갈등

(도움말)
내적 갈등은 인물의 마음속에서 일어나는 갈등이에요.

1-2 다음 글을 읽고 물음에 답하시오.

> **앞부분 줄거리** | 가난한 인력거꾼˙ 김 첨지는 한 푼이라도 벌기 위해 아픈 아내를 집에 두고 비가 오는 날임에도 일을 하러 나간다. 그런데 오늘따라 운수가 좋아 오랜만에 손님을 태우고 돈을 번다. 김 첨지는 아내가 먹고 싶어 하던 설렁탕을 사 줘야겠다고 생각하는데 학생 하나가 남대문 정거장까지 태워 달라고 그를 불러 세운다.
>
> "남대문 정거장까지 말씀입니까?" / 하고 김 첨지는 잠깐 주저하였다. 그는 이 우중(雨中)에 우장˙도 없이 그 먼 곳을 철벅거리고 가기가 싫었음일까? 처음 것, 둘째 것으로 고만 만족하였음일까? 아니다. 결코 아니다. 이상하게도 꼬리를 맞물고 덤비는 이 행운 앞에 조금 겁이 났음이다.
> 그리고 집을 나올 제, 아내의 부탁이 마음에 켕기었다.
> [중략]
> "오늘은 나가지 말아요. 제발 덕분에 집에 붙어 있어요. 내가 이렇게 아픈데……." / 라고 모깃소리같이 중얼거리며 숨을 걸그렁걸그렁하였다.˙
> – 현진건, 〈운수 좋은 날〉에서

• 인력거꾼 수레에 사람을 태우고 목적지까지 데려다준 후 돈을 받던 사람.
• 우장 비를 맞지 않기 위해서 차려 입은 복장.
• 걸그렁걸그렁하다 가래 따위가 목구멍에 걸려 숨 쉴 때마다 자꾸 꽤 거칠게 소리가 난다.

(1) 이 글의 내용과 일치하는 것을 고르시오.
　① 김 첨지의 직업은 심부름꾼이다.
　② 김 첨지의 아내는 일하러 가려는 남편을 말렸다.

(2) 김 첨지의 심리를 바르게 이해한 사람은 누구인가요?

김 첨지는 행운이 거듭되자 마냥 행복해하고 있어.
　은수

김 첨지는 문득 불안해져서 손님을 앞에 두고 주저하고 있어.
　훈기

외적 갈등

외적 갈등이란 인물과 그를 둘러싼 환경 사이에서 생기는 갈등을 말해요.

인물과 인물 사이의 갈등은 한 인물과
다른 인물 사이에서 일어나는 갈등이에요.

인물과 사회 사이의 갈등은 인물이 살아가면서
겪는 사회 윤리나 제도와의 갈등이에요.

● **외적 갈등**
인물과 그를 둘러싼 환경 사이에서 생기는 갈등.

인물과 인물 사이의 갈등	한 인물과 다른 (ㅇㅁ) 사이에서 일어나는 갈등.
인물과 사회 사이의 갈등	인물이 살아가면서 겪는 사회 윤리나 (ㅈㄷ)와의 갈등.

답 인물, 제도

2-1 다음 글을 읽고 물음에 답하시오.

"너의 집 집안 살림을 내가 알 게 뭐냐."
하고 같은 웃음으로 좌우를 돌아본다. 개울 건너 길가에 동네 아이들이 모여 섰고 그 뒤로 지게를 진 어른들도 섰다. 바우는 낯이 화끈 달았다.
"뭐, 인마."
하고 대뜸 상대의 멱살을 잡고
"그래서 남의 참외밭 결딴내는 거냐. 나빈 우리 집 참외밭에만 있구, 다른 덴 없어, 인마."
경환이는 멱살을 잡히고 이리저리 목을 저으며
"이게 유도 맛을 보지 못해 이래. 너 다 그랬니. 다 그랬어."
하고 으르다가 날래게 궁둥이를 들이대고 팔을 낚아 넘겨치려 하나 그러나 원체 나무통처럼 버티고 섰는 바우의 몸은 호리호리한 경환의 허릿심으로는 꺾이지 않았다. 도리어 바우가 슬쩍 딴죽을 걸고 밀자 경환이 자신이 쿵 나둥그러졌다.

              – 현덕, 〈나비를 잡는 아버지〉에서

● 결딴내다 물건을 망가뜨려 쓸 수 없게 만들다.
● 원체 원래부터.
● 호리호리하다 몸이 가늘고 날씬하다.
● 딴죽을 걸다 발로 상대편의 다리를 옆으로 치거나 끌어 당겨 넘어뜨리다.

(1) 이 글을 통해 알 수 있는 것을 고르시오.
  ① 바우는 몸이 가늘고 날씬하다.
  ② 경환이는 바우네 참외밭을 망가뜨렸다.

(2) 이 글에 나타난 갈등으로 알맞은 것을 고르시오.

①	②
한 인물의 마음속에서 일어나는 갈등	인물과 인물 사이에서 일어나는 갈등

2-2 다음 글을 읽고 물음에 답하시오.

앞부분 줄거리 | 1930년대 일제 강점기, 영신은 학업을 마친 뒤 시골 마을 청석골로 내려가 예배당을 빌려 무료 강습소를 차리고 아이들에게 한글을 가르친다. 그러던 어느 날, 주재소 주임이 낡은 예배당과 법을 핑계 삼아 학생을 80명 이하로 줄이지 않으면 강습소를 강제로 폐쇄할 것이라고 협박한다.

  영신은 여러 가지로 변명도 하고 오는 아이들을 아니 받을 수는 없다고 사정사정하였으나,
"상부의 명령이니까 말을 듣지 아니하면 강습소를 폐쇄시키겠다."
라고 을러메어서 영신은 하는 수 없이 입술을 깨물고 주재소 문밖을 나왔다. [중략] 내일부터 일백사십여 명 중에서 팔십 명만 남기고 오십여 명을 쫓아내야 한다. 저의 손으로 쫓아내야만 한다.
"난 못 하겠다! 차라리 예배당 문에 못질을 하는 한이 있드래도 내 손으로 차마 그 노릇은 못 하겠다!"
하고 영신은 부르짖으며 방바닥에 가 쓰러져 버렸다.

              – 심훈, 〈상록수〉에서

● 주재소 일제 강점기에 일본 경찰이나 군인이 일하던 작은 기관.
● 을러메다 무서운 말이나 행동으로 상대방을 억누르다.

(1) 다음은 이 글에 나타난 주된 갈등이다. ㉠과 ㉡에 각각 들어갈 알맞은 말을 〈보기〉에서 고르시오.

> 아이들에게 한글을 가르치려는 (㉠)과 핑계를 대며 강습소 운영에 훼방을 놓는 (㉡) 사이의 갈등

보기

주재소	영신

(2) 다음 빈칸에 들어갈 알맞은 말을 쓰시오.

> 영신은 한글 교육을 억압하는 일제 강점기라는 사회적 상황 때문에 갈등을 겪고 있어. 이러한 갈등을 인물과 _____ 사이의 갈등이라고 해.

이 작품은
1930년대를 배경으로, 한 소년이 갈등을 겪으면서 성장하는 모습을 그린 소설입니다. 양심을 속이지 않고 정직하게 사는 삶의 가치를 일깨워 주는 작품입니다.

앞부분 줄거리
문기는 숨겨 놓은 공과 쌍안경이 보이지 않자 가슴이 두근거린다. 자신이 한 행동을 들킬까 봐서이다. 며칠 전 문기는 숙모의 심부름으로 고깃간에 갔는데, 생각지도 않게 많은 거스름돈을 받았다.

[01~06] 다음 글을 읽고 물음에 답하시오.

🈀 며칠 전 일이다. 문기는 저녁에 쓸 고기 한 근을 사 오라고 숙모에게 지전 한 장을 받았다. 언제나 그맘때면 사람이 붐비는 삼거리 고깃간이다. 한참을 기다려서 문기 차례가 왔다. 문기는 지전을 내밀었다. 뚱뚱보 고깃간 주인은 그 돈을 받아 둥구미에 넣고 천천히 고기를 베어 저울에 단 후 종이에 말아 내밀었다. 그리고 그 거스름돈으로 지전 아홉 장과 그 위에 은전 몇 닢을 얹어 내주는 것이 아닌가.

문기는 어리둥절하였다. 처음 그 돈을 숙모에게 받을 때와 고깃간 주인에게 내밀 때까지도 일 원짜리로만 알았던 것이다. 문기는 돈과 주인을 의심스레 쳐다보았다.

중간 부분 줄거리 | 고깃간 주인의 실수로 거스름돈을 더 많이 받은 문기는 집으로 돌아오는 길에 친구 수만이를 만나고 그 사실을 이야기한다. 수만이는 문기에게 거스름돈의 일부만 숙모에게 돌려준 뒤 나머지는 물건 사는 데 쓰자고 하고 둘은 함께 공, 쌍안경 등을 산다. 문기는 산 물건들을 집안에 숨기지만 삼촌에게 들키고, 공과 쌍안경을 수만이에게 받았다고 거짓말을 한다.

🈁 "수만이란 얼마나 돈을 잘 쓰는 아인지 몰라두 이 공은 오십 전은 줬겠구나. 이건 못 줘두 일 원은 넘겨 줬겠구."

그리고 삼촌은, / "수만이란 뭣 하는 집 아이냐?"

문기는 고개를 숙이고 앉아 말이 없다. 삼촌은 숭늉을 마시고 상을 물렸다.

"네 입으로 수만이가 줬다니 네 말이 옳겠지. 설마 네가 날 속이기야 하겠니. 하지만 ㉠남이 준다고 아무것이고 덥적덥적 받는다는 것두 좀 생각해 볼 일이거든."

🈁 문기는 아랫방에 내려와 혼자 되자 삼촌 앞에서보다 갑절 ㉡얼굴이 달아올랐다. 지금까지 될 수 있는 대로 생각지 않으려고 힘을 써 오던 그편에 정면으로 제 몸을 세워 놓고 보지 않을 수 없었다. 그러자 자기라는 몸은 벌써 삼촌의 이른바 나쁜 데 빠지고 만 것이었다. 그야 자기는 수만이가 시켜서 한 일이니까 잘못이 없다는 것이지만 당초에 그것은 제 허물을 남에게 밀려는 얄미운 구실이 아니고 뭐냐. 그리고 문기는 이미 삼촌을 속였다. 또 써서는 아니 될 돈을 쓰고 말았다.

— 현덕, 〈하늘은 맑건만〉에서

어휘 풀이

● **지전** 지폐. 종이에 인쇄를 하여 만든 화폐.
● **둥구미** 짚으로 둥글고 울이 깊게 걸어 만든 그릇. 주로 곡식이나 채소 따위를 담는 데에 쓰인다.
● **갑절** 두 배.

간단 체크

1 문기가 심부름을 하러 방문한 곳은?

☐ 방앗간 ☐ 고깃간

2 수만이의 꼬임에 넘어간 문기는 숙모에게 거스름돈의 일부만 돌려주고 나머지 돈으로 공과 (ㅆㅇㄱ)을 샀다.

3 문기는 삼촌에게 꾸중을 들은 뒤, 양심에 어긋나는 일을 했다는 괴로움으로 (내적 / 외적) 갈등을 느낀다.

01 이 글의 내용과 일치하는 것은?

① 문기는 삼촌의 심부름을 하였다.

② 문기는 고깃간에서 돈을 잘못 냈다.

③ 고깃간 주인은 문기에게 공짜로 고기를 주었다.

④ 문기는 삼촌에게 쌍안경에 대해 사실대로 털어놓았다.

⑤ 삼촌은 수만이로부터 공을 받았다는 문기의 말을 믿어 주었다.

02 고깃간에서 문기가 어리둥절해한 까닭은?

① 고기의 양이 생각보다 적어서

② 거스름돈을 너무 적게 받아서

③ 너무 오래 기다린 게 화가 나서

④ 돈 계산을 할 줄 몰라 민망해서

⑤ 거스름돈을 생각보다 많이 받아서

03 이 글의 시대적 배경을 추측할 수 있는 표현으로 적절하지 **않은** 것은?

① 은전 ② 삼촌 ③ 오십 전

④ 일 원 ⑤ 고깃간

04 다음 중 ㉠에 담긴 삼촌의 의도로 적절한 것은?

① 남의 물건을 빼앗지 마라.

② 남의 물건을 쉽게 받지 마라.

③ 성실하지 못한 아이와는 어울리지 마라.

④ 친구네 집 사정이 어떠한지 알아보아라.

⑤ 네가 받은 만큼 다른 사람에게도 나누어 주어라.

05 ㉡에 두드러지게 나타난 갈등을 바르게 이해한 사람은?

 윤서 〈 삼촌의 내적 갈등이 나타나 있어.

 혜수 〈 문기의 마음속에서 일어나는 갈등이 나타나 있어.

 지후 〈 문기와 숙모 사이의 외적 갈등이 드러나 있어.

 율희 〈 문기와 고깃간 주인 사이의 외적 갈등이 드러나 있어.

 서준 〈 일제 강점기라는 상황 때문에 일어나는 문기와 사회 사이의 갈등이 드러나 있어.

① 윤서 ② 혜수 ③ 지후

④ 율희 ⑤ 서준

06 ㉢과 같이 문기의 얼굴이 달아오른 까닭으로 적절한 것끼리 묶인 것은?

ⓐ 자신의 행동에 부끄러움을 느껴서

ⓑ 자신을 추궁한 삼촌이 원망스러워서

ⓒ 쌍안경과 공을 빼앗기지 않은 것이 기뻐서

ⓓ 삼촌에게 거짓말을 한 것에 죄책감을 느껴서

① ⓐ, ⓑ ② ⓐ, ⓒ ③ ⓐ, ⓓ

④ ⓑ, ⓒ ⑤ ⓑ, ⓓ

> 소설의 구성 단계

소설 속 사건은 갈등이 생겨나고 해소되는 과정에 따라서 구성돼요. 그래서 소설의 구성 단계는 갈등의 정도로 구분할 수 있답니다.

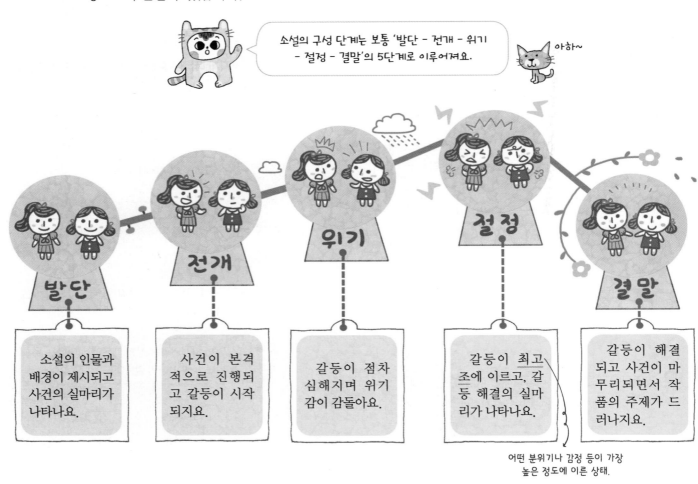

소설의 구성 단계는 보통 '발단 - 전개 - 위기 - 절정 - 결말'의 5단계로 이루어져요.

아하~

발단
소설의 인물과 배경이 제시되고 사건의 실마리가 나타나요.

전개
사건이 본격적으로 진행되고 갈등이 시작되지요.

위기
갈등이 점차 심해지며 위기감이 감돌아요.

절정
갈등이 최고조에 이르고, 갈등 해결의 실마리가 나타나요.

어떤 분위기나 감정 등이 가장 높은 정도에 이른 상태.

결말
갈등이 해결되고 사건이 마무리되면서 작품의 주제가 드러나지요.

개념 노트 ● 소설의 구성 단계

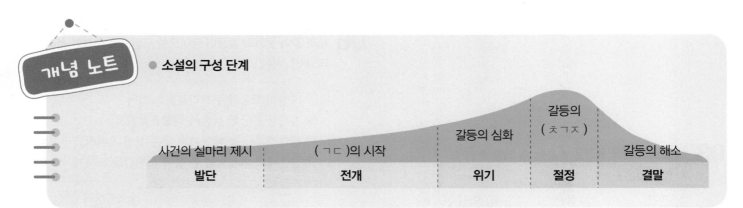

사건의 실마리 제시	(ㄱㄷ)의 시작	갈등의 심화	갈등의 (ㅊㄱㅈ)	갈등의 해소
발단	전개	위기	절정	결말

답 갈등, 최고조

1-1 다음 글을 읽고 물음에 답하시오.

소설 〈할머니를 따라간 메주〉(오승희) 줄거리

⑦ 토요일 오후, '나'(은지)가 학교를 마치고 집에 오니 할머니가 메주콩을 삶아 메주를 만들고 있다.

⑭ 일찍 퇴근한 엄마는 할머니가 집에서 메주를 만드는 것을 보고 불만 어린 표정을 짓는다. 어느 날 할머니가 메주를 매달기 위해 집에 못을 박고, 메주를 만드는 일로 할머니와 엄마 사이에 다툼이 일어난다.

⑮ 방학이 되어 단짝 친구 희정이네 집에 놀러 간 '나'는 희정이가 된장찌개를 좋아해서 희정이 엄마가 시골에 계신 할머니에게 된장을 달라고 사정한다는 소리를 듣는다. 그 뒤로 '나'는 서로 다툰 할머니와 엄마를 화해시키기 위해 된장찌개를 열심히 먹기 시작한다.

⑯ 그러던 어느 날, 할머니가 고향으로 내려가신다고 해서 엄마는 할머니를 붙잡는다. 하지만 할머니는 메주 일 때문만이 아니라 도시에서의 삶이 답답하기 때문이라고 말하고 결국 메주를 챙겨 시골집으로 내려가신다.

⑰ 그 다음 주 일요일, 할머니가 미처 가져가지 못하신 항아리를 싣고 '나'의 가족은 할머니가 계신 시골로 내려간다. 가족들은 할머니가 저녁으로 차려 주신 된장찌개를 맛있게 먹는다.

● 메주 장을 담그기 위해 삶은 콩을 찧어 크고 네모난 덩이로 뭉쳐서 발효시켜 말린 것.

(1) 다음을 읽고 괄호 안에서 알맞은 말을 고르시오.

> 이 글에는 메주를 둘러싸고 일어나는 (할머니 / '나')와 엄마 사이의 갈등과 해결 과정이 나타나 있어.

(2) ⑭와 ⑯에 해당하는 소설의 구성 단계를 바르게 연결하시오.

⑭ •		• 절정
⑯ •		• 전개

1-2 다음 글을 읽고 ⑦~⑰ 중 결말 단계에 해당하는 문단의 기호를 쓰시오.

소설 〈나비를 잡는 아버지〉(현덕) 줄거리

⑦ 바우네 가족은 경환이네의 땅을 빌려 농사를 짓는 소작농이다. 서울로 유학 갔던 경환이가 고향으로 내려와 학교 숙제로 나비를 잡으러 다니고 바우는 그 모습을 못마땅하게 바라본다.

⑭ 경환이가 잡으려던 나비를 바우가 일부러 날려 버린다. 심술이 난 경환이는 바우네 참외밭을 일부러 망가뜨리고 바우와 몸싸움을 벌이게 된다.

⑮ 바우네 부모가 경환이네 집에 불려가 안 좋은 이야기를 듣는다. 바우 아버지는 바우에게 나비를 잡아 경환이에게 가서 사과하라고 하지만, 바우는 꿈쩍도 하지 않는다.

⑯ 화가 난 바우 아버지는 바우가 아끼는 그림책을 찢어 버린다. 바우는 경환이에게 나비를 잡아 주라는 아버지가 야속하기만 하고, 화가 나서 집을 나가고 싶다는 생각을 한다.

⑰ 바우는 산을 내려오다 자신의 아버지가 나비를 잡기 위해 애쓰는 것을 보게 된다. 바우는 아버지에 대한 원망이 미안함으로 바뀌는 것을 느끼며 아버지를 부르며 뛰어 내려간다.

● 소작농 일정한 돈을 내고 다른 사람의 땅을 빌려서 짓는 농사. 또는 그런 농민.

2 소설의 구성 단계와 단계별 특성을 바르게 연결하시오.

(1) 발단 •   • ㉠ 갈등이 점점 심해짐.

(2) 전개 •   • ㉡ 갈등이 해결되고 사건이 마무리됨.

(3) 위기 •   • ㉢ 인물과 배경, 사건의 실마리가 제시됨.

(4) 절정 •   • ㉣ 중심 사건이 본격적으로 진행되고 갈등이 시작됨.

(5) 결말 •   • ㉤ 갈등이 최고조에 이르고 해결의 실마리가 나타남.

2주 3일 소설의 구성 단계

> **〈춘향전〉의 구성 단계**

〈춘향전〉의 내용을 바탕으로 하여 소설 구성의 5단계를 살펴보아요.

정말 아름답구나.

| 발단 | 춘향과 이몽룡이 만나 사랑에 빠짐. |

사또의 명을 받들 수 없나이다.

뭐라? 당장 옥에 가두어라!

| 위기 | 춘향은 사또 변학도의 명을 거역한 죄로 감옥에 갇힘. |

춘향아, 나를 알아보겠느냐?

서방님! 이게 꿈이야 생시야?

| 결말 | 춘향이 옥에서 풀려나고 이몽룡과 행복한 일생을 보냄. |

한양에 가서도 저를 잊지 마세요.

과거 시험에 합격하여 너를 꼭 데리러 오마.

| 전개 | 이몽룡이 한양으로 떠나게 되어 춘향과 이별함. |

암행어사 출두야!

변학도를 벌하고 죄 없는 자를 풀어 주어라!

| 절정 | 암행어사가 되어 돌아온 이몽룡이 변학도를 벌함. |

행복한 결말이다냥~

3-1 다음 글을 읽고 물음에 답하시오.

이때 청파역 역졸들이 달 같은 마패를 햇빛같이 번쩍 들고 우렁차게 소리를 질렀다.

"암행어사 출두야!"

역졸들이 일시에 외치는 소리에 강산이 무너지고 천지가 뒤집히는 듯하니 산천초목인들 금수인들 아니 떨겠는가. 한번 소리가 나자 남문에서도 / "출두야!" / 북문에서도 / "출두야!" / 동문에서도 서문에서도 "출두야!" 소리가 맑은 하늘에 천둥 치듯 진동했다.

"공형 들라." / 외치는 소리에 육방이 넋을 잃는다.

"공형이오." / 서둘러 나오는데 등나무 채찍으로 따악 치니, / "애고, 죽네." [중략]

좌수·별감은 넋을 잃고, 이방·호장은 혼을 잃고, 삼색 옷 입은 나졸들은 분주하네. 모든 수령들이 도망하는데 그 꼴이 가관이다.

– 지은이 모름, 〈춘향전〉에서

_____

● **역졸** 역에 속하여 심부름하던 사람.
● **마패** 조선 시대에 관리가 나라의 말을 이용할 때 증표로 쓰던 둥근 패.
● **공형** 조선 시대에 각 고을의 벼슬아치 밑에서 일을 보던 세 사람. 호장, 이방, 수형리를 이른다.
● **육방** 조선 시대에, 승정원 및 각 지방 관아에 둔 여섯 부서.
● **좌수** 조선 시대에, 지방의 자치 기구인 향청(鄕廳)의 우두머리.
● **별감** 조선 시대 유향소(留鄕所)에 소속된 관직.

(1) 이 글에는 어떤 장면이 나타나 있나요?

① 암행어사가 나타나는 장면

② 사또의 명령을 거역한 춘향을 옥에 가두는 장면

(2) 이 글에 대한 설명으로 적절한 것을 고르시오.
  ① 갈등이 시작되는 장면으로 전개 단계에 해당한다.
  ② 갈등이 최고조에 이르는 장면으로 절정 단계에 해당한다.

3-2 다음 글을 읽고 물음에 답하시오.

어사또 다시 분부하되,

"얼굴을 들어 나를 보아라."

하시기에 춘향이 천천히 고개를 들어 대 위를 살펴보니, 거지로 왔던 낭군이 어사또로 뚜렷이 앉아 있었다. 순간, 춘향은 깜짝 놀라 눈을 질끈 감았다가 떴다.

"나를 알아보겠느냐? 네가 찾는 서방이 바로 여기 있느니라." / 어사또는 즉시 춘향의 몸을 묶은 오라를 풀고 동헌 위로 모시라고 명을 내렸다. 몸이 풀린 춘향은 웃음 반 울음 반으로,

"얼씨구나 좋을씨고, 어사 낭군 좋을씨고. 남원읍에 가을 들어 낙엽처럼 질 줄 알았더니 객사에 봄이 들어 봄바람에 핀 오얏꽃이 날 살리네. 꿈이냐 생시냐? 꿈이 깰까 염려로다." [중략]

그 후 이몽룡은 벼슬이 점점 높아져 이조 판서·호조 판서·우의정·좌의정·영의정을 다 지내고 벼슬에서 물러난 후에 정렬부인 성춘향과 더불어 백년해로를 하였다.

– 지은이 모름, 〈춘향전〉에서

_____

● **어사또** '어사'의 높임말. 여기서는 '이몽룡'을 가리킴.
● **낭군** (옛날에) 젊은 여자가 남편을 다정하게 이르는 말.
● **오라** 도둑이나 죄인을 묶을 때에 쓰던, 붉고 굵은 줄.
● **동헌** 지방 관아에서 고을 원님들이 공적인 업무를 처리하던 중심 건물.
● **백년해로** 부부가 되어 평생을 사이좋게 지내고 행복하게 함께 늙음.

(1) 다음을 읽고 괄호 안에서 알맞은 말을 고르시오.

이 글에는 춘향이 옥에서 풀려나 갈등이 (해소 / 시작)되고 이몽룡과 행복하게 살아가는 모습이 나타나 있어.

(2) 이 글은 소설의 구성 단계 중 어느 단계에 해당하는지 알맞은 것을 고르시오.

발단   결말

이 작품은
머슴의 자식이라는 이유로 무시를 당하던 소년 용이가 꿩이 날아오르는 모습을 보고 용기를 얻어 자신을 괴롭히던 아이들에게 당당하게 맞서는 과정을 그린 소설입니다.

앞부분 줄거리
4학년이 된 첫날, 학교에 가지 않겠다고 투정을 부리던 용이는 아버지가 올해까지만 머슴살이를 한다는 어머니의 말을 듣고 등굣길에 나선다. 동네 아이들은 용이가 머슴의 자식이란 이유로 용이에게 책 보퉁이를 대신 나르게 한다. 무거운 책 보퉁이들을 메고 고갯길을 올라가던 용이는 자신의 처지에 답답함을 느끼고, 자신을 보며 수군거리는 아이들의 모습에 화가 나서 돌멩이를 집어 골짜기 아래로 던진다.

어휘 풀이

- **책 보퉁이** 책보. 책을 보자기에 싸 놓은 것.
- **꽁지** 새의 꽁무니 부분.
- **고갯마루** 고개의 가장 높은 부분.

[01~05] 다음 글을 읽고 물음에 답하시오.

가 "헤헤, 4학년이 됐다는 아이가 남의 책 보퉁이나 메다 주고……."

"참 못난 아이제." / 모두 이런 말로 수군거리는 것 같았습니다.

'뭐, 못난 아이라고?' / ㉠용이는 화가 났습니다. 벌써 고개 위에 다 올라갔는지 아이들의 고함이 산 위에서 들려왔을 때, 갑자기 용이는 눈앞에 있는 책 보퉁이들을 그냥 콱콱 짓밟아 버리고 싶은 생각이 났습니다. 발밑에 돌멩이 하나가 밟혔습니다. 용이는 벌떡 일어나 그 돌멩이를 집어 힘껏 골짜기 아래로 던졌습니다. 돌멩이가 저 밑에 떨어지자, 갑자기 온 산골을 뒤흔드는 소리를 치면서 커다란 뭉텅이 하나가 솟아올랐습니다.

"꼬공 꼬공, 푸드득!" / 그것은 온 산골의 가라앉은 공기를 뒤흔들어 놓고 하늘을 날아오르는, 정말 살아 있는 생명의 소리였습니다.

'야, 참 멋지다!' / 날개를 쫙 펴고 꽁지를 쭉 뻗고 아침 햇빛에 눈부신 모습으로 산을 넘어가는 꿩을 쳐다보는 용이의 온몸에 갑자기 어떤 힘이 마구 솟구쳤습니다. 용이는 그 자리에서 한번 훌쩍 뛰어올라 보았습니다. 하늘에라도 날아오를 듯합니다. 용이는 발에 채는 책 보퉁이 하나를 집어 들었습니다. 그리고 그것을 하늘 위로 던졌습니다.

횡! 공중에서 몇 바퀴 돌던 책 보퉁이가 퍽 소리를 내면서 골짜기에 떨어졌을 때, 용이는 두 번째 책 보퉁이를 집어 던졌습니다.

중간 부분 줄거리 | 동네 아이들은 고갯마루에 빈손으로 올라온 용이에게 책 보퉁이를 가져오라고 다그친다. 하지만 용이는 이전의 모습과는 달리 자신은 이제 못난 아이가 아니라고 말하며 아이들과 당당히 맞선다.

나 "뭐? 이 자식이!" / "이 자식 돌았나?" / "빨리 못 가져오겠나?" [중략]

"㉡자, 덤빌람 덤벼! 누구든지 오는 녀석은 가만두지 않을 끼다!"

아이들이 입을 벌리고 어쩔 줄 모르고 서 있을 때, 뒤에서 한 아이가,

"난, 내 책보 가질러 갈란다." / 하고 달려갔습니다. 그 소리에 다른 아이들도 모두 정신이 돌아온 것처럼, / "나도 간다." / "나도 간다." / 하고 달려갔습니다.

"이 자식, 두고 봐라." / 맨 마지막에 내려가면서 성윤이가 말했습니다.

"오냐, 인마, 얼마든지 봐 준다."

용이 목소리는 한층 크고 자랑스러웠습니다.

아이들이 모두 '와아!' 하고, 아까 올라온 길을 내려가는 뒷모양을 보면서 용이는 또 한 번 가슴을 확 펴고 '하하하.' 웃었습니다.

'나 인제 못난 아이 아니야!'

– 이오덕, 〈꿩〉에서

1 용이가 동네 아이들 대신에 메다 주는 것은?

□ 책 보퉁이   □ 도시락 보따리

2 용이는 아버지가 (ㅁㅅ)이라는 이유로 친구들의 짐을 대신 들고 학교에 간다.

3 용이가 골짜기 아래로 돌멩이를 던지자 (ㄲ)이 날아올랐다.

01 이 글의 내용과 일치하지 않는 것은?

① 용이는 4학년이다.
② 아이들은 산 위에서 고함을 질렀다.
③ 성윤이는 용이에게 달려들어 싸웠다.
④ 용이가 돌멩이를 던지자 꿩이 날아올랐다.
⑤ 용이는 아이들의 책 보퉁이를 골짜기로 던졌다.

02 나에 나타난 아이들의 반응을 바르게 이해한 것은?

① 힘을 써서 용이를 제압하고 있다.
② 용이의 말을 무시하고 비웃고 있다.
③ 용이에게 화를 내며 끝까지 맞서고 있다.
④ 용이의 태도가 이전과 달라진 이유가 무엇인지를 알아내려 하고 있다.
⑤ 용이의 당당한 태도에 당황하여 직접 책 보퉁이를 가지러 가고 있다.

03 ㉠에서 용이가 화가 난 이유로 적절한 것은?

① 억지로 학교에 가는 것이 싫었기 때문에
② 누군가 자신에게 돌멩이를 던졌기 때문에
③ 친구들의 책 보퉁이를 잃어버렸기 때문에
④ 자신을 보고 못난 아이라 수군거리는 것 같았기 때문에
⑤ 이제 더 이상 공부하고 싶지 않다는 생각이 들었기 때문에

04 ㉡의 용이에 대한 설명으로 적절한 것은?

① 아이들이 화를 내자 결국 항복하고 있다.
② 아이들의 요구를 순순히 받아들이고 있다.
③ 아이들의 부당한 요구에 당당히 맞서고 있다.
④ 책 보퉁이를 메지 않는 아이들에 대한 부러움을 드러내고 있다.
⑤ 자신을 못난 아이라고 놀리지 말라고 아이들에게 부탁하고 있다.

• 부당하다 도리에 어긋나서 정당하지 않다.

05 다음 ⓐ~ⓔ는 이 글의 줄거리이다. 소설의 구성 단계에 맞게 바르게 나열한 것은?

> ⓐ 용이는 꿩이 날아오르는 몸짓처럼 두 팔을 내저으며 학교를 향해 달려간다.
> ⓑ 용이는 머슴의 자식이라는 이유로 다른 아이들의 책 보퉁이를 대신 메고 고갯길을 올라간다.
> ⓒ 용이는 책 보퉁이를 찾아오라는 아이들에게 자신은 이제 못난 아이가 아니라고 말하며 당당하게 맞선다.
> ⓓ 용이는 날아오르는 꿩의 모습을 보고 용기를 얻어, 다른 아이들의 책 보퉁이를 골짜기 아래로 던져 버린다.
> ⓔ 학교에 가지 않겠다고 투정을 부리던 용이는 아버지가 올해까지만 머슴살이를 한다는 말을 듣고 등굣길에 나선다.

	발단	전개	위기	절정	결말
①	ⓑ	ⓒ	ⓓ	ⓔ	ⓐ
②	ⓑ	ⓓ	ⓔ	ⓒ	ⓐ
③	ⓔ	ⓑ	ⓓ	ⓒ	ⓐ
④	ⓔ	ⓑ	ⓒ	ⓓ	ⓐ
⑤	ⓔ	ⓓ	ⓒ	ⓑ	ⓐ

2주
3일

시간의 흐름에 따른 구성

소설의 구성 유형에는 여러 가지가 있어요.

첫 번째는 사건이 일어난 시간 순서에 따라 구성하는 방식이에요.

과거 -------- → 현재

시간의 흐름을 바꾼 구성

두 번째는 사건을 시간 순서에 따라 전개하지 않고, 시간의 흐름을 바꾸어 구성하는 방식이에요.

현재 -------- → 과거 -------- → 미래

'현재 → 과거 → 미래' 또는 '현재 → 과거 → 현재', '과거 → 현재 → 과거' 등과 같이 다양하게 나타나요.

개념 노트

● **시간의 흐름에 따른 구성**

사건이 발생한 (ㅅㄱ) 순서에 따라 구성하는 방식.

● **시간의 흐름을 바꾼 구성**

시간이 흐르는 순서대로 사건을 배열하는 것이 아니라 시간의 흐름을 바꾸어 사건을 구성하는 방식.

답 시간

1-1 다음 글을 읽고 물음에 답하시오.

> **소설 〈심청전〉 줄거리**
>
> 심학규라는 맹인이 늦은 나이에 딸 심청을 얻었으나 심청이 태어난 지 7일 만에 아내 곽씨 부인이 죽는다. 그 후 심학규는 온갖 고생을 하며 심청을 기르고, 심청은 자라서 아버지를 정성껏 섬긴다. 심청이 열다섯 살이 되던 해, 심학규는 공양미 삼백 석을 시주하면 눈을 뜰 수 있다는 몽은사 승려의 말을 듣고 시주를 약속한다. 이 사실을 알게 된 심청은 남경 상인들에게 인당수 제물로 자신의 몸을 팔아 공양미 삼백 석을 마련해 몽은사로 보내고 심학규와 이별한다.
>
> 인당수에 이르러 몸을 던진 심청은 용왕에게 구출되어 어머니 곽씨 부인과 다시 만나고, 이후 연꽃 속에 들어가 다시 세상으로 환생한다. 뱃사람들이 연꽃을 신기하게 여겨 황제에게 바치자 황제는 그 속에서 나온 심청을 아내로 맞이한다. 황후가 된 심청은 아버지 심학규를 그리워하여 맹인 잔치를 벌인다. 그곳에서 심청은 심학규와 다시 만나고, 심학규는 놀라움과 기쁨으로 눈을 뜨게 된다.
>
> ──────
> ● **맹인** 눈이 먼 사람.
> ● **시주하다** 불교에서, 남을 돕는 마음으로 조건 없이 절이나 스님에게 돈이나 밥 등을 주다.

(1) 〈심청전〉에 대한 설명으로 적절한 것을 고르시오.

　① 황후가 된 심청의 과거 회상으로 이야기가 진행된다.

　② 심청의 출생과 성장, 아버지와의 이별, 황후가 되어 다시 아버지를 만나는 과정이 순서대로 제시된다.

(2) 〈심청전〉의 구성으로 알맞은 것을 고르시오.

> 〈심청전〉은
> (시간의 흐름에 따른 / 시간의 흐름을 바꾼)
> 구성을 취하고 있어.

1-2 다음 글을 읽고 물음에 답하시오.

> **소설 〈동백꽃〉(김유정) 줄거리**
>
> '나'는 점순이가 자꾸 자기 집 수탉과 '나'의 집 수탉을 싸움 붙이면서 '나'를 괴롭히는데 그 이유를 알 수 없어 답답하기만 하다.
>
> '나'는 며칠 전 있었던 일을 회상한다. 나흘 전, 점순이가 '나'를 찾아와 '나'에게 감자를 주었지만 생색내는 듯한 점순이의 말에 마음이 상한 '나'는 감자를 거절했다. 그 뒤로 점순이는 자꾸 '나'를 못살게 굴었다. '나'는 마름인 점순네에 잘못 보이면 농사지을 땅을 잃을 수 있는 자신의 집안 사정 때문에 점순이의 괴롭힘에 제대로 대응하지 못해 답답했다. 그러다가 '나'는 자기네 수탉이 매번 닭싸움에 지는 것이 속상해서 수탉에게 고추장을 먹여 보지만 점순네 수탉을 이기지는 못했다.
>
> 어느 날, 나무를 하고 오는 길에 점순이가 또 닭싸움을 붙여 놓은 것을 보고 화가 난 '나'는 점순네 닭을 죽이고 만다. 겁이 나서 울음을 터뜨린 '나'에게 점순이는 다시는 그러지 말라고 하며 닭 죽은 것은 이르지 않겠다고 말한다. 그리고 점순이와 '나'는 한창 핀 노란 동백꽃 속으로 쓰러진다.
>
> ──────
> ● **생색내다** 남에게 도움을 주고 그것을 지나치게 자랑하다.
> ● **마름** (옛날에) 땅 주인을 대신하여 농지를 관리하는 사람.

(1) 다음 빈칸에 들어갈 알맞은 말을 쓰시오.

> • 〈동백꽃〉은 '나'의 집 수탉과 점순네 수탉이 싸우는 장면으로 시작하였다가 '나'가 나흘 전에 점순이가 주는 (ㄱㅈ)를 거절한 일로 거슬러 올라간다.
> • 〈동백꽃〉은 '나'가 (ㄱㄱ)를 회상하였다가 다시 현재로 돌아오는 형식으로 구성되어 있다.

(2) 〈동백꽃〉의 구성으로 알맞은 것을 고르시오.

> 〈동백꽃〉은
> (시간의 흐름에 따른 / 시간의 흐름을 바꾼)
> 구성을 취하고 있어.

2주

4일

2주 4일 소설의 구성 유형

액자식 구성

액자식 구성은 하나의 이야기 속에 또 하나의 이야기가 들어 있는 구성이에요.

액자식 구성으로 된 소설의 내용은 액자의 역할을 하는 외부 이야기와, 액자 속 그림과 같은 내부 이야기로 나뉜답니다.

| 길을 가다 잠이 듦. 외부 이야기 | → | 꿈속에서 여러 사건을 겪음. 내부 이야기 | → | 꿈에서 깨 길을 떠남. 외부 이야기 |

예를 들어 길을 가던 나그네가 잠이 들기까지의 이야기와 꿈에서 깨어난 이후의 이야기는 외부 이야기예요. 나그네의 꿈속에서 펼쳐지는 이야기는 내부 이야기에 해당하지요.

개념 노트
● **액자식 구성**
  • 하나의 이야기 속에 또 하나의 이야기가 들어 있는 구성 방식.
  • 핵심 내용을 담은 (ㄴㅂ) 이야기와 이를 둘러싼 (ㅇㅂ) 이야기로 나뉨.

답 내부, 외부

2-1 다음 글을 읽고 물음에 답하시오.

가 늙은 피리 연주자 '프랑세 마마이'라는 사람이 있었습니다. [중략] 프랑세 마마이가 며칠 전에 나에게 한 가지 이야기를 해 주었습니다. 한 20년 전에 내 물레방앗간에서 일어났던 일이라는 겁니다. 나는 그 이야기에 감동을 크게 받았습니다.

나는 그 이야기를 프랑세 마마이에게 들었던 그대로 여러분에게 해 드리려고 합니다. 잠깐이라도 괜찮으니 한번 상상해 보세요. 아주 향기로운 포도주 단지를 앞에 놓고 그 피리 연주자가 직접 하는 이야기를 듣고 있다고 말입니다.

나 이보게. 우리 고장이 옛날에도 이렇게 조용하고 활기 없는 곳은 아니었다네. 노랫소리조차 들리지 않는 쓸쓸한 곳이 아니었지.

옛날에 이곳은 밀가루를 사고파는 거래가 아주 활발한 곳이었어. 사방 백 리 안팎의 농부들이 밀을 빻으러 우리 마을로 오고는 했지. / 그런 덕분에 마을 주위의 언덕은 방앗간들로 빼곡했어. 그래서 어느쪽을 쳐다보아도 북서풍의 힘을 받아 부지런히 돌고 있는 방앗간의 풍차 날개를 볼 수 있었지. – 알퐁스 도데, 〈코르니유 영감의 비밀〉에서

(1) 다음을 읽고 괄호 안에서 알맞은 말을 각각 고르시오.

- **가**는 '나'가 프랑세 마마이와 있었던 일을 들려주는 부분으로 이 글의 (내부 / 외부) 이야기에 해당한다.
- **나**는 프랑세 마마이가 '나'에게 들려준 이야기로 이 글의 (내부 / 외부) 이야기에 해당한다.

(2) 다음 빈칸에 들어갈 알맞은 말을 쓰시오.

이 글은 하나의 이야기 속에 또 하나의 이야기가 들어 있는 _____ 구성을 취하고 있어.

2-2 다음 글을 읽고 물음에 답하시오.

소설 〈운영전〉 줄거리

가 조선 선조 때의 선비 유영이 안평 대군의 옛집인 수성궁 터에 들어가 홀로 술잔을 기울이다가 잠이 든다. 밤중에 깨어난 유영은 김 진사와 궁녀였던 운영을 만나 그들의 비극적인 사랑 이야기를 듣게 된다.

나 과거 수성궁에서 안평 대군과 궁녀들이 시를 짓고 있을 때 김 진사가 안평 대군을 찾아왔다. 이때 궁녀 운영은 김 진사에게 반했고, 둘은 편지를 주고받고 서로 사랑하는 사이가 되었다. 이 사실을 알게 된 안평 대군은 크게 화를 내며 궁녀들을 문책했다. 운영은 자책감에 세상을 떠났고, 김 진사도 슬퍼하다가 죽음을 맞이했다.

다 김 진사와 운영은 유영에게 자신들의 사랑 이야기를 세상 사람들에게 전해 달라고 당부한다. 유영이 잠에서 깨어 보니 김 진사와 운영의 일을 기록한 책만 남아 있었다.

- **문책하다** 잘못한 일에 대해 책임을 묻고 꾸짖다.
- **자책감** 스스로 잘못했다고 생각하여 자신을 꾸짖고 나무라는 마음.

(1) 〈운영전〉의 구성에 대한 설명으로 적절한 것을 고르시오.

① 시간의 흐름대로 사건이 전개되는 구성이다.
② 이야기 속에 또 하나의 이야기가 들어 있는 구성이다.

(2) 이 글의 **가** ~ **다** 가 〈보기〉의 ㉠과 ㉡ 중에서 각각 무엇에 해당하는지 기호를 쓰시오.

> **보기**
>
> ㉠ 외부 이야기
>
> ㉡ 내부 이야기

- **가** : _____　　• **나** : _____　　• **다** : _____

[01~06] 다음 글을 읽고 물음에 답하시오.

가 모처럼 나를 방문한 친구 하인리히 모어가 저녁 산책을 마치고 돌아와 서재에서 함께 ⊙이야기를 나누고 있었다. 해는 저물고 있었다. 창문 너머로는 가파른 언덕으로 둘러싸인 호수가 어둠 속에서 희미하게 보였다. 마침, 내 어린 아들이 밤 인사를 하고 나가자 우리는 자연스럽게 아이들과 어린 시절의 기억에 관해 이야기를 시작했다.

"아이들이 생기고부터는 어릴 때 좋아하던 취미들이 다시 생생하게 되살아나더군. 그래서 한 일 년 전부터 나는 나비 수집을 새로 시작했다네. 한번 보겠나?" [중략]

하인리히 모어는 핀에 꽂혀 있는 나비 중 한 마리를 상자 속에서 조심스럽게 꺼내어 날개 아랫부분을 살펴보았다.

그가 말했다. "참 이상하지. 나비를 볼 때만큼 ⓒ어린 시절의 기억을 불러일으키는 건 없으니 말이야." 그는 나비를 다시 제자리에 꽂고 상자 뚜껑을 덮으며 말했다. "잘 봤네." 약간 딱딱한 어조로 이렇게 말하는 그에게 그 추억은 별로 달갑지 않은 것처럼 보였다.

"자네의 수집 판을 자세히 보지 않은 것을 기분 나쁘게 생각지 말아 주게." 그가 말했다. "나도 어릴 때 비슷한 것을 가지고 있었지. ⓒ그때의 기억이 떠올라서 기분이 좀 상했다네. 창피하긴 하지만 ②그 이야기를 들려주지."

그가 램프 덮개를 열어 담뱃불을 붙이고 나서 다시 램프 위에 갓을 씌우자, 우리의 얼굴은 어슴푸레해졌다. 그러고 나서 그가 열려 있는 창문 곁으로 가 앉자 조금 야위고 길쭉한 그의 얼굴은 거의 어둠 속에 묻혀 버렸다. 내가 담배를 피우는 동안 밖에서는 멀리서 들려오는 개구리 울음소리가 밤을 수놓았고, 내 친구는 ⑩다음과 같은 이야기를 들려주었다.

나 내가 나비를 잡기 시작한 건 여덟 살인가, 아홉 살 때쯤이었을 거야.

처음엔 별로 열심이랄 것도 없이, 다른 애들이 다 하니까 나도 해 보는 정도였지. 그런데 열 살쯤 된 두 번째 여름에는 나는 완전히 이 유희(遊戲)에 취미가 생겨서, 이 때문에 다른 일은 전혀 돌보지 않게 되었다네. 주위 사람들은 내가 그것을 못 하도록 말리지 않으면 안 되겠다고 걱정을 할 정도였어. 나비를 잡는 데 열중하면, 학교의 수업 시간도, 점심도 잊어버리고, 탑시계가 우는 것도 귀에 들어오지 않았지. 학교를 쉬는 날은 빵 한 쪽을 호주머니에 넣고는, 아침 일찍부터 밤늦게까지, 끼니때에도 돌아오지 않고 뛰어다니곤 하였다네.

– 헤르만 헤세, 〈공작나방〉에서

이 작품은
나비 수집에 열정적이던 소년 하인리히가 이웃에 사는 에밀과 갈등을 겪으며 정신적으로 성숙해 가는 과정을 그린 성장 소설로, 액자식 구성을 취하고 있습니다.

전체 줄거리
어느 날 '나'는 친구 하인리히에게 나비 수집 상자를 보여 준다. 하인리히는 '나'의 나비 수집 판을 보고 자신의 어린 시절 이야기를 들려준다.
나비 수집을 좋아했던 하인리히는 이웃집에 사는 에밀이 공작나방을 잡았다는 소문을 듣게 된다. 하인리히는 에밀의 공작나방을 몰래 훔치려다 실수로 망가뜨리게 되고, 용기를 내어 에밀에게 사과하지만 에밀은 하인리히를 비웃으며 용서해 주지 않는다. 이를 통해 하인리히는 한번 저지른 일은 바로잡을 수 없음을 깨닫고, 자신이 수집한 나비들을 손끝으로 비벼 망가뜨린다.

어휘 풀이

• **달갑다** 마음에 들어 만족스럽다.

• **어슴푸레하다** 뚜렷하게 보이거나 들리지 아니하고 희미하고 흐릿하다.

• **유희** 장난치듯 즐겁게 노는 일.

• **열중하다** 한 가지 일에 정신을 집중하다.

1 **가**에서 '나'의 수집 판을 본 하인리히의 반응은?

☐ 매우 흥미로워함.   ☐ 별로 달가워하지 않음.

2 **나**에서 하인리히는 친구에게 자신의 (과거 / 미래) 이야기를 들려주고 있다.

3 이 글은 (시간의 흐름에 따른 구성 / 액자식 구성)을 취하고 있다.

01 이 글의 특징으로 적절하지 <u>않은</u> 것은?

① 이야기의 서술자가 달라지고 있다.
② 시간 순서에 따라 사건이 진행되고 있다
③ 이야기 속에 또 하나의 이야기가 들어 있다.
④ 과거로 거슬러 올라가는 시간의 흐름이 나타나 있다.
⑤ 주인공이 어린 시절을 회상하는 형식으로 이루어져 있다.

02 이 글의 내용과 일치하지 <u>않는</u> 것은?

① 하인리히와 친구는 서재에서 대화를 나눴다.
② 하인리히와 친구가 대화를 나눈 시간은 밤이다.
③ 하인리히는 친구의 나비 수집 판을 자세히 보지 않았다.
④ 하인리히는 어린 시절에 나비를 수집하는 일에 푹 빠졌었다.
⑤ 하인리히는 학교를 쉬는 날에는 밖에 나가지 않고 집 안에만 있었다.

03 **가**와 **나**의 '나'에 대한 설명으로 적절하지 <u>않은</u> 것은?

① **가**의 '나'는 **나**의 '나'와 같은 인물이다.
② **가**의 '나'는 아들이 있는 아버지이다.
③ **나**의 '나'는 하인리히 모어이다.
④ **나**의 '나'는 자신의 경험을 들려주고 있다.
⑤ **나**의 '나'는 과거의 이야기를 들려주고 있다.

04 다음은 이 글에 나타난 장면을 정리한 것이다. ⓐ~ⓓ를 사건이 일어난 시간 순서대로 바르게 나열한 것은?

ⓐ 하인리히가 나비를 잡기 시작함.
ⓑ 하인리히가 친구의 집에 방문하여 친구와 저녁 산책을 함.
ⓒ 하인리히가 점심도 먹지 않고 나비를 잡는 데에만 집중함.
ⓓ 하인리히와 친구가 나비 수집 판을 보며 어린 시절의 추억을 떠올림.

① ⓐ-ⓑ-ⓒ-ⓓ   ② ⓐ-ⓒ-ⓑ-ⓓ
③ ⓑ-ⓐ-ⓓ-ⓒ   ④ ⓑ-ⓓ-ⓐ-ⓒ
⑤ ⓓ-ⓑ-ⓒ-ⓐ

05 ㉠~㉤ 중 가리키는 대상이 <u>다른</u> 것은?

① ㉠   ② ㉡   ③ ㉢   ④ ㉣   ⑤ ㉤

06 〈보기〉를 참고할 때, 이 글의 구성에 대해 바르게 이해한 사람은?

보기

액자식 구성은 소설의 구성 방식 중 하나로서 이야기 속에 또 다른 이야기가 들어 있는 구성 방식을 가리킨다. 마치 액자 속의 사진처럼 하나의 이야기 속에 다른 이야기가 들어가 있는 것이다. 이야기의 핵심 내용인 내부 이야기와, 이를 둘러싸고 있는 외부 이야기로 나뉜다.

하인리히와 친구가 나눈 이야기 속에 하인리히의 어린 시절 이야기가 들어 있는 액자식 구성이야.

수민

가의 첫 문장은 서술자가 바뀌면서 이 소설의 핵심 내용인 내부 이야기가 시작되는 부분이야.

동희

개념 한 번 더 체크

갈등의 개념과 기능

갈등의 개념

인물의 마음속에 여러 가지 생각이 얽혀 있거나 인물과 인물 또는 인물과 외부 환경이 ☐☐ 관계에 있음을 나타내는 말.

갈등의 기능

- 사건을 전개시킴.
- 인물의 성격과 가치관을 드러냄.
- 갈등의 해결 과정에서 ☐☐를 드러냄.
- 이야기에 긴장감을 주어 독자의 흥미와 관심을 불러일으킴.

> 갈등은 이야기를 전개해 나가는 원동력!

내적 갈등

한 인물의 ☐☐☐에서 두 가지 이상의 욕구나 감정이 동시에 일어나서 생기는 갈등.

외적 갈등

인물과 인물 사이의 갈등

인물과 다른 ☐☐ 사이에서 일어나는 갈등.

인물과 사회 사이의 갈등

인물이 살아가면서 겪는 ☐☐ 윤리나 제도와의 갈등.

소설의 구성 단계

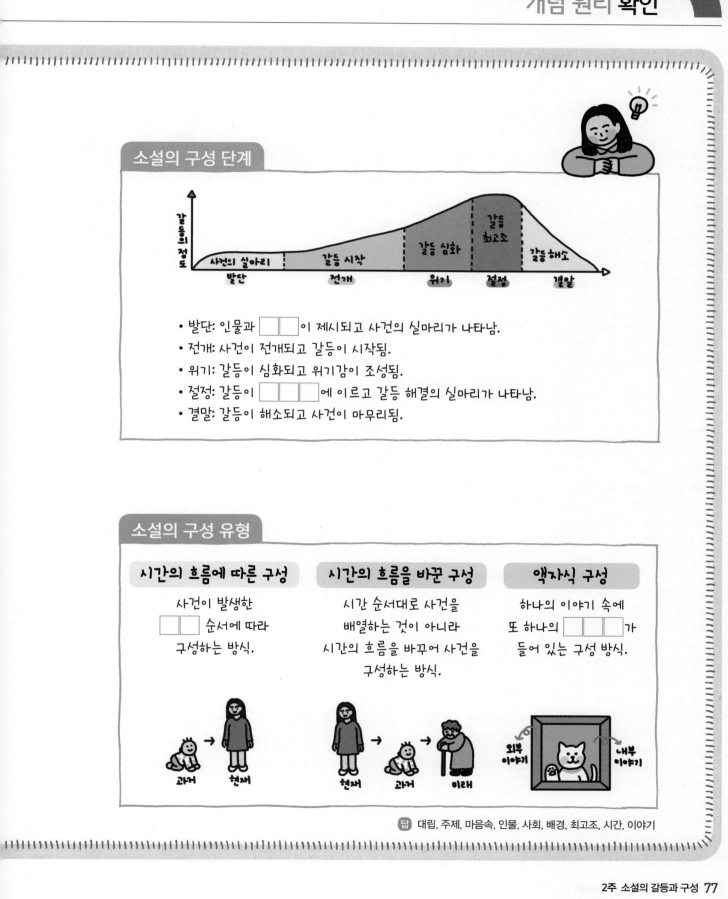

- 발단: 인물과 [ㅤㅤ]이 제시되고 사건의 실마리가 나타남.
- 전개: 사건이 전개되고 갈등이 시작됨.
- 위기: 갈등이 심화되고 위기감이 조성됨.
- 절정: 갈등이 [ㅤㅤ]에 이르고 갈등 해결의 실마리가 나타남.
- 결말: 갈등이 해소되고 사건이 마무리됨.

소설의 구성 유형

시간의 흐름에 따른 구성

사건이 발생한 [ㅤㅤ] 순서에 따라 구성하는 방식.

과거 → 현재

시간의 흐름을 바꾼 구성

시간 순서대로 사건을 배열하는 것이 아니라 시간의 흐름을 바꾸어 사건을 구성하는 방식.

현재 → 과거 → 미래

액자식 구성

하나의 이야기 속에 또 하나의 [ㅤㅤ]가 들어 있는 구성 방식.

외부 이야기 / 내부 이야기

답 대립, 주제, 마음속, 인물, 사회, 배경, 최고조, 시간, 이야기

이 작품은

조선 시대를 배경으로, 불합리한 현실에 맞서 싸우는 홍길동의 모습을 그린 고전 소설입니다. 신분 차별 때문에 생긴 인물과 사회 사이의 갈등이 잘 드러나 있습니다.

앞부분 줄거리

홍 판서의 아들 홍길동은 높은 학식과 뛰어난 무술 실력을 갖추었지만 서자라는 이유로 차별을 받는다. 그러던 중 집안에 자신을 해치려는 계략이 있어 홍길동은 집을 떠나 도적 무리 '활빈당'의 우두머리가 된다. 홍길동은 부패한 벼슬아치들을 벌주고 그들에게서 빼앗은 재물을 가난한 백성에게 나누어 주어 백성들의 큰 지지를 받는다.

어휘 풀이 ✎

- **서자** 본부인이 아닌 여자에게서 태어난 아들.
- **봉물** 예전에, 지방에서 중앙으로 올리던 물품.
- **장계** 지방에 나가 있는 신하가 자기가 관리하는 지역의 중요한 일을 왕에게 보고하던 문서.
- **천비 소생** 신분이 천한 여자 종이 낳은 자식을 이르는 말.
- **추호** 매우 적거나 조금인 것을 비유적으로 이르는 말.
- **고혈** 몹시 고생하여 얻은 이익이나 재산을 비유적으로 이르는 말.
- **성상** 살아 있는 자기 나라의 임금을 높여 이르는 말.
- **만세(萬世)** 아주 오랜 세대.
- **폐단** 어떤 일이나 행동을 할 때 나타나는 좋지 않은 일이나 현상.
- **하직하다** 서울을 떠나는 벼슬아치가 임금에게 작별을 아뢰다.

[01~06] 다음 글을 읽고 물음에 답하시오.

가 ㉠길동은 자신과 일곱 명의 길동을 팔도(八道)에 하나씩 흩어지게 하고, 각각 수백 명을 거느리고 다니게 하였다. 그러니 어느 길동이 진짜 길동인지 알아낼 도리가 없었다. 이들 여덟 명의 길동이 팔도를 돌아다니며 요술로 바람과 비를 불러일으키고, 각 읍의 곡식을 하룻밤 사이에 종적도 없이 사라지게 하며, ㉡서울로 가는 봉물을 보이는 대로 뺏으니 온 나라가

홍길동 이야기로 떠들썩하게 되었다. 이에 팔도의 감사가 일시에 서울의 임금께 장계를 올려 홍길동을 잡기 위해서는 포도청 군사를 동원해야 한다고 하였다.

중간 부분 줄거리 | 임금이 군사를 보내 홍길동을 잡으려 하나 실패하고, 홍길동의 형 홍인형에게 홍길동을 잡아들이라고 명령한다. 홍길동은 스스로 잡혀 임금에게 신분 차별의 억울함을 호소하고, 탐관오리들을 비판한다.

나 [A] "신은 ㉢본래 천비 소생이오라 아비를 아비라 못 하옵고, 형을 형이라 부르지 못하오니, 평생 원한(怨恨)이 마음속에 맺혀 ㉣집을 버리고 도둑 무리의 우두머리가 되었사오나 백성은 추호도 범치 않았사옵고, ㉤탐관오리들이 백성의 고혈을 빨아서 모은 재물을 빼앗았사오나, 이제 십 년만 지나오면 떠나갈 곳이 있으니 바라옵건대 성상(聖上)께서는 걱정하지 마시고 소인을 풀어 주시옵소서."

말을 끝낸 여덟 길동이 일시에 넘어지면서 짚으로 만든 인형으로 변하였다.

길동은 사대문에 방을 붙여 자신에게 병조 판서를 내리면 잡히겠다고 하였다. 임금은 고심(苦心) 끝에 길동에게 병조 판서 벼슬을 내렸다. 이에 길동은 임금에게 감사 인사를 드리고는 공중으로 사라졌다. [중략]

임금이 궁중의 후원을 거닐고 있을 때 공중에서 한 소년이 내려와 말했다.

"신은 전임 병조 판서 홍길동입니다."

임금이 놀라 물었다. / "너는 어찌 심야에 왔느냐?"

길동이 대답하기를, / ⓐ"신이 전하를 받들어 만세를 모실까 하였사오나, 천비 소생이라 벼슬길이 막혔는지라. 이러므로 사방에 제멋대로 놀아 관청에 폐단을 일으키고 조정에 죄를 얻음은 전하께 알게 하려 함이더니, 신의 소원을 풀어 주옵시니 전하를 하직하고 조선을 떠나가오니, 엎드려 바라옵건대, 전하는 만수무강하옵소서."

말을 마치고 공중으로 사라지거늘, 이후로는 길동의 폐단이 없으매, 사방이 태평하였다.

— 허균, 〈홍길동전〉에서

01 이 글에 대한 설명으로 적절하지 않은 것은?

① 비현실적인 사건이 벌어진다.

② 주인공의 일대기를 다루고 있다.

③ 시간의 흐름을 바꾼 구성을 취하고 있다.

④ 불합리한 사회 제도에 대한 비판이 드러나 있다.

⑤ 비범한 능력을 지닌 인물이 주인공으로 등장한다.

───────

• 일대기 어느 한 사람의 일생에 관한 내용을 적은 기록.

• 비범하다 수준이 보통을 넘어 아주 뛰어나다.

02 이 글을 통해 알 수 있는 당시의 사회적 상황으로 적절한 것은?

① 부패한 관리는 임금에게 벌을 받았다.

② 백성들이 힘을 모아 임금에게 대항하였다.

③ 청렴한 관리가 많아 백성의 존경을 받았다.

④ 서자는 자식으로 대우받지 못하고 벼슬길에도 나아갈 수 없었다.

⑤ 신분에 따른 차별이 없고 모두가 평등하게 대우를 받는 사회였다.

03 이 글에서 홍길동의 비범한 능력이 드러난 사건이 아닌 것은?

① 요술로 바람과 비를 불러일으켰다.

② 천비 소생이라 벼슬길에 오르지 못하였다.

③ 임금에게 인사를 한 뒤 공중으로 사라졌다.

④ 하룻밤 사이에 각 읍의 곡식을 사라지게 하였다.

⑤ 여덟 명의 홍길동이 짚으로 만든 인형으로 변하였다.

04 소설의 구성 단계 중에서 [A]가 해당하는 단계는?

① 갈등이 처음 시작되는 단계

② 갈등이 최고조에 이르는 단계

③ 사건의 실마리가 제시되는 단계

④ 인물과 배경이 처음 나타나는 단계

⑤ 갈등이 해결되고 사건이 마무리되는 단계

05 ㉠~㉤ 중 홍길동이 가진 원한의 원인이 나타난 것은?

① ㉠   ② ㉡   ③ ㉢   ④ ㉣   ⑤ ㉤

06 다음 빈칸에 공통으로 들어갈 내용으로 적절한 것은?

㉤를 참고할 때, 〈홍길동전〉에서 가장 중심이 되는 갈등은 _____이야. 홍길동이 탐관오리의 재물을 빼앗은 일, 임금에게 벼슬을 내려 달라고 한 일은 모두 _____ 때문이지.

① 활빈당 무리와 포도청 군사들 사이의 갈등

② 부패한 탐관오리와 가난한 백성들 사이의 갈등

③ 홍길동을 아들로 인정할지 고민하는 홍 판서의 내적 갈등

④ 홍길동에게 벼슬을 내릴지 말지 고민하는 임금의 내적 갈등

⑤ 적서 차별이라는 사회 제도와 이로부터 벗어나려는 홍길동의 갈등

[07~11] 다음 글을 읽고 물음에 답하시오.

가 중문° 안 안반° 뒤에 숨겨 둔 공이 간 데가 없다. 팔을 넣어 아무리 더듬어도 빈탕°이다. 문기는 가슴이 두근거리기 시작하였다.

'혹 동네 아이들이 집어 갔을까?' / 도리어 그랬으면 다행이다. 만일에 그 공이 숙모 손에 들어가거나 했으면 큰일이다. / 문기는 아무 일 없는 태도로 전날과 다름없이 안마당에서 화초분에 물을 준다. 그러면서 연해° 숙모의 눈치를 살핀다. [중략]

며칠 전 일이다. 문기는 저녁에 쓸 고기 한 근을 사 오라고 숙모에게 지전° 한 장을 받았다. 언제나 그맘때면 사람이 붐비는 삼거리 고깃간이다. 한참을 기다려서 문기 차례가 왔다. 문기는 지전을 내밀었다. 뚱뚱보 고깃간 주인은 그 돈을 받아 둥구미°에 넣고 천천히 고기를 베어 저울에 단 후 종이에 말아 내밀었다. 그리고 그 거스름돈으로 지전 아홉 장과 그 위에 은전 몇 닢을 얹어 내주는 것이 아닌가.

중간 부분 줄거리 | 고깃간 주인의 실수로 거스름돈을 많이 받은 문기는 수만이의 꼬임에 넘어가 그 돈으로 공, 쌍안경 등을 산다. 숨겨 두었던 공과 쌍안경을 삼촌에게 들킨 문기는 거짓말을 해 위기를 넘기지만, 곧 자기 잘못을 뉘우치며 공과 쌍안경을 버리고 남은 돈은 고깃간 집 안마당에 던진다. 그리고 수만이에게 더 이상 양심에 어긋나는 일을 하지 않겠다고 말하지만 수만이는 문기의 잘못을 폭로하겠다고 협박하며 돈을 내놓으라고 말한다.

나 칠판 한가운데, "김문기는 ○○○했다."가 커다랗게 쓰여 있다.

뒤미처 선생님이 들어왔다. 일은 간단히, 선생님이 한번 쳐다보고 누구 장난이냐 하고 쓱쓱 지워 버리고는 고만이었지만 선생님이 들어오고 그것을 지우기까지의 그동안 ㉠문기는 실로 앞이 캄캄했다. [중략]

문기 집 가까이 이르렀다. 수만이는 문기 앞으로 다가서며 작은 음성으로 조졌다.

"㉡너, 지금으로 가지고 나오지 않으면 낼은 가만 안 둔다. 도적질했다 하구 똑바루 써 놀 테야."

문기는 여전히 못 들은 척 걸음만 옮긴다. 자기 집 마당엘 들어섰다. 숙모는 뒤꼍에서 화초 모종을 하는지 여기 심어라, 저기 심어라 하고 아랫집 심부름을 하는 아이와 이야기하는 소리가 날 뿐 집 안엔 아무도 없다. / 그리고 눈앞에 보이는 붙장° 안 앞턱에 잔돈 얼마와 지전 몇 장이 놓여 있다. 그리고 문밖엔 지금 수만이가 돈을 가지고 나오기를 기다리고 섰다. 여기서 문기는 ㉢두 번째 허물을 범하고 말았다.

"진작 듣지." / 하고 빙그레 웃는 수만이 얼굴에다 뺨을 때리듯 돈을 던져 주고 문기는 달아났다.

– 현덕, 〈하늘은 맑건만〉에서

이 작품은

1930년대를 배경으로, 한 소년이 갈등을 겪으면서 성장하는 모습을 그린 소설입니다. 양심을 속이지 않고 정직하게 사는 삶의 가치를 일깨워 주는 작품입니다.

어휘 풀이 🖉

● **중문** 가운데뜰로 들어가는 대문.

● **안반** 떡을 칠 때에 쓰는 두껍고 넓은 나무 판.

● **빈탕** 아무 소용이 없게 헛된 것으로 되고 만 일.

● **연하다** 행위나 현상이 끊이지 않고 계속 이어지다.

● **지전** 지폐. 종이에 인쇄를 하여 만든 화폐.

● **둥구미** 짚으로 둥글고 울이 깊게 결어 만든 그릇. 주로 곡식이나 채소 따위를 담는 데에 쓰인다.

● **붙장** 부엌 벽의 안쪽이나 바깥쪽에 붙여 만든 장. 간단한 그릇 따위를 간직하는 데 쓴다.

간단 체크

4 문기는 (ㅅㅁ)의 심부름으로 고깃간에 고기를 사러 갔다.

5 문기는 고깃간 주인의 실수로 (ㄱㅅㄹㄷ)을 더 받았다.

6 **가** 는 소설의 구성 단계 중 사건의 실마리가 제시되는 (ㅂㄷ),
나 는 갈등이 심화되는 (ㅇㄱ)에 해당한다.

07 이 글에 대한 설명으로 적절하지 **않은** 것은?

① 등장인물의 심리가 나타나 있다.

② 실제로 있었던 일을 그대로 옮긴 글이다.

③ 시간의 흐름을 바꾼 구성을 취하고 있다.

④ 사건의 실마리는 잘못 거슬러 받은 돈이다.

⑤ 인물이 겪는 갈등을 중심으로 이야기가 전개된다.

08 **나** 에 나타난 갈등에 대한 설명으로 적절한 것은?

① 공에 대해 사실대로 말하라는 삼촌과 문기의 외적 갈등

② 거스름돈을 돌려받으려는 고깃간 주인과 문기의 외적 갈등

③ 문기의 잘못을 용서할지 말지 고민하는 숙모의 내적 갈등

④ 선생님께 잘못을 고백할지 말지 고민하는 문기의 내적 갈등

⑤ 돈을 가져오지 않으면 소문을 내겠다는 수만이와 문기의 외적 갈등

09 ㉠에서 문기가 느꼈을 심정으로 적절하지 **않은** 것은?

① 괴로움   ② 불안함   ③ 초조함

④ 떳떳함   ⑤ 걱정스러움

10 ㉡을 통해 알 수 있는 수만이의 성격을 바르게 이해한 사람끼리 묶인 것은?

율희: 지금 당장 돈을 받아 내지 않는 걸 보니 수만이는 게으른 성격인 것 같아.

서준: 자기가 원하는 것을 얻기 위해서 수단과 방법을 가리지 않는 성격인 것 같아.

윤서: 문기를 끈질기게 괴롭히는 걸 보면 수만이의 집요하고 비열한 성격이 드러나.

지후: 문기의 잘못을 폭로하겠다고 미리 경고하는 걸 보니 수만이는 배려심이 깊은 아이야.

① 율희, 서준   ② 율희, 윤서   ③ 서준, 윤서

④ 서준, 지후   ⑤ 윤서, 지후

11 다음은 **나** 의 뒤에 이어지는 내용이다. 이를 참고할 때, ㉢에 대한 설명으로 적절하지 **않은** 것은?

> 급한 걸음으로 문기는 네거리 하나를 지났다. 또 하나를 지났다. 또 하나를 지났다. 걸음은 차차 풀이 죽는다. 그리고 문기는 이런 생각을 하였다.
> '나는 몰래 작은어머니 돈을 축냈다.● 그러나 갚으면 고만 아니냐. 그 돈 값어치만큼 밥도 덜 먹고 학용품도 아껴 쓰고 옷도 조심해 입고, 이렇게 갚으면 고만 아니냐.'
> 몇 번이고 이 소리를 속으로 되뇌며 문기는 떳떳이 얼굴을 들고 집으로 들어갈 수 있을 만한 뱃심을 만들려 한다. 그러나 일없이 공원으로 거리로 돌며 해를 보낸다.
>
> ● 축내다 일정한 수나 양에서 모자라게 하다.

① 문기가 수만이와 싸운 것을 가리킨다.

② 문기의 내적 갈등이 깊어지는 원인이다.

③ 문기가 숙모의 돈을 훔친 것을 의미한다.

④ 문기가 수만이의 협박에 못 이겨 한 행동이다.

⑤ 문기가 수만이와의 갈등을 해결하려고 한 일이다.

01 다음 빈칸에 공통으로 들어갈 알맞은 말을 쓰시오.
▶▶52~53쪽 참고

> • 소설에서 (　　　)은 인물의 마음속에 여러 가지 생각이 얽혀 있음을 나타내거나 인물과 인물 또는 인물과 외부 환경이 대립 관계에 있음을 나타내는 말이다.
> • 소설에서는 인물들이 일으키는 (　　　)을 중심으로 이야기가 진행된다.

02 다음 글을 읽고 갈등하고 있는 인물이 누구인지 쓰시오.
▶▶52~53쪽 참고

> 저 사람 도대체 무슨 생각을 저렇게 골똘하게 하고 있을까. 인사를 해 볼까? 안녕하세요, 라고 해야 하나? 그냥 안녕이라고? 그러고 나서 고향, 연도, 초등학교를 말하면 알아볼까? 아이, 귀찮아. 그런 걸 하면 뭘 해. 우리는 가는 길이 다른데. 나는 그림을 좋아하고 저 사람은 자신의 그림을 열심히 그리면 그만이지.
>
> – 성석제, 〈내가 그린 히말라야시다 그림〉에서

(　　　)

03 다음 중 갈등의 기능을 잘못 이해한 학생이 누구인지 쓰시오.
▶▶54~55쪽 참고

갈등은 이야기에 긴장감을 주지만, 주제의 전달과는 관련이 없어.

은수

갈등에 대처하는 인물의 말이나 행동을 통해 인물의 성격과 가치관이 드러나.

훈기

(　　　)

04 다음 빈칸에 들어갈 알맞은 말을 순서대로 쓰시오.
▶▶58~61쪽 참고

> 갈등의 종류에는 한 인물의 마음속에서 두 가지 이상의 욕구나 감정이 동시에 일어나서 생기는 (　　　) 갈등, (　　　)과 그를 둘러싼 환경 사이에서 생기는 외적 갈등이 있다. 그리고 외적 갈등에는 인물과 인물 사이의 갈등, 인물과 (　　　) 사이의 갈등 등이 있다.

05 다음 글을 읽고 내적 갈등이 나타나 있으면 '내', 외적 갈등이 나타나 있으면 '외'를 쓰시오.
▶▶58~61쪽 참고

(1)
> "남대문 정거장까지 말씀입니까?"
> 하고 김 첨지는 잠깐 주저하였다. 그는 이 우중(雨中)에 우장도 없이 그 먼 곳을 철벅거리고 가기가 싫었음일까? 처음 것, 둘째 것으로 고만 만족하였음일까? 아니다. 결코 아니다. 이 상하게도 꼬리를 맞물고 덤비는 이 행운 앞에 조금 겁이 났음이다.
>
> – 현진건, 〈운수 좋은 날〉에서

(　　　)

(2)
> 바우는 낯이 화끈 달았다.
> "뭐, 인마." / 하고 대뜸 상대의 멱살을 잡고
> "그래서 남의 참외밭 결딴내는 거냐. 나빈 우리 집 참외밭에만 있구, 다른 덴 없어, 인마."
> 경환이는 멱살을 잡히고 이리저리 목을 저으며 / "이게 유도 맛을 보지 못해 이래. 너 다 그랬니. 다 그랬어."
> 하고 으르다가 날래게 궁둥이를 들이대고 팔을 낚아 넘겨치려 하나 그러나 원체 나무통처럼 버티고 섰는 바우의 몸은 호리호리한 경환의 허릿심으로는 꺾이지 않았다.
>
> – 현덕, 〈나비를 잡는 아버지〉에서

(　　　)

○정답과 해설 16쪽

▶▶64~65쪽 참고

06 다음은 소설의 구성 단계를 그림으로 나타낸 것이다. ㉠ 과 ㉡에 각각 들어갈 알맞은 말을 쓰시오.

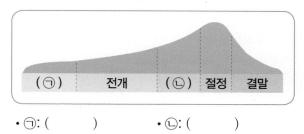

| (㉠) | 전개 | (㉡) | 절정 | 결말 |

• ㉠: (   )   • ㉡: (   )

▶▶64~65쪽 참고

07 다음 ㉠~㉤ 중 소설의 구성 단계와 단계별 특성을 잘못 짝지은 것 두 개를 쓰시오.

㉠ 발단 – 사건의 실마리 제시
㉡ 전개 – 갈등의 해결
㉢ 위기 – 갈등의 심화
㉣ 절정 – 갈등이 최고조
㉤ 결말 – 갈등의 시작

(   )

▶▶64~67쪽 참고

08 다음 ㉠~㉤은 〈춘향전〉의 줄거리이다. 소설의 구성 단계에 맞게 빈칸에 알맞은 기호를 쓰시오.

㉠ 춘향과 이몽룡이 만나 사랑에 빠짐.
㉡ 이몽룡이 한양으로 떠나게 되어 춘향과 이별함.
㉢ 암행어사가 되어 돌아온 이몽룡이 변학도를 벌함.
㉣ 춘향은 사또 변학도의 명을 거역한 죄로 옥에 갇힘.
㉤ 성춘향이 옥에서 풀려나고 이몽룡과 행복한 일생을 보냄.

(1) 발단	(2) 전개	(3) 위기	(4) 절정	(5) 결말

▶▶70~73쪽 참고

09 다음을 읽고 괄호 안에서 알맞은 말을 고르시오.

(1) (시간의 흐름에 따른 / 시간의 흐름을 바꾼) 구성은 사건을 시간 순서에 따라 전개하지 않는다.
(2) 하나의 이야기 속에 또 하나의 이야기가 들어 있는 구성 방식을 (시간의 흐름에 따른 / 액자식) 구성이라고 한다.

▶▶70~73쪽 참고

10 다음 그림이 나타내는 소설의 구성 유형을 〈보기〉에서 골라 쓰시오.

보기
시간의 흐름에 따른 구성, 액자식 구성, 시간의 흐름을 바꾼 구성

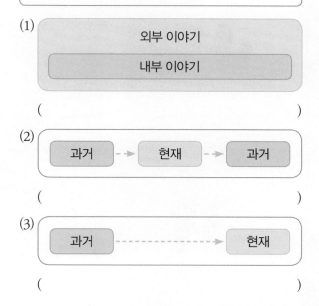

(1)

| 외부 이야기 |
| 내부 이야기 |

(   )

(2)

| 과거 | → | 현재 | → | 과거 |

(   )

(3)

| 과거 | ----→ | 현재 |

(   )

❶ 신나는 어휘 놀이

은서는 친구들과 기차를 타고 캠핑을 떠나려고 합니다. 캠핑에 필요한 준비물과 목적지를 알기 위해서는 제시된 뜻풀이에 알맞은 단어를 찾아야 합니다. 은서와 친구들은 어떤 준비물을 챙겨서, 어디로 떠날까요?

1 제시된 뜻풀이에 알맞은 단어를 찾아 은서와 친구들이 챙겨야 할 준비물을 알아맞혀 보자.

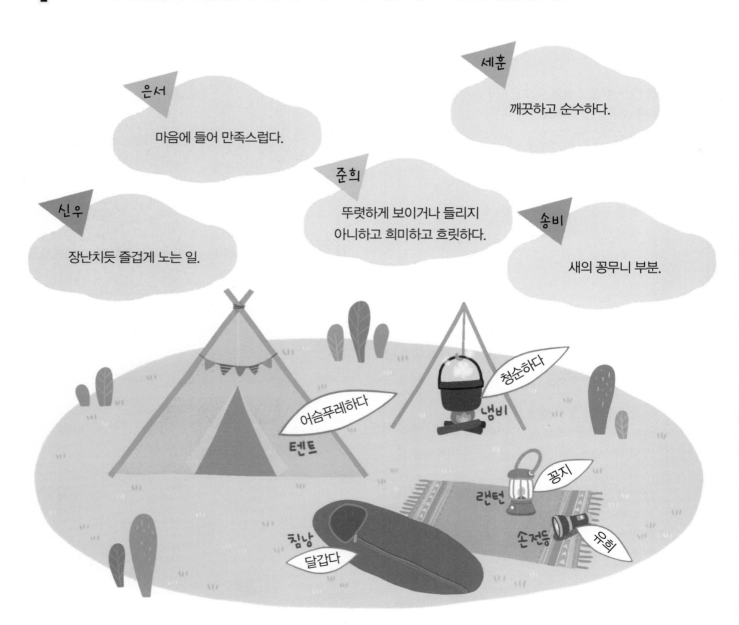

세훈
깨끗하고 순수하다.

은서
마음에 들어 만족스럽다.

준희
뚜렷하게 보이거나 들리지 아니하고 희미하고 흐릿하다.

신우
장난치듯 즐겁게 노는 일.

송비
새의 꽁무니 부분.

어슴푸레하다
텐트

청순하다
냄비

꽁지
랜턴

유희
손전등

침낭
달갑다

2 다음 놀이 방법을 참고하여 은서와 친구들이 내려야 할 기차역이 어디인지 알아맞혀 보자.

놀이 방법
① 제시된 뜻풀이에 알맞은 단어가 쓰인 카드를 찾아요.
② ①에서 찾은 카드에 적힌 글자를 순서대로 나열하면 내려야 할 기차역을 알 수 있어요.

| 첫 번째 글자 | 한 가지 일에 정신을 집중하다. |
| 두 번째 글자 | 수준이 보통을 넘어 아주 뛰어나다. |

연하다
성

축내다
리

열중하다
가

을러메다
양

비범하다
평

우려내다
주

문책하다
청

견제하다
대

역

❷ Q&A 특강

Q 외적 갈등에는 인물과 인물의 갈등, 인물과 사회의 갈등만 있나요?

○ 정답과 해설 17쪽

Ⓐ 외적 갈등의 종류에는 인물과 인물의 갈등, 인물과 사회의 갈등 외에 인물과 (   )의 갈등, 인물과 (   )의 갈등도 있다.

❸ 영웅의 일대기적 구성

〈홍길동전〉은 고전 소설의 특징 중 하나인 영웅의 일대기적 구성을 잘 보여 주는 작품이에요. '일대기'란 한 사람이 태어나서 죽을 때까지의 삶을 적은 기록을 뜻하지요. 〈홍길동전〉의 내용을 다시 한번 살펴보면서 영웅의 일대기적 구성에 대해 함께 알아볼까요?

〈홍길동전〉에 나타난 영웅의 일대기적 구성

첫째, 고귀한 혈통
홍길동은 이름난 양반 가문의 아들로, 고귀한 혈통을 지녔어요.

둘째, 비정상적인 출생
홍길동의 아버지는 청룡이 등장하는 꿈을 꾼 뒤 노비 춘섬과의 사이에서 홍길동을 얻습니다. 홍길동은 노비 어머니를 둔 서자로 태어났지요.
본부인이 아닌 여자에게서 태어난 아들.

셋째, 비범한 능력
홍길동은 어려서부터 총명하고 도술이 뛰어났으며, 훌륭한 인물이 되기 위해 더욱 노력해서 풍부한 지식과 빼어난 무술 실력을 갖추었어요.

넷째, 시련과 위기

서자 신분임에도 능력이 비범했던 홍길동은 가족들로부터 시기를 받아 자객에게 암살될 위기에 처해요.

다섯째, 위기 극복

홍길동은 자객을 물리치고 집을 떠납니다. 영웅 소설에는 홍길동처럼 주인공이 스스로 위기를 극복하는 경우도 나타나고, 이와는 다르게 조력자의 도움으로 위기를 극복하는 경우도 나타나요.
도와주는 사람.

여섯째, 성장 후의 고난

홍길동은 도적 무리의 두목이 된 뒤 탐관오리의 재물을 빼앗아 가난한 백성들에게 나누어 줍니다. 임금은 이러한 홍길동을 잡아들이라고 명령해요.

일곱째, 고난의 극복과 행복한 결말

홍길동은 도술을 이용하여 위기에서 벗어난 뒤 임금에게 벼슬을 받고 조선을 떠나요. 그 후 홍길동은 율도국을 정벌하고 왕이 되어 나라를 다스리다가 생을 마감하지요.

이처럼 고귀한 혈통과 비범한 능력을 지닌 주인공이 온갖 어려움을 극복하고 승리자가 되는 일정한 이야기의 흐름이 바로 영웅의 일대기적 구성이에요. 〈주몽 신화〉, 〈박씨전〉 등에서도 영웅의 일대기적 구성을 살펴볼 수 있답니다.

◑ 같은 상황을 두고 서로 다른 생각을 하는 까닭은 무엇일까요?

배울 내용

1일	소설의 시점 ①	**4일**	소설의 서술 방식
2일	소설의 시점 ②	**5일**	서술자와 시점_종합
3일	서술자의 태도	**특강**	창의·융합·코딩

1 말하는 사람이 누구인지에 주목하며 다음 만화를 살펴봅시다.

(1) 가와 나에서 세희의 마음에 대해 이야기하고 있는 사람은 누구인가요?

(2) 가와 나 가운데 세희의 마음이 더 잘 드러나는 것은 무엇인가요?

2 작품 속 인물에 대한 평가를 살펴보며 다음 물음에 답해 봅시다.

(1) 시하와 시후는 놀부를 각각 어떤 인물이라고 평가하고 있나요?

시하는 놀부를 (착한 / 못된) 인물로 평가하고 있고, 시후는 놀부를 무조건 (착한 / 나쁜) 인물이라고 할 수 없다고 평가하고 있다.

(2) 같은 인물에 대한 평가가 다른 이유는 무엇일까요?

인물을 바라보는 (시각 / 행동)이 사람마다 다르기 때문이다.

서술자와 시점

소설에서 작가를 대신하여 이야기를 들려
주는 사람을 '서술자'라고 해요.
  서술자가 소설 속 인물이나 사건을 바라
보는 시각을 '시점'이라고 한답니다.

당신을
이 소설의
서술자로
임명합니다.

서술자의 위치에 따라
시점의 종류가 나뉘어요.

1인칭 주인공 시점

1인칭 주인공 시점은 작품 속의 주인공인 '나'가 자신의 이야기를 직접 전달하는 시점이에요.

널 좋아해.
받아 줘.

앗, 내가
먼저 고백하려고
했는데….

준수

서술자

주인공 '나'

준수가 나에게 고
백을 했다. 나는 준
수를 좋아하고 있었
는데 준수가 먼저 고백해서 조금
놀랐다. 하지만 기분은 정말 좋
았다.

개념 노트

● 서술자와 시점
  • 서술자: 소설에서 (ㅈㄱ)를 대신하여 독자에게 이야기를 들려주는 사람.
  • 시점: 서술자가 소설 속 인물이나 사건을 바라보는 시각.
● 1인칭 주인공 시점
  • 작품 속 주인공 '(ㄴ)'가 자신의 이야기를 서술하는 시점.
  • 주인공의 심리나 감정 변화 등을 생생하게 전해 줄 수 있음.

답 작가, 나

1-1 다음 글을 읽고 괄호 안에서 알맞은 말을 고르시오.

> 나는 고개를 뻣뻣이 들고 소를 몰았다. 진창이 가로막아도 나는 첨벙거리며 지나갔다. 골목이 깊어지자 아이들도 하나둘씩 떨어져 나갔다. 집 앞에 이르러 나는 잠시 멈춰 섰다. 어머니와 아버지, 그리고 형의 얼굴을 떠올리자 비로소 소를 주웠다는 사실이 실감 났다.
>
> – 전성태, 〈소를 줍다〉에서
>
> ─────
> ● 진창 땅이 질어서 질퍽질퍽하게 된 곳.

> 작품 속의 ('나' / 소 / 어머니)가 서술자이다.

(도움말)

소설의 서술자를 파악하려면 이야기를 전달하고 있는 사람이 누구인지를 살펴보아야 해요.

1-2 다음 글을 읽고 이 글의 서술자에 대해 바르게 설명한 사람을 고르시오.

> 십 분, 이십 분, 초침까지 헤아리며 천장을 노려보다가 나는 신경질적으로 전축을 껐다. 그 사실적이고 무지한 소리에 피아노와 첼로의 멜로디는 이미 소음에 지나지 않았다. 하루 이틀의 일이 아니었다. 위층 주인이 바뀐 이래 한 달 전부터 나는 그 정체 모를 소리에 밤낮없이 시달려 왔다.
>
> – 오정희, 〈소음 공해〉에서
>
> ─────
> ● 전축 음반을 돌려서 소리를 듣는 장치. 음반에 팬 홈을 따라 바늘이 지나면서 소리가 남.

주인공 '나'가 자신의 이야기를 서술하고 있어.

서술자가 '나'의 심리를 전혀 알지 못하고 있어.

시하   시후

2 다음 글을 읽고 물음에 답하시오.

> 그러던 어느 일요일, 보름마다 꼬박꼬박 오는 보급품을 기다리는데, 그날따라 꽤나 시간이 가도 안 오지 뭡니까. 아침나절엔 "오늘 큰 미사가 있어서 그럴 거야."라고 혼잣말을 했지요. 그런데 정오쯤 되니 거센 비바람이 몰아쳐서 '올라오는 길이 안 좋아져 노새가 길을 떠나지 못했겠구나.'라고 생각했죠. 그러다 오후 3시쯤 되니, 하늘이 환해지면서 산은 물기와 햇빛으로 반질거렸고, 나뭇잎에서 뚝뚝 물 떨어지는 소리와 불어난 시냇물이 콸콸 흐르는 소리 틈새로 노새 방울 소리가 딸랑딸랑, 마치 부활절 날 커다랗게 울려 대는 종소리처럼 명랑하고 또렷하게 들려오더군요. 하지만 노새를 끌고 온 사람은 꼬마 미아로도 아니고, 노라드 할머니도 아니고, 바로바로…… 누구였을까 맞춰 보세요! 바로 우리 아가씨였답니다. 우리 아가씨가 몸소, 버들고리 바구니들 사이에 꼿꼿이 앉아서 산바람과 한바탕 폭풍우로 서늘해진 공기에 얼굴이 발그레해 가지고…… [중략]
>
> 내가 아가씨를 그렇게 가까이서 본 적은 그때까지 한 번도 없었답니다. 어쩌다 양 떼들이 평지로 내려가 있는 겨울철, 내가 저녁을 먹으러 농장 안집에 들어갈 때면 아가씨는 생기발랄하게 식당을 지나가긴 했어도 하인들에게 말을 건네는 법이라곤 없었고, 언제나 예쁘게 꾸미고 조금은 으스대는 모습이었거든요……. 그런 아가씨가 지금 바로 내 앞에 와 있다니, 그것도 나만을 위해. 그야말로 정신 못 차릴 만한 일 아니었겠어요?
>
> – 알퐁스 도데, 〈별〉에서
>
> ─────
> ● 보급품 필요한 곳에 주어지는 물품.
> ● 미사 천주 교회에서 드리는 예배 의식.

(1) 이 글의 서술자는 누구인가요?

(2) 아가씨를 본 '나'의 심리로 알맞은 것을 고르시오.

> 놀람과 설렘   아쉬움과 그리움

(도움말)

1인칭 주인공 시점으로 쓰인 소설에서는 주인공인 '나'가 자신의 감정이나 심리를 생생하게 드러낼 수 있어요.

3주

1일

1인칭 관찰자 시점

충심이 되거나 기본적인 것에 붙어서 따르는.

작품에는 주인공 말고도 여러 인물이 등장해요. 이런 인물을 부수적 인물이라고 해요.

1인칭 관찰자 시점은 이런 작품 속 부수적 인물인 '나'가 주인공을 관찰해서 주인공에 대한 이야기를 전달하는 시점이에요.

넌 좋아해. 받아 줘.

부수적 인물 '나'

서술자

나는 준수가 민아에게 고백하는 모습을 보았다. 당황한 듯한 민아의 표정을 보니 내 생각에 민아는 다른 사람을 좋아하는 것 같다.

준수

주인공 '민아'

관찰자인 '나'는 다른 인물의 심리나 감정을 잘 알지는 못해요.

그러냐옹

개념 노트

● **1인칭 관찰자 시점**

• 작품 속 부수적 인물인 '나'가 (ㄱㅊㅈ)의 입장에서 주인공에 대한 이야기를 서술하는 시점.

• 관찰자인 '나'는 주인공을 비롯한 인물의 심리나 감정을 속속들이 알지는 못함.

● **1인칭 주인공 시점과 1인칭 관찰자 시점의 공통점과 차이점**

	1인칭 주인공 시점	1인칭 관찰자 시점
공통점	서술자가 (ㅈㅍ) 안에 있음.	
차이점	서술자 '나'가 자신의 이야기를 함.	서술자 '나'가 남의 이야기를 함.

답 관찰자, 작품

3-1 다음 글을 읽고 물음에 답하시오.

> 나는 그 봉투를 갖다가 어머니에게 드렸습니다. 어머니는 그 봉투를 받아 들자 갑자기 얼굴이 파랗게 질렸습니다. 그 전날 달밤에 마루에 앉았을 때보다도 더 새하얗다고 생각되었습니다. 어머니는 그 봉투를 들고 어쩔 줄을 모르는 듯이 초조한 빛이 나타났습니다.
>
> — 주요섭, 〈사랑손님과 어머니〉에서

(1) 이 글의 서술자는 누구인가요?

(2) 서술자의 위치는 어디인가요?

작품 안	작품 밖

(3) 서술자가 관찰하는 대상은 누구인가요?

3-2 다음 글을 읽고 물음에 답하시오.

> 수택이는 석간신문을 배달하는 아이였어. 머리는 자주 감지 않아서 기름이 흐르는 데다가 비듬이 덕지덕지 붙어 있었어. 손톱 밑은 새카맣고, 잠바 소맷부리는 때에 절어 번질대고 몸에서는 꼭 시궁창 냄새 같은 게 났어. 게다가 하루에 몇 번씩 방귀를 뀌는데 냄새가 아주 지독했어. [중략] 수택이는 머리를 긁적이면서 한 발 한 발 앞으로 내디뎠어. 그러고는 우리 반에서 제일 도수가 높은 안경을 쓴 아이 옆에 앉았지. 나는 그만 숨이 멎어 버리는 것 같았어. 그게 바로 나였거든. — 유은실, 〈보리 방구 조수택〉에서

(1) 이 글의 서술자는 누구인가요?

(2) 서술자의 위치는 어디인가요?

작품 안	작품 밖

(3) 서술자가 관찰하는 대상은 누구인가요?

4 다음 대화에서 소설의 시점에 대해 바르게 파악하지 **못한** 사람을 고르시오.

5 다음 중 1인칭 관찰자 시점의 서술자가 정확하게 전달할 수 있는 것을 **모두** 고르시오.

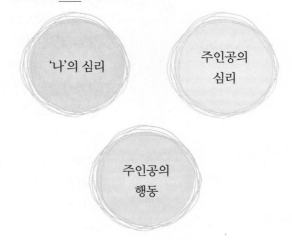

(도움말)

1인칭 관찰자 시점의 서술자 '나'는 주인공의 겉으로 드러나는 모습을 관찰해서 이야기를 서술한답니다.

이 작품은
메주를 둘러싸고 일어나는 할머니와 엄마의 갈등을 1인칭 관찰자 시점으로 그린 소설입니다. 가치관의 차이로 인한 세대 간의 갈등이 잘 드러나 있으며, 할머니와 엄마의 화해를 위해 애쓰는 '나'(은지)의 순수한 모습이 돋보이는 작품입니다.

앞부분 줄거리
'나'(은지)의 할머니는 '나'의 가족과 함께 아파트에 살고 있다. 할머니는 장은 정성스럽게 만들어 먹어야 한다며 아파트에서 메주를 만들지만 엄마는 못마땅해한다. 그러던 어느 날 할머니가 메주를 매달기 위해 아파트 문틀에 못을 박는 것을 보고 엄마는 할머니에게 화를 내고 만다.

[01~06] 다음 글을 읽고 물음에 답하시오.

할머니는 눈을 부릅뜨고 노여워 어쩔 줄 몰라 했다. 나는 무서웠다. 엄마가 이렇게 할머니에게 대드는 것은 처음 보았다. 엄마는 울상을 지으며 말했다.

[A]
"그러니까 메주 만들지 마시라 그랬잖아요."
"뭣이여? 메주를 만들지 마라? 니가 지금 메주 만드는 거 돕기나 하면서 그런 말을 하냐? 손가락 하나 까딱 안 하고 만들지 말란 소리만 하면 다여?"
"요즘 아파트에서 그런 거 만드는 사람이 몇이나 된다고 그러세요?"
"너는 안 먹고 살래? 아무리 아파트기로서니 사람이 할 일은 하고 살아야재. 그래, 아파트 살면 장을 다 사 먹어야 한단 말이여?"
"아유, 그만두세요. ㉠어머닌 옛날 방식만 고집하시니."

엄마는 돌아서서 안방 쪽으로 갔다. 할머니는 속이 상한지 한참이나 그대로 서 있었다.

나는 조심스럽게 할머니를 불러 보았다.

"…… 할머니이." / 할머니는 그제서야 내 얼굴을 보더니 혼잣말같이 중얼거렸다.

"㉡시상이 아무리 달라졌다 혀도 달라지지 않는 것도 있는 법이여. 그렇재, 암."

그러고는 박아 놓은 못에 메주를 걸었다. 메주는 창고 문 앞에 주렁주렁 매달렸다.

중간 부분 줄거리 | '나'는 단짝 친구 희정이의 집에 놀러 가서 점심을 먹는다. 그때 '나'는 자신과 달리 된장찌개를 맛있게 먹는 희정이의 모습을 보게 된다. 희정이 엄마는 희정이가 된장을 좋아하고 잘 먹어서 시골 할머니 댁에 가면 된장을 많이 얻으려고 사정하게 된다고 '나'에게 말한다.

집으로 걸어오며 여러 가지 생각이 떠올랐다. 우리 집과 희정이네는 좀 다른 것 같다. 우리 엄마는 메주 쑤지 말라고 그러는데 희정이 엄마는 그걸 얻으려고 사정사정했단다.

[B]
'우리 집도 희정이네처럼 된장을 좋아한다면 엄마와 할머니의 사이가 좀 더 좋아지지 않을까? 된장이 모자라면 엄마가 할머니한테 제발 메주 좀 많이 쑤시라고 할지도 몰라. 그럼 할머니는 좋아하시겠지.'

내가 잘 먹는 음식이라면 뭐든지 해 주는 엄마 생각도 났다. 엄마는 내가 먹고 싶다고 하기만 하면 먼 곳에 가서라도 꼭 그 음식을 구해다 준다.

'그래. 내가 된장을 잘 먹는 거야. 희정이처럼.'

그날 저녁때부터 나는 된장찌개를 찾았다.

– 오승희, 〈할머니를 따라간 메주〉에서

어휘 풀이

● 메주 장을 담그기 위해 삶은 콩을 찧어 크고 네모난 덩이로 뭉쳐서 발효시켜 말린 것.
● 시상 '세상'의 방언.

1 이 글의 서술자는?

☐ 할머니   ☐ 엄마   ☐ '나'

2 이 글의 서술자는 작품 (안 / 밖)에 있다.

3 이 글의 '나'는 (ㄱㅊㅈ)로서 할머니와 엄마의 갈등을 관찰하고 있다.

01 이 글의 내용과 일치하지 않는 것은?

① 할머니는 집에서 메주를 만들었다.

② 엄마는 할머니가 메주 만드는 일을 도왔다.

③ 희정이는 '나'와 달리 된장찌개를 좋아한다.

④ 엄마는 할머니가 과거의 방식만 고집한다고 생각한다.

⑤ 할머니는 장을 직접 만들어 먹는 것이 옳다고 생각한다.

02 이 글의 서술자에 대한 설명으로 적절한 것끼리 묶인 것은?

보기
ⓐ 줄곧 자신의 이야기만 한다.
ⓑ 작품 속의 인물 중 한 명이다.
ⓒ 할머니와 엄마의 속마음을 정확하게 알고 있다.
ⓓ 할머니와 엄마의 말과 행동을 관찰하여 서술한다.

① ⓐ, ⓒ   ② ⓐ, ⓓ   ③ ⓑ, ⓒ
④ ⓑ, ⓓ   ⑤ ⓒ, ⓓ

03 [A]에 나타난 주된 갈등으로 적절한 것은?

① '나'의 내적 갈등

② 엄마의 내적 갈등

③ 할머니의 내적 갈등

④ '나'와 엄마 사이의 외적 갈등

⑤ 할머니와 엄마 사이의 외적 갈등

04 [B]를 바탕으로 이 글의 '나'를 적절하게 평가한 것은?

① 영악하고 당돌함.

② 적극적이고 솔직함.

③ 눈치가 없고 게으름.

④ 사려 깊고 배려심이 많음.

⑤ 이기적이고 자기중심적임.

05 다음은 이 글을 읽은 독자들이 나눈 대화이다. ㉠과 ㉡을 바탕으로 이 글의 할머니에 대해 바르게 이해한 사람은?

윤서: 이 글의 할머니는 현대적인 생활 방식을 소중히 여기고 있어.

혜수: 내가 보기엔 무엇보다도 편리한 것이 최고라고 여기는 것 같아.

지후: 할머니는 옛것은 버리고 새로운 문명을 받아들여야 한다고 생각하고 있어.

율희: 포기하지 않고 끊임없이 도전하는 자세를 중요시하는 가치관이 드러나는걸.

서준: 시대가 바뀌어도 전통적인 삶의 방식을 지켜야 한다는 생각을 엿볼 수 있어.

① 윤서   ② 혜수   ③ 지후
④ 율희   ⑤ 서준

06 다음은 '나'가 할머니와 엄마를 화해시키기 위해 한 일이다. 빈칸에 들어갈 알맞은 말을 쓰시오.

이 글의 '나'는 할머니와 엄마를 화해시키기 위해 _____를 먹기로 했어.

> **3인칭 관찰자 시점**

1인칭 주인공 시점과 1인칭 관찰자 시점은 서술자가 작품 안에 있어요.
이와 달리 서술자가 작품 밖에 있는 경우도 있답니다. 이런 경우를 3인칭 시점이라고 해요.

3인칭 관찰자 시점은 작품 밖에 있는 서술자가 인물의 속마음을 모른 채 상황을 관찰해서 이야기를 전달하는 시점이에요.

개념 노트

● **3인칭 관찰자 시점**

• 서술자가 작품 (ㅂ) 관찰자의 위치에서 이야기를 서술하는 시점.

• (ㄱㄱㅈ)인 태도로 인물의 대화와 행동을 관찰하여 전달함.

답 밖, 객관적

1-1 다음 글을 읽고 물음에 답하시오.

> 진수가 국수를 훌훌 끌어 넣고 있을 때, 여편네는 만도의 귓전으로 얼굴을 갖다 댔다.
>
> "아들이가?"
>
> 만도는 고개를 약간 앞뒤로 끄덕거렸을 뿐, 좋은 기색을 하지 않았다. 진수가 국물을 훌쩍 들이마시고 나자 만도는,
>
> "한 그릇 더 묵을래?"
>
> 한다.
>
> "아니예."
>
> "한 그릇 더 묵지, 와?"
>
> "고만 묵을랍니더."
>
> 진수는 입술을 싹 닦으며 부스스 자리에서 일어났다.
>
> 주막을 나선 그들 부자는 논두렁길로 접어들었다. 아까와 같이 만도가 앞장을 서는 것이 아니라, 이번에는 진수를 앞세웠다. 지팡이를 짚고 기우뚱기우뚱 앞서 가는 아들의 뒷모습을 바라보며, 팔뚝이 하나밖에 없는 아버지가 느릿느릿 따라가는 것이다.
>
> – 하근찬, 〈수난이대〉에서

(1) 이 글의 서술자에 대해 바르게 설명한 사람은 누구인가요?

이 글의 서술자는 작품 속에 등장하는 인물이야.

진우

객관적인 태도로 인물의 말과 행동을 전달하고 있어.

소미

(2) 다음을 읽고 괄호 안에서 알맞은 말을 고르시오.

> 이 글의 시점은 (1인칭 / 3인칭) 시점이다.

1-2 다음 글을 읽고 물음에 답하시오.

> 마을 사람들은 다들 학나무 둘레에 모였다.
>
> 다섯 마리의 학은 가장 높은 가지 위에 가지런히 한 줄로 늘어서 있었다. 이제는 그 긴 다리 색이 어미들보다 약간 노란 기운이 도는 것을 표해 보지 않고는 어미 학과 새끼 학들을 알아낼 수 없을 만큼 컸다.
>
> 해가 떴다.
>
> 이윽고 그들은 긴 목을 쑥 빼고 뾰족한 주둥이를 하늘로 곧추● 올렸다. 맨 큰 학이 두 날개를 기지개를 켜듯 위로 들어올리며 슬쩍 다리를 꾸부렸다 하자 삐르 긴 소리를 지르며 흠씰● 가지에서 푸른 하늘로 솟아올랐다. 그러자 다음 다음 다음 다음 차례로 뒤를 따랐다. 그들은 멋지게 동그라미를 그으며 마을을 돌았다. 한 바퀴 또 한 바퀴. 점점 높이 올랐다. 이젠 까마득히 하늘에 떴다. 그래도 삐르, 삐르 소리만은 똑똑히 들려왔다. 마을 사람들은 꺾어져라 목을 뒤로 젖혔다.
>
> – 이범선, 〈학마을 사람들〉에서

● 곧추 굽히거나 구부리지 아니하고 곧게.
● 흠씰 무거운 물체가 크게 흔들리는 모양.

(1) 이 글에 '나'가 등장하나요?

예   아니요

(2) 서술자가 인물의 내면 심리를 알고 있나요?

예   아니요

(3) 이 글의 시점은 무엇인가요?

1인칭 관찰자 시점   3인칭 관찰자 시점

도움말

이 글의 서술자는 학이 하늘로 날아오르는 모습과 이를 지켜보는 마을 사람들의 모습을 관찰한 내용을 독자에게 들려주고 있어요.

3주 2일 소설의 시점 ②

3인칭 전지적 시점

3인칭 전지적 시점은 작품 밖의 서술자가 인물의 속마음, 과거에 한 일, 사건의 처음과 끝 등을 다 알고 말해 주는 시점이에요.

'전지적'은 '모든 것을 다 알고 있음.'을 뜻해요.

서술자

넣 좋아해. 받아 줘.

준수

민아

준수는 민아에게 자신의 마음을 고백했다. 준수는 민아가 싫어할까 봐 걱정했지만 사실 민아도 준수를 좋아하고 있었다.

3인칭 전지적 시점의 서술자는 마치 신처럼 인물의 속마음을 모두 알고 있어요.

개념 노트

● 3인칭 전지적 시점
  • 서술자가 (ㅅ)처럼 전지전능한 입장에서 이야기를 서술하는 시점.
  • 서술자는 인물의 대화와 행동은 물론 인물의 생각이나 심리까지 설명함.
● 3인칭 관찰자 시점과 3인칭 전지적 시점의 공통점과 차이점

	3인칭 관찰자 시점	3인칭 전지적 시점
공통점	서술자가 작품 (ㅂ)에 있음.	
차이점	서술자가 인물의 속마음을 알지 못함.	서술자가 인물의 속마음을 알고 있음.

답 신, 밖

2-1 다음 글을 읽고 물음에 답하시오.

> 밖을 내다보던 소년이 무엇을 생각했는지 수수밭 쪽으로 달려간다. 세워 놓은 수숫단 속을 비집어 보더니, 옆의 수숫단을 날라다 덧세운다. 다시 속을 비집어 본다. 그리고는 ㉠소녀 쪽을 향해 손짓을 한다.
>
> 수숫단 속은 비는 안 새었다. 그저 어둡고 좁은 게 안됐다. 앞에 나앉은 소년은 그냥 비를 맞아야만 했다. 그런 소년의 어깨에서 김이 올랐다.
>
> 소녀가 속삭이듯이, 이리 들어와 앉으라고 했다. 괜찮다고 했다. 소녀가 다시, 들어와 앉으라고 했다. 할 수 없이 뒷걸음질을 쳤다. 그 바람에, 소녀가 안고 있는 꽃묶음이 우그러들었다. 그러나 ㉡소녀는 상관없다고 생각했다. 비에 젖은 소년의 몸 내음새가 확 코에 끼얹혀졌다. 그러나 고개를 돌리지 않았다. 도리어 소년의 몸기운으로 해서 떨리던 몸이 적이 누그러지는 느낌이었다.
>
> – 황순원, 〈소나기〉에서
>
> ---
> ● 비집다 좁은 틈을 헤쳐서 넓히다.
> ● 적이 꽤 어지간한 정도로.

(1) 이 글의 ㉠과 ㉡이 각각 무엇을 서술한 내용인지 바르게 연결하시오.

㉠ 소녀 쪽을 향해 손짓을 한다. ・　　・ 인물의 속마음

㉡ 소녀는 상관없다고 생각했다. ・　　・ 인물의 행동

(2) 다음을 읽고 괄호 안에서 알맞은 말을 고르시오.

> 이 글에서는 작품 (안 / 밖)의 서술자가 인물의 대화와 행동은 물론이고 (독자의 생각 / 인물의 심리)까지 서술하고 있다.

2-2 다음 글을 읽고 밑줄 친 부분에 나타난 인물의 심리로 알맞은 것을 각각 고르시오.

> 심청이는 저 죽을 꿈인 줄 짐작하고 둘러대기를,
> "그 꿈 참 좋습니다."
> 하고 진짓상을 물려 내고 담배 태워 드린 뒤에 밥상을 앞에 놓고 먹으려 하니 간장이 썩는 눈물은 눈에서 솟아나고, 아버지 신세 생각하며 먼저 죽을 일 생각하니 정신이 아득하고 몸이 떨려 밥을 먹지 못하고 물렸다. 그런 뒤에 심청이 사당에 하직하려고 다시 세수하고 사당 문을 가만히 열고 인사를 올렸다.
> "못난 여손(女孫) 심청이는 아비 눈 뜨기를 위하여 인당수 제물로 몸을 팔려 가오매, 조상 제사를 끊게 되오니 슬픈 마음을 이기지 못하겠습니다."
>
> – 지은이 모름, 〈심청전〉에서
>
> ---
> ● 간장이 썩다 마음이 몹시 상하다.
> ● 사당 조상의 이름을 적은 나무패를 모셔 두는 집.
> ● 하직하다 먼 길을 떠날 때 웃어른께 작별을 고하는 인사를 하다.

> 심청이는 아버지와의 이별을 앞두고 (기쁨 / 슬픔)과 (두려움 / 기대감)을 느끼고 있다.

3 다음 중 3인칭 전지적 시점의 서술자가 전달할 수 있는 것을 <u>모두</u> 고르시오.

인물이 과거에 한 일　　인물의 행동　　인물의 심리

도움말

3인칭 전지적 시점의 서술자는 마치 신처럼 전지전능하여 모든 것을 알고 있답니다.

3주 2일 기초 집중 연습

이 작품은
토끼와 별주부의 이야기를 다룬 고전 소설로, 동물을 사람에 빗대어 표현하여 인간 사회를 비판한 우화 소설입니다.

앞부분 줄거리
용왕은 자신의 병을 고치기 위해 신하 별주부(자라)를 육지로 보내 토끼의 간을 구해 오게 한다. 토끼는 별주부의 꼬임에 넘어가 용궁에 도착하고, 용왕의 군사들에게 붙잡힌다. 그리고 토끼는 자신의 간 때문에 잡혀 왔음을 알게 된다.

어휘 풀이

- **방책** 방법과 꾀를 아울러 이르는 말.
- **태연스럽다** 당연히 머뭇거리거나 두려워할 상황에서 태도나 얼굴빛이 아무렇지도 않은 듯하다.
- **염통** 심장.
- **일언반구** 한 마디 말과 반 구절이라는 뜻으로, 아주 짧은 말을 이르는 말.
- **도모하다** 어떤 일을 이루기 위하여 대책과 방법을 세우다.
- **허무맹랑하다** 터무니없이 거짓되고 실속이 없다.
- **기만하다** 남을 속여 넘기다.
- **결박** 끈이나 줄 등으로 움직이거나 빠져나가지 못하게 둘러 묶음.

[01~06] 다음 글을 읽고 물음에 답하시오.

가 토끼는 절망감에 빠져들었다. 그러다가 다시 생각하되,

'옛말에 이르기를 ㉠호랑이 굴에 들어가도 정신만 차리면 산다고 하였으니, 어찌 죽기만 생각하고 살아날 방책을 헤아리지 아니하리오?'

하더니 문득 한 묘한 꾀를 생각해 냈다.

이에, 얼굴빛을 태연스럽게 하고 고개를 들어 용왕을 우러러보며 가로되,

"제가 비록 죽을지라도 한 말씀 아뢰리다. 용왕님은 수궁의 임금이시요, 저는 산중의 하찮은 짐승일 따름이옵니다. 만일, 제 간으로 용왕님의 병환을 낫게 할 수만 있다면, 어찌 한낱 간 따위를 아끼겠나이까? [중략] 세상 사람은 저를 만날 때마다 간을 달라고 심히 보채지요. 저는 이런 간절한 부탁을 매번 거절하기 어려워 간을 염통과 함께 꺼내 맑은 계곡물에 여러 번 씻어 높은 산, 깊은 바위틈에 감춰 두고 다닌답니다. 그러다가 우연히 별주부를 만나 여기에 따라온 것이니, 만일 용왕님의 병환이 이러한 줄 알았던들 어찌 가져오지 아니하였겠나이까?" / 하며 도리어 자라를 꾸짖었다.

"네 진정 임금을 위하는 정성이 있을진대, 어이 이러한 사정을 일언반구(一言半句)도 말하지 아니하였는가?"

용왕이 이 말을 듣고 크게 노하여 꾸짖었다.

"너야말로 진실로 간사한 놈이로다. 천지간에 어느 짐승이 간을 내고 들일 수가 있단 말인가? 네가 얕은꾀로 살기를 도모하나, 과인이 어찌 허무맹랑한 거짓에 속으리오? 네가 과인을 기만하고 있는 죄 더욱 크도다. 너의 간을 내어 과인의 병을 고침은 물론이요, 임금을 속이려 한 죄를 엄한 벌로 다스리리라."

중간 부분 줄거리 | 토끼는 순간 당황하지만 용왕에게 지금 자신의 배를 가르면 간이 없어 병도 고치지 못하고 다시 간을 얻을 수도 없다며 능청스럽게 거짓말을 한다. 용왕은 태연하게 말하는 토끼의 모습을 보고 결국 토끼의 꾀에 넘어간다.

나 대개 수궁은 육지의 사정에 밝지 못한 까닭에 용왕은 토끼의 말을 묵묵히 듣고 있다가 속으로 헤아리되,

'만일 저 말과 같을진대, 배를 갈라 간이 없으면 애써 잡은 토끼만 죽일 따름이요, 다시 누구에게 간을 얻을 수 있으리오? 차라리 살살 달래어 육지에 나가 간을 가져오게 함이 옳도다.'

하고, 좌우에 명하여 토끼의 결박을 풀고 자리를 마련해 편히 앉도록 했다.

– 지은이 모름, 〈토끼전〉에서

간단 **체크**

1 이 글의 서술자의 위치는?

☐ 작품 안　　　　　☐ 작품 밖

2 용왕은 토끼의 (ㄱ)이 자신의 병을 낫게 하는 약이라고 생각한다.

3 토끼의 꾀에 넘어간 용왕은 (어리석은 / 현명한) 인물이다.

01 이 글의 내용과 일치하지 **않는** 것은?

① 토끼는 현재 자신이 몸에 간을 지니고 있지 않다고 말하고 있다.

② 토끼는 용궁에서 살아 나갈 방법을 찾으려고 침착하게 행동하고 있다.

③ 토끼는 위기에 처한 것을 알고 크게 절망하며 별주부를 원망하고 있다.

④ 토끼는 용왕이 자신을 믿게 하기 위해 능청스럽게 별주부를 꾸짖고 있다.

⑤ 용왕은 토끼의 말을 듣고 의심하다가 결국에는 완전히 속아 넘어가고 있다.

02 이 글의 시점은?

① 1인칭 주인공 시점　　② 1인칭 관찰자 시점

③ 3인칭 주인공 시점　　④ 3인칭 관찰자 시점

⑤ 3인칭 전지적 시점

（도움말）

먼저 서술자의 위치를 파악하고, 서술자가 누구에 대해 어디까지 서술하는지를 살펴보면 소설의 시점을 알 수 있어요.

03 이 글의 서술자에 대한 설명으로 적절한 것은?

① 주인공인 토끼이다.

② 자신의 이야기를 전달한다.

③ 작품 속에 등장하는 부수적 인물이다.

④ 주인공을 비롯한 인물들의 생각과 심리까지 모두 알고 있다.

⑤ 주인공의 대사와 행동만을 관찰하여 객관적으로 이야기를 전달한다.

04 **나**에서 용왕이 토끼의 결박을 풀어 준 까닭으로 가장 적절한 것은?

① 토끼를 꾸짖은 것이 미안해서

② 토끼가 거짓말을 하는 것에 화가 나서

③ 토끼가 뱃속에서 간을 꺼내게 하기 위해서

④ 토끼가 용궁에 오래도록 머물게 하기 위해서

⑤ 토끼를 달래어 육지에 두고 온 간을 가져오게 하기 위해서

05 ㉠을 대신할 속담으로 적절한 것은?

① 소 잃고 외양간 고친다.

② 사공이 많으면 배가 산으로 간다.

③ 가지 많은 나무에 바람 잘 날이 없다.

④ 하늘이 무너져도 솟아날 구멍이 있다.

⑤ 낮말은 새가 듣고 밤말은 쥐가 듣는다.

06 다음 중 용왕과 토끼의 특성을 바르게 짝지은 것은?

	용왕	토끼
①	어리석다.	지혜롭다.
②	이기적이다.	권위적이다.
③	꾀가 많고 약다.	우직하고 충성스럽다.
④	거짓말을 잘한다.	거짓말을 못한다.
⑤	남의 말을 잘 믿는다.	솔직하다.

3
주

2일

3주 3일 서술자의 태도

긍정적 태도

소설에는 인물에 대한 작가의 평가가 반영돼요. 이는 인물에 대한 서술자의 태도를 통해 짐작할 수 있지요.

서술자가 인물을 긍정적인 입장에서 서술하는 경우, 이러한 서술자의 태도를 긍정적 태도라고 한답니다.

예를 살펴볼까요?

흥부는 마음씨가 착하고 형제와 가족을 생각하는 마음 또한 대단했다.

〈흥부전〉에서는 서술자가 흥부의 착한 마음씨를 드러내면서 흥부에 대해 긍정적인 태도로 서술하고 있어요.

오호~

개념 노트

● **긍정적 태도**

• 서술자가 인물을 (ㄱㅈㅈ)인 입장에서 서술함.

• 인물에 대한 애정, 동경, (ㅇㅁ) 등으로 나타남.

답 긍정적, 연민

1-1 다음 글을 읽고 이 글에 나타난 서술자의 태도에 대해 바르게 설명한 사람을 고르시오.

> "제가 긴, 데, 요."
>
> 그래서 김대호 씨를 사람들은 아예 '긴데요'라고 부른다. 그의 별명은 김대호 씨가 속한 사무실만이 아니라 회사 전체에 널리 퍼져 있어서 언제부턴가는 아무도 그의 진짜 이름을 부르지 않게 되어 버렸다.
>
> 물론 그를 별명으로 부르는 데 어떤 악의가 있는 것은 결코 아니었다. 오히려 그렇게 스스럼없이 별명이 통하는 것만 보아도 김대호 씨의 대인 관계가 아주 원만한 편이라는 것을 능히 짐작할 수가 있다. 사실로 그는 키가 큰 만큼 이해의 길이도 길고, 느리고 낙천적인 만큼 주위 사람들을 편하게 해 주는 품성을 지니고 있었다.
>
> 그의 미덕은 품성에만 있는 게 아니었다. 좀 느리기는 하지만 그는 맡은 일만큼은 빈틈없이 해내는 사람이었다. 덤벙거리지 않으니 실수도 없고, 진득한 성격이라 잔꾀를 부릴 줄도 몰라 일에 하자를 내는 경우가 거의 없었다.
>
> – 양귀자, 〈길모퉁이에서 만난 사람〉에서

● **진득하다** 성질이나 행동 등이 질기고 끈기가 있다.
● **잔꾀** 자질하고 약은 꾀.
● **하자** 옥의 얼룩진 흔적이라는 뜻으로, '흠'을 이르는 말.

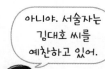

> 이 글의 서술자는 김대호 씨를 동정하고 있어.

> 아니야. 서술자는 김대호 씨를 예찬하고 있어.

은수

훈기

도움말

'동정하다'는 '남의 어려운 처지를 자기 일처럼 느끼며 가엾게 여기다.'를 뜻하고, '예찬하다'는 '매우 좋거나 훌륭한 것을 칭찬하며 감탄하다.'를 뜻해요.

1-2 다음 글을 읽고 물음에 답하시오.

> 그 사람, 백선규. 나와 같은 고향 출신이고, 같은 초등학교를 나왔는데 어릴 때부터 상이란 상은 다 받고 다니더니 자라서도 한국을 대표하는 화가가 됐어.
>
> '고갱과 고흐'에도 백선규의 작품이 걸려 있지. 진품은 아니고 몇 년 전 어느 대기업의 달력에 인쇄된 그림을 오려서 액자에 넣은 거지. 그 사람 작품, 저만 한 크기에 진품이라면 몇천만 원을 할지 몰라. [중략] 흰 눈보다 더 희고 흰 구름보다 더 희고 흰 거품보다 더 흰 저 흰색. 영혼을 팔아서 그 대가로 도깨비가 가져다준 물감을 쓰는 것일까. 그 사람은 어떻게 저 흰색을 만들어 내는지 말하지 않았지. 원과 선을 그리는 저 검은색은 또 얼마나 검은지. 물감의 검은색보다 검고 숯보다 더 검고 천진무구한 소녀의 눈동자보다 더 검은 저 검은색. 여우 귀신이 그에게 검은색 물감을 가져다주는 것일까. 그는 말한 적이 없어. 그에게는 비밀이 많아 보여.
>
> 세상에서 가장 검은 검은색과 세상에서 가장 흰 흰색이 만나, 그의 그림은 보석처럼 벽을 빛나게 하지. 저런 게 예술이 아닐까.
>
> – 성석제, 〈내가 그린 히말라야시다 그림〉에서

● **진품** 진짜인 물건.
● **천진무구하다** 조금도 때 묻음이 없이 아주 순진하다.

(1) 이 글에 나타난 서술자의 태도로 적절한 것을 고르시오.
  ① 백선규의 그림을 예찬하고 있다.
  ② 백선규를 비판적인 시각에서 바라보고 있다.

(2) 다음을 읽고 괄호 안에서 알맞은 말을 고르시오.

> 이 글의 서술자는 백선규에 대해 (긍정적 / 부정적) 태도를 드러내고 있다.

부정적 태도

서술자가 인물을 부정적인 입장에서 서술하는 경우, 이러한 서술자의 태도를 부정적 태도라고 해요.

서술자의 부정적 태도는 인물에 대한 비판이나 풍자, 분노 등으로 나타나요.

흥부와 달리 놀부는 부모에게 불효하고 아우를 생각하는 마음이 조금도 없으니, 그 마음 쓰는 것이 괴상하였다.

〈흥부전〉을 살펴보면, 서술자는 놀부를 흥부에 비교하면서 놀부에 대해 부정적인 태도로 서술하고 있답니다.

개념 노트

● **부정적 태도**
- 서술자가 인물을 (ㅂㅈㅈ)인 입장에서 서술함.
- 인물에 대한 비판, 풍자, 조롱, 분노 등으로 나타남.

답 부정적

2-1 다음 글을 읽고 물음에 답하시오.

> 우리 박 선생님은 참 이상한 선생님이었다.
>
> 박 선생님은 생긴 것부터가 무척 이상하게 생긴 선생님이었다. [중략]
>
> 뒤통수와 앞이마가 툭 내솟고, 내솟은 좁은 이마 밑으로 눈썹이 시꺼멓고, 왕방울 같은 두 눈은 부리부리하니 정기가 있고도 사납고, 코는 매부리코요, 입은 메기입으로 귀밑까지 넓죽 째지고, 목소리는 쇠꼬챙이로 찌르는 것처럼 쨍쨍하고.
>
> 이런 대갈장군인 뼘생 박 선생님과 아주 정반대로 생긴 이가 강 선생님이었다.
>
> 강 선생님은 키가 크고, 몸집도 크고, 얼굴이 너부릇하고, 얼굴이 검기는 해도 순하여 사나움이 든 데가 없고, 눈은 더 순하고, 허허 웃기를 잘하고, 별로 성을 내는 일이 없고, 아무하고나 장난을 잘하고…… 강 선생님은 이런 선생님이었다.
>
> – 채만식, 〈이상한 선생님〉에서

● **너부릇하다** '너부죽하다'의 방언. 조금 넓고 평평한 듯하다.

(1) 이 글의 등장인물과 그의 특징을 바르게 연결하시오.

박 선생님	•		• ㉠	순한 성격과 생김새
강 선생님	•		• ㉡	사나운 성격과 생김새

(2) 이 글의 박 선생님에 대한 서술자의 태도로 알맞은 것을 고르시오.

> 서술자는 박 선생님을 순한 강 선생님과 비교하면서 (부정적 / 객관적)으로 서술하고 있어.

2-2 다음 글을 읽고 물음에 답하시오.

앞부분 줄거리 | 이인국 박사는 일제 강점기에는 친일파로 살았고, 광복 이후에는 소련군에게 빌붙어 죽을 위기를 모면했다. 6·25 전쟁 이후 이인국 박사는 미국에 가기 위해 도움을 받고자, 선물로 줄 고려청자 화병을 들고 미국인 브라운 씨의 집에 방문한다. 브라운 씨를 기다리며 둘러 본 그의 집에는 귀중한 유물이 가득하다.

> 저것들도 다 누군가가 가져다준 것이 아닐까 하는 데 생각이 미치자 이인국 박사는 얼굴이 화끈해졌다.
>
> 그는 자기가 들고 온 상감 진사(象嵌辰砂) 고려청자 화병에 눈길을 돌렸다. 사실 그것을 내놓는 데는 얼마간의 아쉬움이 없지 않았다. ㉠국외로 내보낸다는 자책감 같은 것은 아예 생각해 본 일이 없는 그였다.
>
> 차라리 이인국 박사에게는 저렇게 많으니 무엇이 그리 소중하고 달갑게 여겨지겠느냐는 망설임이 더 앞섰다.
>
> – 전광용, 〈꺼삐딴 리〉에서

● **국외** 한 나라의 영토 밖.

(1) 이 글에 나타난 이인국의 심리로 적절한 것을 고르시오.
  ① 자신이 가져온 고려청자가 특별하지 않은 것 같아 민망해하고 있다.
  ② 우리나라 문화재가 해외에 유출되지 않도록 보호해야 한다고 생각하고 있다.

(2) ㉠에 드러난 서술자의 태도로 알맞은 것을 고르시오.

> 자신의 이익만을 생각하는 이인국에 대한 서술자의 (긍정적 / 부정적) 태도가 드러나 있다.

도움말

우리나라의 귀한 유물을 브라운 씨에게 주고, 죄책감을 전혀 느끼지 않는 모습에서 이인국이 이기적인 인물임을 알 수 있어요.

[01~06] 다음 글을 읽고 물음에 답하시오.

이 작품은
주변에서 만날 수 있는 평범한 이웃들의 삶에 대한 서술자의 따뜻한 시선을 드러낸 소설입니다.

앞부분 줄거리
예술인이 많이 모이는 동네에 사는 '나'는 키가 아주 크고 말과 행동은 느리지만 성실하게 살아가는 김대호 씨를 소개한다. 특유의 느릿느릿한 말투로 "제가 긴데요."라고 전화를 받는 김대호 씨의 말버릇 때문에 주변 사람들은 김대호 씨를 '긴데요'라는 별명으로 부른다.

그의 미덕은 품성에만 있는 게 아니었다. 좀 느리기는 하지만 그는 맡은 일만큼은 빈틈없이 해내는 사람이었다. 덤벙거리지 않으니 실수도 없고, 진득한 성격이라 잔꾀를 부릴 줄도 몰라 일에 하자를 내는 경우가 거의 없었다. 말하자면 사람들은 김대호 씨를 사랑하고 있는 셈이었다.

그래서 그를 아끼는 몇몇 사람은 요즘 김대호 씨에게 이런 충고까지 하고 있었다.

"긴데요 씨, 장가를 가고 싶으면 우선 그 느린 말투부터 고쳐요. 아니, 제가 긴데요, 하는 전화받는 말버릇부터 고치자고. [중략] 그 느려 터진 말로 제가 긴데요라니, 그게 뭡니까? 그래 가지고 뭐가 되겠습니까?"

요즘 유행하는 누구의 말씨까지 흉내 낸 그 충고는 노총각인 김대호 씨에게 상당한 설득력을 발휘한 모양이었다. ㉠그는 아주 심각한 얼굴로 고개를 끄덕였다. 그러고는 혼자 웅얼웅얼 연습도 여러 번 했다. 천성이 느린 사람이라 그것도 연습이라고 며칠을 웅얼거리더니 마침내 어느 날, 오늘부터는 긴데요가 아니라 김대호로 돌아오겠다고 선언을 하기에 이르렀다.

그리고 그날 그를 찾는 첫 전화가 걸려 왔다. 사무실 식구들은 모두 그의 입에서 터져 나올 세련된 말을 기대하며 귀를 모았다.

김대호 씨는 큰기침을 하고 수화기를 들었다. 전화를 건 상대방은 아마 이렇게 물었을 것이었다.

"김대호 씨 좀 부탁합니다."

그러나 그는 많은 연습에도 불구하고 얼결에 이렇게 대답하고 말았다.

"네, 제가, 전데요."

물론 사무실 안은 당장에 웃음바다가 되었고, 그 일로 김대호 씨는 '긴데요'에 이어 '제가 전데요'라는 긴 별명까지 하나 더 가지게 되었다. 그는 그 한 번의 실패를 끝으로 더 이상 '긴데요'를 고치려는 시도를 하지 않았다.

"㉡에이, 저는 아무래도 긴데요가 더 어울려요. 사실로도 저는 길잖아요."

정말이다. 그는 길다. 그리고 느리기도 하다. 진실을 말하자면 ㉢우리 옆에 이렇게 길고도 느린 사람이 존재하는 것도 행복한 일인 것이다. 요즘처럼 정신없이 펑펑 돌아가는 혼 빠진 세상에서는.

– 양귀자, 〈길모퉁이에서 만난 사람〉에서

어휘 풀이

● 진득하다 성질이나 행동 등이 질기고 끈기가 있다.
● 잔꾀 자잘하고 약은 꾀.
● 하자 옥의 얼룩진 흔적이라는 뜻으로, '흠'을 이르는 말.
● 천성 본래 타고난 성격이나 성품.

간단 체크

1 김대호 씨는 말과 행동이 (느리다 / 빠르다).

2 김대호 씨는 사무실에서 전화를 받을 때의 말버릇 때문에 (ㄱㄷㅇ)라는 별명으로 불린다.

3 이 글의 서술자는 인물에 대한 (따뜻한 / 차가운) 시선을 드러내고 있다.

01 이 글의 내용과 일치하는 것은?

① 김대호 씨는 화를 자주 낸다.

② 김대호 씨는 말을 빠르게 한다.

③ 김대호 씨는 결혼을 하여 자녀가 있다.

④ 김대호 씨는 "제가 긴데요."라고 전화 받는 말버릇이 있다.

⑤ 김대호 씨를 싫어하는 동료가 김대호 씨에게 말투를 고치라고 말했다.

02 이 글을 읽고 김대호 씨를 평가한 내용으로 적절하지 않은 것은?

① 중요한 일을 믿고 맡길 수 있겠군.

② 맡은 일은 실수 없이 처리하는 사람이군.

③ 잔꾀 부리지 않고 성실하게 일하는 사람이군.

④ 사람들이 자신에게 붙인 별명을 정말 싫어하는군.

⑤ 주변 사람들에게 긍정적으로 평가받고 있는 인물이군.

03 ㉠을 통해 알 수 있는 김대호 씨의 특징으로 적절한 것은?

① 성격이 급하다.

② 일 처리에 빈틈이 없다.

③ 덤벙거리고 실수가 잦다.

④ 맡은 일은 빠르게 해낸다.

⑤ 타인의 의견을 잘 받아들인다.

04 ㉡을 통해 알 수 있는 김대호 씨의 성격으로 적절한 것은?

① 권위적이다.　　　② 즉흥적이다.

③ 낙천적이다.　　　④ 의존적이다.

⑤ 소극적이다.

● 권위적 자신이 가진 권위를 내세워 자신이 통솔하는 사람들에게 순종을 강요하는 것.

● 낙천적 세상과 인생을 즐겁고 좋은 것으로 여기는 것.

05 ㉢을 참고할 때, 김대호 씨에 대한 서술자의 태도로 적절한 것은?

① 비판적 태도　　　② 긍정적 태도

③ 부정적 태도　　　④ 객관적 태도

⑤ 냉소적 태도

● 냉소적 쌀쌀한 태도로 업신여기어 비웃는.

06 김대호 씨의 삶에 대해 이 글의 서술자와 비슷한 생각을 갖고 있는 사람은?

 윤서: 주변 사람들의 부탁을 거절할 줄도 알아야 해.

 혜수: 어렵다고 포기하지 말고 변화를 이뤄 내기 위해 끝까지 노력해야지.

 지후: 지금의 모습에 만족하지 말고 항상 새로운 것을 배우기 위해 도전해야 해.

 율희: 정신없이 서두르지 말고 마음의 여유를 갖고 느긋하게 살아갈 줄도 알아야 해.

 서준: 요즘 같은 세상에서는 느리게 행동하면 뒤처질 수 있으니 빠릿빠릿하게 행동해야 해.

① 윤서　　　② 혜수　　　③ 지후

④ 율희　　　⑤ 서준

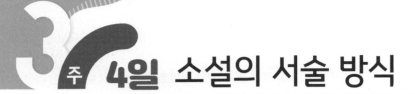
서술 방식

서술 방식은 서술자가 독자에게 인물, 사건, 배경 등의 내용을 전달하는 방식을 뜻해요.
서술 방식에는 서술, 묘사, 대화가 있어요.

서술

'서술'은 서술자가 독자에게 인물, 사건,
배경 등을 직접 설명하는 방식이에요.

쉽게 말해 묘사와 대화가
아닌 것은 모두 서술이에요.

오늘도 또 우리 수탉이 막 쪼이었다. 내가 점심을 먹고 나무를 하러 갈 양으로 나올 때이었다.

개념 노트

● 서술 방식
  • 서술자가 독자에게 인물, 사건, 배경 등의 내용을 (ㅈㄷ)하는 방식.
  • 서술 방식의 종류에는 서술, 묘사, 대화가 있음.
● 서술
  서술자가 독자에게 인물, 사건, 배경 등을 (ㅈㅈ) 설명하는 방식.

답 전달, 직접

○ 정답과 해설 21쪽

1-1 다음 글을 읽고 물음에 답하시오.

나는 금년 여섯 살 난 처녀 애입니다. 내 이름은 박옥희이고요. 우리 집 식구라고는 세상에서 제일 예쁜 우리 어머니와 나와 단 두 식구뿐이랍니다. 아차 큰일났군, 외삼촌을 빼놓을 뻔했으니. [중략]

우리 어머니는, 그야말로 세상에서 둘도 없이 곱게 생긴 우리 어머니는, 금년 나이 스물네 살인데 과부랍니다. 과부가 무엇인지 나는 잘 몰라도, 하여튼 동리 사람들이 나더러 '과부 딸'이라고들 부르니까 우리 어머니가 과부인 줄을 알지요. 남들은 다 아버지가 있는데 나만은 아버지가 없지요. 아버지가 없다고 아마 '과부 딸'이라나 봐요.

외할머니 말씀을 들으면 우리 아버지는 내가 이 세상에 나오기 한 달 전에 돌아가셨대요.

– 주요섭, 〈사랑손님과 어머니〉에서

─────
● 과부 남편을 잃고 혼자 사는 여자.

(1) 이 글의 서술자는 누구인가요?

> '나' 　　어머니 　　외할머니

(2) '나'의 가족에 대한 설명으로 알맞은 것을 각각 고르시오.

> (외삼촌 / 아버지)은/는 '나'가 태어나기 전에 세상을 떠났고, '나'는 (어머니 / 외할머니)와 살고 있다.

(3) 이 글의 서술상 특징을 바르게 설명한 사람은 누구인가요?

시하: 작품 속 인물들이 주고받는 말을 통해 인물의 성격을 드러내고 있어.

시후: 서술자가 인물과 사건을 직접 설명하고 있어.

1-2 다음 글을 읽고 물음에 답하시오.

임상옥은 집안의 빚을 갚기 위해 머슴이나 다름없는 점원 노릇을 시작했다. 아버지가 빚을 진 상점에 들어가 보수도 없이 일하면서 빚을 갚아야 했다. 또, 당시 의주 상인들은 사람을 고용해도 품삯을 따로 주지 않았다. [중략]

임상옥이 일하게 된 곳은 중국에 인삼을 파는 큰 상점이었다. 이곳은 의주 상인들 사이에서 꽤 영향력이 큰 홍득주라는 사람이 운영하는 가게였다. 임상옥이 이 상점에서 일한 지 어느덧 3년이 지났다. 품삯도 없는 점원 생활이었지만 임상옥은 3년 동안 늘 부지런히 일했다. 꼭두새벽부터 밤늦게까지, 고된 일이건 허드렛일이건 마다치 않았다.

– 최인호, 〈상도〉에서

─────
● 보수 일한 대가로 주는 돈이나 물품.
● 고되다 육체적, 정신적으로 하는 일이 괴롭고 힘들다.

(1) 이 글의 서술자는 누구인가요?

> 홍득주 　　　　작품 밖 서술자

(2) 임상옥에 대한 설명으로 알맞은 것을 각각 고르시오.

> 임상옥은 (옷 / 인삼)을 파는 상점에서 지난 3년 동안 품삯을 (받고 / 받지 않고) 일했다.

(3) 이 글의 서술상 특징을 바르게 설명한 사람은 누구인가요?

재원: 소설의 배경을 그림 그리듯이 묘사하고 있어.

승현: 서술자가 인물의 삶을 직접 설명하고 있어.

묘사

'묘사'는 인물, 사건, 배경 등을 그림 그리듯이 구체적으로 표현하는 방식이에요.

대상을 감각적으로 표현하여 독자에게 생생한 이미지를 전달할 수 있어요.

유난히 맑은 가을 햇살이 소녀의 갈꽃 머리에서 반짝거렸다. 소녀 아닌 갈꽃이 들길을 걸어가는 것만 같았다.

대화

너, 저 산 너머에 가 본 일 있니?

우리, 가 보지 않을래? 시골 오니까 혼자서 심심해 못 견디겠다.

아니.

저래 봬두 멀다.

'대화'는 소설 속 등장인물들이 주고받는 말이에요. 대화를 통해 사건을 전개하고 인물의 성격과 개성을 잘 드러낼 수 있어요.

소녀의 대사를 통해 소녀의 적극적인 성격을 짐작할 수 있어요.

개념 노트

● **묘사**
- 인물, 사건, 배경 등을 (ㄱㄹ) 그리듯이 구체적으로 표현하는 방식.
- 독자에게 생생한 이미지를 전달할 수 있음.

● **대화**
- 소설 속 등장인물들이 주고받는 말.
- 인물의 (ㅅㄱ)과 개성을 잘 드러낼 수 있음.

답 그림, 성격

2-1 다음 글을 읽고 물음에 답하시오.

이지러는 졌으나 보름을 가제* 지난 달은 부드러운 빛을 흐붓이 흘리고 있다. 대화까지는 칠십 리의 밤길. 고개를 둘이나 넘고 개울을 하나 건너고 벌판과 산길을 걸어야 된다. 길은 지금 긴 산허리에 걸려 있다. 밤중을 지난 무렵인지 죽은 듯이 고요한 속에서 짐승 같은 달의 숨소리가 손에 잡힐 듯이 들리며, 콩 포기와 옥수수 잎새가 한층 달에 푸르게 젖었다. 산허리는 온통 메밀밭이어서 피기 시작한 꽃이 소금을 뿌린 듯이 흐붓한 달빛에 숨이 막힐 지경이다. 붉은 대궁*이 향기같이 애잔하고, 나귀들의 걸음도 시원하다. 길이 좁은 까닭에 세 사람은 나귀를 타고 외줄로 늘어섰다. 방울 소리가 시원스럽게 딸랑딸랑 메밀밭께로 흘러간다.

– 이효석, 〈메밀꽃 필 무렵〉에서

● 가제 이제 막.
● 대궁 꽃을 받치는 줄기.

(1) 이 글에 나타난 풍경으로 적절한 것을 고르시오.

① 나무가 우거진 숲의 풍경

② 달빛이 비추는 메밀밭의 풍경

(2) 다음은 이 글의 서술 방식에 대해 설명한 것이다. 빈칸에 들어갈 알맞은 말을 쓰시오.

서술자가 풍경을 ＿＿＿＿ 그리듯이 구체적으로 표현하고 있어.

2-2 다음 글을 읽고 물음에 답하시오.

"안내입니다."
나는 전화기에 대고 울음을 터뜨렸다.
"손가락을 다쳤어요. 아파요. 엉엉."
이제 누군가가 듣는다는 것을 알게 되자 눈물이 줄줄 흘러내렸다.
수화기에서 여성의 목소리가 물었다.
"집에 엄마 안 계시니?"
나는 훌쩍거리며 대답했다.
"나 말고는 아무도 없어요."
"피가 나니?"
"아니요. 망치로 손가락을 쳤는데, 그냥 아파요."
그녀가 물었다.
"냉장고를 열 수 있니?"
내가 할 수 있다고 하자, 그녀가 말했다.
"위 칸에 있는 냉동실에서 얼음 조각 몇 개를 꺼내 손가락에 대고 있으면 아프지 않을 거야. 울지 말고. 곧 괜찮아질 거야."

– 폴 빌라드, 〈안내를 부탁합니다〉에서

(1) 이 글에 나타난 사건으로 적절한 것을 고르시오.
　① '나'는 집에 혼자 있다가 손가락을 다쳤다.
　② '나'와 통화 중인 상대방은 우는 '나'를 꾸짖었다.

(2) 이 글의 서술 방식을 바르게 설명한 사람은 누구인가요?

진우

인물들이 주고받는 말을 통해 사건을 전개하고 있어.

소미

서술자가 직접 사건의 과정을 요약하여 설명하고 있어.

[01~05] 다음 글을 읽고 물음에 답하시오.

가 다음 날은 좀 늦게 개울가로 나왔다. / 이날은 소녀가 징검다리 한가운데 앉아 세수를 하고 있었다. 분홍 스웨터 소매를 걷어 올린 팔과 목덜미가 마냥 희었다. [중략]

그러다가 소녀가 물속에서 무엇을 하나 집어낸다. 하얀 조약돌이었다. 그러고는 벌떡 일어나 팔짝팔짝 징검다리를 뛰어 건너간다. / 다 건너가더니만 홱 이리로 돌아서며,

ⓐ"이 바보." / 조약돌이 날아왔다. / 소년은 저도 모르게 벌떡 일어섰다.

단발머리를 나풀거리며 소녀가 막 달린다. 갈밭 사잇길로 들어섰다. 뒤에는 청량한˚ 가을 햇살 아래 빛나는 갈꽃뿐.

이제 저쯤 갈밭머리로 소녀가 나타나리라. 꽤 오랜 시간이 지났다고 생각됐다. ㉠그런데도 소녀는 나타나지 않는다. 발돋움을 했다. 그러고도 상당한 시간이 지났다고 생각됐다.

[A] ┌ 저쪽 갈밭머리에서 갈꽃이 한 옴큼 움직였다. 소녀가 갈꽃을 안고 있었다. 그리고 이
　　제는 천천한 걸음이었다. 유난히 맑은 가을 햇살이 소녀의 갈꽃 머리에서 반짝거렸다.
　　└ 소녀 아닌 갈꽃이 들길을 걸어가는 것만 같았다.

소년은 ㉡이 갈꽃이 아주 뵈지 않게 되기까지 그대로 서 있었다. ㉢문득, 소녀가 던진 조약돌을 내려다보았다. 물기가 걷혀 있었다. ㉣소년은 조약돌을 집어 주머니에 넣었다.

중간 부분 줄거리 | 그 뒤로 며칠 동안 개울가에 소녀가 보이지 않자 소년은 허전함을 느낀다. 그러던 어느 날 소년과 소녀는 개울가에서 다시 마주치고, 소녀가 소년에게 말을 건다.

나 "얘, 이게 무슨 조개지?" / 자기도 모르게 돌아섰다. ㉤소녀의 맑고 검은 눈과 마주쳤다. 얼른 소녀의 손바닥으로 눈을 떨구었다.

"비단조개." / "이름두 참 곱다."

[B] ┌ 갈림길에 왔다. 여기서 소녀는 아래편으로 한 삼 마장˚쯤, 소년은 우대˚로 한 십 리 가까
　　└ 운 길을 가야 한다.

소녀가 걸음을 멈추며,

[C] ┌ "너, 저 산 너머에 가 본 일 있니?" / 벌˚ 끝을 가리켰다.
　　│ "없다." / "우리, 가 보지 않을래? 시골 오니까 혼자서 심심해 못 견디겠다."
　　└ "저래 봬두 멀다." / "멀믄 얼마나 멀갔게? 서울 있을 땐 아주 먼 데까지 소풍 갔었다."

소녀의 눈이 금세 '바보, 바보.' 할 것만 같았다.

– 황순원, 〈소나기〉에서

1 이 글에 나타난 계절은?

☐ 가을 　　　　　☐ 겨울

2 이 글은 소년과 소녀의 순수한 (ㅅㄹ)을 주제로 한 소설이다.

3 조약돌은 소년을 향한 소녀의 (관심 / 무관심)을 나타내는 소재이다.

01 이 글에 대한 설명으로 적절하지 <u>않은</u> 것은?

① 농촌의 풍경이 나타나 있다.

② 시간의 순서에 따라 이야기가 전개된다.

③ 소년이 서술자가 되어 이야기를 전개한다.

④ 인물의 행동이나 말을 통해 인물의 성격이 드러난다.

⑤ 소년과 소녀 사이의 갈등이 뚜렷하게 드러나지 않는다.

02 [A]～[C]에 나타난 서술상 특징으로 적절하지 <u>않은</u> 것은?

① [A]: 서술 방식 중 '묘사'에 해당한다.

② [A]: 독자에게 생생한 이미지를 전달한다.

③ [B]: 서술 방식 중 '서술'에 해당한다.

④ [B]: 등장인물들이 주고받는 말을 통해 사건을 전개한다.

⑤ [C]: 서술 방식 중 '대화'에 해당한다.

03 ㉠～㉤에 대한 설명으로 적절하지 <u>않은</u> 것은?

① ㉠: 소녀의 행방을 궁금해하는 소년의 심리가 드러나 있다.

② ㉡: 소녀가 점점 멀어져 시야에서 사라졌음을 의미한다.

③ ㉢: 조약돌의 물기가 걷혀 있을 만큼 소년이 소녀를 오래 지켜봤음을 알 수 있다.

④ ㉣: 소녀가 던진 조약돌을 버리지 않고 간직하는 것으로 보아 소년이 소녀에게 관심이 있음을 알 수 있다.

⑤ ㉤: 소년의 자신감 강한 성격이 드러난다.

04 〈보기〉를 참고할 때, 소녀가 소년에게 ⓐ와 같이 말하고 행동한 까닭을 바르게 이해한 사람끼리 묶인 것은?

　　이 글의 소년과 소녀는 벌써 며칠째 학교에서 돌아오는 길에 개울가에서 마주친 상황이다. 소년은 개울둑에 앉아서 소녀가 길을 비키기를 기다리며 멀리서 지켜보기만 한다.

윤서 ‖ 소녀는 자신에게 가까이 오지 말라고 경고하고 싶었던 것 같아.

서준 ‖ 내 생각에는 친해지고 싶은 마음을 몰라주는 소년에게 서운함을 느껴서 한 행동으로 보여.

지후 ‖ 흠, 소녀가 소년에게 관심이 전혀 없다는 것을 표현하려 한 것 같아.

율희 ‖ 며칠째 자신을 지켜보기만 하는 소년의 소극적인 태도가 답답해서 그런 것 같아.

① 윤서, 서준　　② 윤서, 지후　　③ 서준, 지후

④ 서준, 율희　　⑤ 지후, 율희

05 〈보기〉는 이 글의 뒷부분 줄거리이다. 〈보기〉를 참고하여 빈칸에 들어갈 알맞은 말을 쓰시오.

　　소년과 소녀는 산을 뛰어다니며 노는데, 갑자기 소나기가 내린다. 소년과 소녀는 같이 수숫단 속에 앉아 비가 그치기만을 기다린다. 소나기가 그친 뒤, 소년은 소녀를 업어서 물이 불어난 도랑을 건넌다. 며칠 만에 소녀는 해쓱한 얼굴로 나타나 소년에게 대추를 주며 이사를 가게 되었다고 말한다. 소년은 그날 밤 소녀에게 주려고 남의 집 호두를 딴다. 소녀가 이사를 가기 전날 밤, 소년은 부모님의 대화를 듣고 소녀가 죽은 것을 알게 된다.

　　이 소설의 주제는 갑자기 세차게 쏟아졌다가 곧 그치는 ＿＿＿＿＿ 처럼 짧게 끝나 버린 소년과 소녀의 순수한 사랑이구나.

3주 5일 서술자와 시점_종합

개념 한번 더 체크

소설의 시점

서술자 소설에서 □□를 대신하여 독자에게 이야기를 들려주는 사람.

시점 서술자가 소설 속 인물이나 사건을 바라보는 시각.

1인칭 주인공 시점
- 작품 속 □□□ '나'가 자신의 이야기를 서술함.
- '나'는 주인공인 자신의 심리를 생생하게 전달할 수 있음.

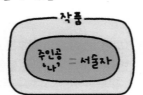

1인칭 관찰자 시점
- 작품 속 부수적 인물 '나'가 주인공을 □□한 이야기를 서술함.
- '나'는 주인공을 비롯한 인물의 심리를 속속들이 알지는 못함.

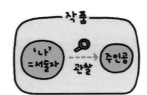

3인칭 전지적 시점
- 작품 밖 서술자가 □처럼 전지전능한 입장에서 이야기를 서술함.
- 인물의 생각이나 심리까지 설명함.

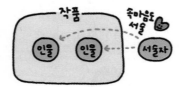

3인칭 관찰자 시점
- 작품 □ 서술자가 인물을 관찰한 이야기를 객관적으로 서술함.
- 인물의 생각이나 심리는 알지 못함.

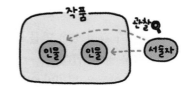

서술자의 태도

긍정적 태도

- 서술자가 인물을 긍정적인 입장에서 서술함.
- 인물에 대한 애정, 동경, 연민, 예찬 등으로 나타남.

부정적 태도

- 서술자가 인물을 □□□인 입장에서 서술함.
- 인물에 대한 비판, 풍자, 조롱, 분노 등으로 나타남.

소설의 서술 방식

서술 방식 서술자가 독자에게 인물, 사건, 배경 등의 내용을 전달하는 방식.

서술

서술자가 독자에게 인물, 사건, 배경 등을 직접 설명하는 방식.

묘사

인물, 사건, 배경 등을 □□ 그리듯이 구체적으로 표현하는 방식.

대화

소설 속 등장인물들이 주고받는 □.

묘사나 대화가 아닌 것은 모두 서술!

묘사한 풍경이 눈앞에 생생해!

대화를 통해 인물의 성격이 드러나네.

답 작가, 주인공, 관찰, 신, 밖, 부정적, 그림, 말

[01~05] 다음 글을 읽고 물음에 답하시오.

이번에도 점순이가 쌈을 붙여 놨을 것이다. 바짝바짝 내 기를 올리느라고 그랬음에 틀림없을 것이다. 고놈의 계집애가 요새로 들어서서 왜 나를 못 먹겠다고 고렇게 아르렁거리는지 모른다.

㉠나흘 전 감자 쪼간만 하더라도 나는 저에게 조금도 잘못한 것은 없다. / 계집애가 나물을 캐러 가면 갔지 남 울타리 엮는데 쌩이질을 하는 것은 다 뭐냐. 그것도 발소리를 죽여 가지고 등 뒤로 살며시 와서

"얘! 너 혼자만 일하니?" 하고 긴치 않은 수작을 하는 것이다.

어제까지도 저와 나는 이야기도 잘 않고 서로 만나도 본척만척하고 이렇게 점잖게 지내던 터이련만 오늘로 갑작스레 대견해졌음은 웬일인가. 항차 망아지만 한 계집애가 남 일하는 놈 보고……

"그럼 혼자 하지 떼루 하디?"

내가 이렇게 내뱉은 소리를 하니까

[A]
"너 일하기 좋니?" / 또는 / "한여름이나 되거던 하지 벌써 울타리를 하니?"

잔소리를 두루 늘어놓다가 남이 들을까 봐 손으로 입을 틀어막고는 그 속에서 깔깔댄다. 별로 우스울 것도 없는데 날씨가 풀리더니 이놈의 계집애가 미쳤나 하고 의심하였다. 게다가 조금 뒤에는 즈 집께를 할금할금 돌아다보더니 행주치마의 속으로 꼈던 바른손을 뽑아서 나의 턱 밑으로 불쑥 내미는 것이다. 언제 구웠는지 아직도 더운 김이 홱 끼치는 굵은 감자 세 개가 손에 뿌듯이 쥐였다.

"느 집엔 이거 없지?" 하고 생색 있는 큰소리를 하고는 제가 준 것을 남이 알면 큰일 날 테니 여기서 얼른 먹어 버리란다. 그리고 또 하는 소리가

"너 봄 감자가 맛있단다."

"㉡난 감자 안 먹는다. 니나 먹어라."

나는 고개도 돌리려 하지 않고 일하던 손으로 그 감자를 도로 어깨 너머로 쑥 밀어 버렸다.

그랬더니 그래도 가는 기색이 없고, 그뿐만 아니라 쌔근쌔근하고 심상치 않게 숨소리가 점점 거칠어진다. 이건 또 뭐야 싶어서 그때에야 비로소 돌아다보니 나는 참으로 놀랐다. 우리가 이 동리에 들어온 것은 근 삼 년째 되어 오지만 여지껏 가무잡잡한 점순이의 얼굴이 이렇게까지 홍당무처럼 새빨개진 법이 없었다. 게다 눈에 독을 올리고 한참 나를 요렇게 쏘아보더니 나중에는 눈물까지 어리는 것이 아니냐.

– 김유정, 〈동백꽃〉에서

이 작품은

강원도 산골의 농촌을 배경으로 소년과 소녀의 순박한 사랑을 그린 소설입니다. 점순이의 마음을 전혀 알아채지 못하고 눈치 없이 행동하는 순진한 '나'의 모습이 독특한 재미를 주는 작품입니다.

앞부분 줄거리

요즘 점순이는 자기네 수탉과 '나'의 집에서 키우는 수탉을 자주 닭싸움을 붙인다. 하지만 '나'는 점순이가 자꾸만 자신에게 심술을 부리는 이유를 전혀 알 수가 없다. 나흘 전 점순이가 구운 감자를 내밀기에 자존심이 상해서 거절했을 뿐인데, 그 이후로 점순이는 '나'만 보면 으르렁거린다.

어휘 풀이

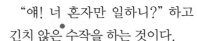

● **쪼간** 어떤 사건이나 일.
● **쌩이질** 한참 바쁠 때에 쓸데없는 일로 남을 귀찮게 구는 짓.
● **긴치 않다** 꼭 필요하지 않다.
● **항차** 하물며. 그도 그러한데 더욱이.
● **할금할금** 곁눈으로 살그머니 계속 할겨 보는 모양.
● **바른손** 오른손.
● **생색** 남에게 도움을 주고 그것을 자랑하거나 체면을 세우는 태도.
● **동리** 시골의 마을이나 동네.
● **어리다** 눈에 눈물이 조금 고이다.

간단 체크

1 이 글의 서술자는?

☐ '나'   ☐ 점순이

2 이 글의 서술자는 작품 (안 / 밖)에 있다.

3 '나'는 점순이가 화가 난 이유를 (알고 / 모르고) 있다.

---

01 이 글의 시점에 대한 설명으로 적절한 것은?

① 서술자가 작품 밖에 존재한다.

② 작품 속의 주인공 '나'가 서술자이다.

③ 서술자가 모든 등장인물의 심리를 알고 있다.

④ 작품 밖의 서술자가 사건을 객관적으로 서술하고 있다.

⑤ 작품 밖의 서술자가 작품 속 주인공의 이야기를 서술하고 있다.

02 이 글을 통해 알 수 있는 내용은?

① 점순이는 농촌 생활에 익숙하지 않다.

② '나'는 어릴 때부터 점순이와 친하게 지냈다.

③ '나'는 점순이가 화가 난 이유를 알지 못한다.

④ '나'가 혼자 일할 때면 점순이가 나에게 종종 말을 걸곤 한다.

⑤ 점순이는 '나'에게 감자를 주는 것을 사람들이 알기를 바란다.

03 ⊙을 참고할 때, '나'의 특성으로 적절한 것은?

① 영악하고 교활함.

② 활달하고 사교적임.

③ 수다스럽고 섬세함.

④ 둔하고 눈치가 없음.

⑤ 타인에 대한 배려심이 깊음.

04 [A]에 나타난 점순이의 행동을 통해 점순이가 '나'에게 감자를 건넨 의도를 짐작한 내용으로 적절한 것은?

① '나'에게 화가 나서

② '나'에 대한 관심을 표현하기 위해서

③ '나'의 집에 감자가 없는 것을 놀리려고

④ '나'에게 감자를 주는 대신에 받을 물건이 있어서

⑤ '나'의 수탉과 자기네 수탉을 닭싸움 붙인 일이 미안해서

05 〈보기〉를 참고할 때, '나'가 ⓒ과 같이 말한 까닭을 바르게 이해한 사람은?

> **보기**
>
> 설혹 주는 감자를 안 받아먹은 것이 실례라 하면, 주면 그냥 주었지 "느 집엔 이거 없지?"는 다 뭐냐. 그렇잖아도 즈이는 마름이고 우리는 그 손에서 배재를 얻어 땅을 부치므로 일상 굽실거린다.
>
> – 김유정, 〈동백꽃〉에서
>
> ---
> ● 마름 (옛날에) 땅 주인을 대신하여 농지를 관리하는 사람.
> ● 배재 일정한 돈을 내고 땅을 빌려서 농사를 지을 수 있게 해 주는 문서.
> ● 부치다 논밭을 이용하여 농사를 짓다.

은수

훈기

[06~10] 다음 글을 읽고 물음에 답하시오.

"㉠난 아저씨가 우리 아빠라면 좋겠다." / 하고 불쑥 말했습니다. 그랬더니 아저씨는 얼굴이 홍당무처럼 빨개져서 나를 몹시 흔들면서, / "㉡그런 소리 하면 못써." / 하고 말하는데 그 목소리가 몹시도 떨렸습니다. 나는 아저씨가 몹시 성이 난 것처럼 보여서 아무 말도 못 하고 안으로 뛰어 들어갔습니다. 어머니가, / "어디까지 갔던?" / 하고 나와 안으며 묻는데, ㉢나는 대답도 못 하고 그만 훌쩍훌쩍 울었습니다. [중략] '아저씨가 아직도 성이 났나?' 하고 가만히 방 안을 들여다보았더니 책상에 앉아서 무엇을 쓰고 있던 아저씨가 내다보면서 빙그레 웃었습니다. 그 웃음을 보고 나는 마음을 놓았습니다. 아저씨가 지금은 성이 풀린 것이 확실하니까요. 아저씨는 나를 이리 보고 저리 보고 훑어보더니,

"옥희, 오늘 어디 가노? 저렇게 곱게 채리고." 하고 물었습니다. / "엄마하고 예배당에 가."

"예배당에?" / 하고 나서 아저씨는 잠시 나를 멍하니 바라보더니,

"어느 예배당에?" / 하고 물었습니다.

"요 앞에 예배당에 가지 뭐." / "응? 요 앞이라니?"

ⓐ이때 안에서, / "옥희야." / 하고 부드럽게 부르는 어머니 목소리가 들리었습니다. 나는 얼른 안으로 뛰어 들어오면서 돌아다보니까, 아저씨는 또 얼굴이 빨갛게 성이 났겠지요. 내 원, 참으로 무슨 일로 요새는 아저씨가 그렇게 성을 잘 내는지 알 수 없었습니다.

예배당에 가서 찬미하고 기도하다가 기도하는 중간에 갑자기 나는, '혹시 아저씨도 예배당에 오지 않았나?' 하는 생각이 나서 눈을 뜨고 고개를 들어 ㉣남자석을 바라다보았습니다. 그랬더니 하, 바로 거기에 아저씨가 와 앉아 있겠지요. ㉤그런데 아저씨는 어른이면서도 눈 감고 기도하지 않고 우리 아이들처럼 눈을 번히 뜨고 여기저기 두리번두리번 바라봅니다. 나는 얼른 아저씨를 알아보았는데 아저씨는 나를 못 알아보았는지 내가 빙그레 웃어 보여도 웃지도 않고 멀거니 보고만 있겠지요. 그래 나는 손을 흔들었지요. 그러니까 아저씨는 얼른 고개를 숙이고 말더군요. 그때에 어머니는 내가 팔 흔드는 것을 깨닫고 두 손으로 나를 붙들고 끌어당기더군요. 나는 어머니 귀에다 입을 대고, / "저기 아저씨도 왔어." 하고 속삭이니까 ⓑ어머니는 흠칫하면서 내 입을 손으로 막고 막 끌어 잡아다가 앞에 앉히고 고개를 누르더군요. 보니까 어머니가 또 얼굴이 홍당무처럼 빨개졌더군요.

– 주요섭, 〈사랑손님과 어머니〉에서

4 이 글의 서술자는?

☐ 어머니   ☐ 아저씨   ☐ '나'(옥희)

5 아저씨가 (ㅇㅃ)라면 좋겠다는 '나'의 말에 아저씨는 얼굴이 빨개졌다.

6 '나'는 아저씨의 얼굴이 빨개진 이유가 (성이 났기 / 부끄럽기) 때문이라고 생각한다.

06 이 글의 내용과 일치하지 <u>않는</u> 것은?

① 아저씨는 예배당에 가는 것을 싫어한다.

② 아저씨는 '나'의 소망을 듣고 당황하였다.

③ '나'는 아저씨가 자신의 아빠가 되기를 바란다.

④ 아저씨는 예배당에서 어머니와 '나'를 발견하자 고개를 숙였다.

⑤ 어머니는 '나'가 예배당에서 아저씨에게 알은체를 하자 '나'를 끌어 앉혔다.

07 이 글의 시점은?

① 1인칭 주인공 시점

② 1인칭 관찰자 시점

③ 3인칭 주인공 시점

④ 3인칭 관찰자 시점

⑤ 3인칭 전지적 시점

08 ㉠~㉤을 이해한 내용으로 적절하지 <u>않은</u> 것은?

① ㉠: '나'는 아저씨를 긍정적으로 생각하고 있다.

② ㉡: 아저씨는 '나'의 아빠가 되기 싫어서 화를 내고 있다.

③ ㉢: '나'는 아저씨의 반응에 놀라고 무안하여 울고 있다.

④ ㉣: 당시에는 예배당에 남자가 앉는 자리와 여자가 앉는 자리가 나뉘어 있었다.

⑤ ㉤: 아저씨는 '나'와 어머니를 찾고 있다.

● 무안하다 얼굴을 들지 못할 만큼 수줍거나 창피하다.

09 〈보기〉를 참고할 때, 이 글의 서술자에 관한 설명으로 적절하지 <u>않은</u> 것은?

> **보기**
>
> 〈사랑손님과 어머니〉의 서술자는 여섯 살 난 어린아이이기 때문에 어머니와 아저씨 사이에 싹트는 애정을 눈치채지 못한다. 어머니와 아저씨의 행동을 순수한 관점에서 바라보고 자신이 생각한 대로 판단하여 서술하고 있다.

① '나'가 어린아이라는 점이 작품 속 분위기를 순수하게 만들고 있다.

② 이 글의 서술자는 '나'이기 때문에 독자는 '나'의 시선에 따라 인물을 바라보게 된다.

③ '나'가 관찰한 내용을 서술하므로 독자는 주인공인 어머니와 아저씨의 심리를 정확하게 알 수는 없다.

④ '나'가 어머니와 아저씨의 관계를 부정적인 태도로 서술하고 있기 때문에 독자도 그들의 관계를 부정적으로 평가하게 된다.

⑤ '나'는 어려서 어머니와 아저씨 사이의 애틋한 감정을 전혀 모르기 때문에 얼굴이 빨개진 것을 보고 어른들이 화가 난 줄로만 알고 있다.

10 ⓐ와 ⓑ에 나타난 인물의 심리로 적절한 것을 각각 고르시오.

ⓐ의 아저씨는
(안타까움 / 부끄러움)을
느끼고 있어.

ⓑ의 어머니는
(당황 / 슬퍼)하고 있음을
알 수 있어.

01 다음 빈칸에 들어갈 알맞은 말을 쓰시오.

▶▶94~95쪽 참고

(1) 소설에서 작가를 대신하여 독자에게 이야기를 들려주는 이를 ( )라고 한다.

(2) ( )은 서술자가 소설 속 인물이나 사건을 바라보는 시각을 뜻한다.

02 서술자에 대해 바르게 설명한 사람이 누구인지 쓰시오.

▶▶94~105쪽 참고

소설의 서술자는 항상 작품 속 '나'로 등장해.

시하

서술자는 사건이나 인물 등을 바라보고, 이에 관해 독자에게 전달하지.

시후

( )

03 다음 그림에 해당하는 시점을 〈보기〉에서 모두 골라 쓰시오.

▶▶94~105쪽 참고

보기
1인칭 관찰자 시점, 3인칭 관찰자 시점,
1인칭 주인공 시점, 3인칭 전지적 시점

(1)
작품
서술자 ┈┈▶ 인물, 사건

( )

(2)
작품
서술자 ┈┈▶ 인물, 사건

( )

04 다음 글을 읽고 서술자가 작품 안에 위치하면 '안', 작품 밖에 위치하면 '밖'을 쓰시오.

▶▶94~105쪽 참고

(1)
나는 고개를 뻣뻣이 들고 소를 몰았다. 진창이 가로막아도 나는 첨벙거리며 지나갔다.
– 전성태, 〈소를 줍다〉에서

( )

(2)
주막을 나선 그들 부자는 논두렁길로 접어들었다. 아까와 같이 만도가 앞장을 서는 것이 아니라, 이번에는 진수를 앞세웠다.
– 하근찬, 〈수난이대〉에서

( )

05 다음 글을 읽고 서술자가 누구인지 쓰시오.

▶▶94~95쪽 참고

할머니는 눈을 부릅뜨고 노여워 어쩔 줄 몰라 했다. 나는 무서웠다. 엄마가 이렇게 할머니에게 대드는 것은 처음 보았다.
– 오승희, 〈할머니를 따라간 메주〉에서

( )

06 다음 글을 읽고 이 글의 시점에 대한 설명으로 알맞은 것을 〈보기〉에서 모두 고르시오.

▶▶96~97쪽 참고

나는 그 봉투를 갖다가 어머니에게 드렸습니다. 어머니는 그 봉투를 받아 들자 갑자기 얼굴이 파랗게 질렸습니다. 그 전날 달밤에 마루에 앉았을 때보다도 더 새하얗다고 생각되었습니다.
– 주요섭, 〈사랑손님과 어머니〉에서

보기
㉠ 서술자가 작품 속의 등장인물이다.
㉡ 서술자가 다른 사람의 이야기를 전달하고 있다.
㉢ 서술자가 주인공의 심리를 속속들이 알고 있다.

( )

▶▶102~103쪽 참고

07 다음 글을 읽고 빈칸에 들어갈 알맞은 말을 〈보기〉에서 골라 쓰시오.

> 심청이는 저 죽을 꿈인 줄 짐작하고 둘러대기를,
> "그 꿈 참 좋습니다."
> 하고 진짓상을 물려 내고 담배 태워 드린 뒤에 밥상을 앞에 놓고 먹으려 하니 간장이 썩는 눈물은 눈에서 솟아나고, 아버지 신세 생각하며 먼저 죽을 일 생각하니 정신이 아득하고 몸이 떨려 밥을 먹지 못하고 물렸다.
>
> – 지은이 모름, 〈심청전〉에서

보기
> 3인칭 전지적, 1인칭 관찰자, 독자의 의견, 심리

(1) 이 글의 시점은 (　　　　　　　) 시점이다.

(2) 이 글의 서술자는 심청이의 말과 행동뿐만 아니라 (　　　　　　)까지 설명하고 있다.

▶▶106~109쪽 참고

08 다음 글을 읽고 인물에 대한 서술자의 태도가 긍정적이면 '긍', 부정적이면 '부'를 쓰시오.

> 우리 박 선생님은 참 이상한 선생님이었다.
> 박 선생님은 생긴 것부터가 무척 이상하게 생긴 선생님이었다. [중략]
> 뒤통수와 앞이마가 툭 내솟고 내솟은 좁은 이마 밑으로 눈썹이 시꺼멓고, 왕방울 같은 두 눈은 부리부리하니 정기가 있고도 사납고, 코는 매부리코요, 입은 메기입으로 귀밑까지 넓죽 째지고, 목소리는 쇠꼬챙이로 찌르는 것처럼 쨍쨍하고.
>
> – 채만식, 〈이상한 선생님〉에서

(　　　　　)

▶▶112~115쪽 참고

09 소설의 서술 방식과 개념을 바르게 연결하시오.

(1) 대화　•

(2) 묘사　•

(3) 서술　•

　•㉠ 인물, 사건, 배경 등을 그림 그리듯이 구체적으로 표현하는 방식.

　•㉡ 서술자가 독자에게 인물, 사건, 배경 등을 직접 설명하는 방식.

　•㉢ 소설 속 등장인물들이 주고받는 말.

▶▶112~115쪽 참고

10 다음 글을 읽고 어떤 서술 방식이 사용되었는지 쓰시오.

(1)

> "요담부터 또 그래 봐라. 내 자꾸 못살게 굴 터니?"
> "그래그래, 인젠 안 그럴 테야!"
>
> – 김유정, 〈동백꽃〉에서

(　　　　　)

(2)
> 우리 어머니는, 금년 나이 스물네 살인데 과부랍니다. 과부가 무엇인지 나는 잘 몰라도, 하여튼 동리 사람들이 나더러 '과부 딸'이라고들 부르니까 우리 어머니가 과부인 줄을 알지요.
>
> – 주요섭, 〈사랑손님과 어머니〉에서

(　　　　　)

❶ 신나는 어휘 놀이

시우는 주말을 맞아 요리를 만들려고 합니다. 냉장고에는 여러 가지 재료가 가득합니다. 시우는 무엇을 만들어 먹을까요? 시우가 만들 요리는 무엇이고, 어떤 재료가 필요한지 맞혀 봅시다.

1 **다음 놀이 방법을 참고하여 시우가 만들 요리가 무엇인지 알아맞혀 보자.**

놀이 방법
① 제시된 뜻풀이에 알맞은 단어를 골라요.
② ①에서 고른 단어의 오른쪽 칸에 적힌 자음이나 모음을 순서대로 결합하면 시우가 만들 요리를 알 수 있어요.

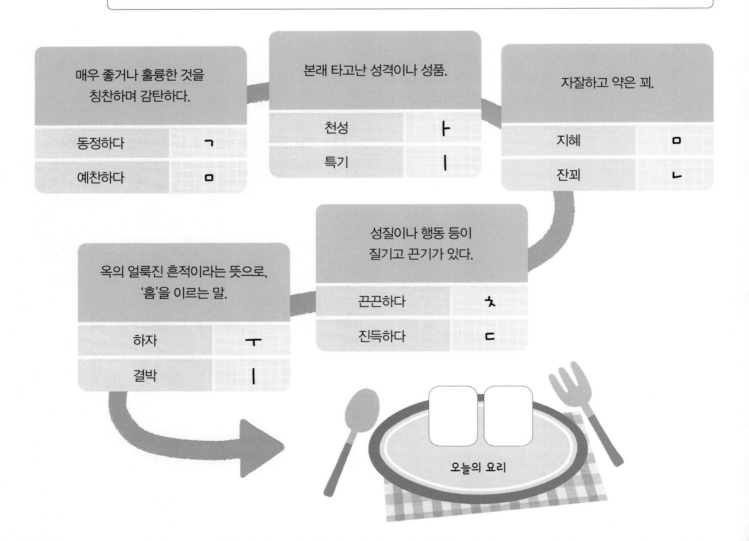

매우 좋거나 훌륭한 것을 칭찬하며 감탄하다.	
동정하다	ㄱ
예찬하다	ㅁ

본래 타고난 성격이나 성품.	
천성	ㅏ
특기	ㅣ

자잘하고 약은 꾀.	
지혜	ㅁ
잔꾀	ㄴ

옥의 얼룩진 흔적이라는 뜻으로, '흠'을 이르는 말.	
하자	ㅜ
결박	ㅣ

성질이나 행동 등이 질기고 끈기가 있다.	
끈끈하다	ㅊ
진득하다	ㄷ

오늘의 요리

2 제시된 뜻풀이에 알맞은 단어를 찾아 시우에게 필요한 재료를 알아맞혀 보자.

얼굴을 들지 못할 만큼 수줍거나 창피하다.

남에게 도움을 주고 그것을 자랑하거나 체면을 세우는 태도.

세상과 인생을 즐겁고 좋은 것으로 여기는 것.

어떤 일을 이루기 위하여 대책과 방법을 세우다.

육체적, 정신적으로 하는 일이 괴롭고 힘들다.

일한 대가로 주는 돈이나 물품.

❷ Q&A 특강

Q 〈사랑손님과 어머니〉에서는 왜 어린 옥희를 서술자로 했을까요?

A 어린 아이의 시선을 통해 옥희 어머니와 아저씨의 사랑을 (순수하게 / 부정적으로) 그려 내기 위해서이다.

❸ 이야기 속 시선

왼쪽에 있는 컵을 보고 여러분은 어떤 생각을 했나요? '물이 반이나 있네.'라고 생각하는 사람이 있는가 하면 '물이 반밖에 없네.'라고 생각할 수도 있어요. 같은 대상을 두고도 보는 이의 관점에 따라 다르게 볼 수 있지요. 소설도 누구의 시선으로 이야기를 서술하느냐에 따라 내용이 달라질 수 있어요.

내가 그린 히말라야시다 그림

소설 〈내가 그린 히말라야시다 그림〉은 '0'과 '1'이라는 두 명의 서술자가 각자 자신의 이야기를 하는 독특한 구조를 지닌 소설이에요. 그림 그리기 대회에서 그림이 뒤바뀐 사건을 중심으로, 선택의 갈림길에 놓인 아이들의 갈등과 성장을 다루고 있답니다.

유명 화가인 '0'과 그림 애호가인 '1'이 각각 과거를 회상함.

↓

초등학교 4학년 시절 '0'과 '1'이 참가한 그림 그리기 대회에서 '0'이 장원을 받음.

↓

'0'은 장원을 받은 그림이 자신의 것이 아니라 '1'의 것임을 알게 되고, '1' 역시 이를 알게 되지만 둘 다 사실을 밝히지 않음.

↓

'0'은 자신의 실력에 의심을 품고, 그림 연습을 열심히 하여 인정받는 화가가 됨. '1'은 그림을 좋아하는 사람으로 살아감.

이 작품은 '0'과 '1'의 서술이 교차되면서 이야기가 전개되어, 같은 사건을 바라보는 두 서술자의 서로 다른 태도와 심리가 잘 드러나 있어요. 이러한 구성을 통해 독자는 사건을 더욱 입체적으로 이해할 수 있답니다.

그 그림을 그린 아이는 천수기 선생님과 함께 다니던 그 아이인 게 틀림없었어. 그러니까 나와 같은 학교에 다니는 아이라는 거지. 그러면 그 아이는 제가 그린 그림을 봤을 거야. 그런데 왜? 왜 아무 말을 하지 않은 거지? [중략] 내가 주 선생님을 찾아가서 말해야 했을까. 이건 내 그림이 아니라고. 다른 사람이 그린 그림이라고. 나는 그 사람만 한 재능이 없다고. 실수를 바로잡아 달라고. 나는 그렇게 하지 못했어. 주 선생님의 품에 안겨 울지만 않았더라도 찾아갈 수 있었어. 가능성이 크지는 않지만. 내 더러운 눈물로 주 선생님의 앞가슴에 늘어뜨려진 흰 레이스를 더럽히지만 않았더라도.

O

나 자신의 실수 때문에 못 받은 거니까 누구를 원망할 수도 없지만. 그 실수를 인정하고 내가 받을 상이 남에게 간 것을 바로잡을 수 있었을까. 할 수 있었을지도 몰라. 아버지에게 이야기했다면. 아니면 천수기 선생님한테라도. / 왜 안 했을까. 그때 나를 스쳐 가던 그 아이, 그 아이의 표정 때문인지도 몰라. 땟국물이 흐르던 목덜미, 전신에서 풍겨 나던 뭔가 찌든 듯한 그 냄새, 그 너절한 인상이 내 실수와 잘못된 과정을 바로잡는 게 너절하고 귀찮은 일이라는 생각을 하게 했을 거야. 어쩌면 그 결과 한 아이가 가지게 될지도 모르는 씻지 못할 좌절감이 내게도 약간 느껴졌는지도 모르지. 상관없어. 나는 그런 상하고는 담을 쌓고 살아도 행복해. 그런 스트레스를 받는 것 자체가 싫어. 왜 내가 그렇게 살아야 하는데?

1

이처럼 소설의 내용과 분위기는 서술자에 따라 다르게 전달될 수 있어요. 그러니까 소설을 읽을 때는 서술자가 누구인지, 어디에 있는지 살피며 읽는 것이 좋겠죠?

◑ 소설도 음악처럼 다양한 방법으로 감상해 보아요.

배울 내용

1일	소설의 배경	**4일**	소설의 감상 방법
2일	소설의 소재	**5일**	소설의 감상_종합
3일	소설의 표현 방법	**특강**	창의·융합·코딩

이번 주에는 무엇을 공부할까? ❷

1 드라마에 등장하는 소재와 인물의 대사에 주목하며 물음에 답해 봅시다.

(1) 다음 중 **가** 의 봉투에 담긴 의미를 바르게 말한 사람은 누구인가요?

(2) **나** 에서 남자의 진짜 속마음은 무엇일까요? ㉠과 ㉡ 중에서 알맞은 것을 고르세요.

㉠ 네가 싫어졌다.
너와 헤어지고 싶다.

㉡ 너를 사랑한다.
너와 헤어지고 싶지 않다.

2 같은 작품을 어떻게 감상하고 있는지 살피며 물음에 답해 봅시다.

그림을 그렸을 당시 고흐의 불안정한 심리 상태가 그대로 드러나 있어.

보라색에 가까운 남색과 노란색의 대비가 무척 인상적이야.

▲ 고흐, 〈별이 빛나는 밤에〉

(1) 수호와 지희는 각각 어느 부분에 초점을 맞춰 그림을 감상하고 있는지 연결해 보세요.

수호 ·

· 작품 자체

지희 ·

· 작가의 삶

(2) 한 작품을 다양한 관점에서 감상하면 어떤 점이 좋을까요? ㉠과 ㉡ 중에서 알맞은 것을 고르세요.

> ㉠ 작품 이해의 폭을 넓힐 수 있다.   ㉡ 여러 작품을 동시에 이해할 수 있다.

4주 1일 소설의 배경

시간적 배경

배경에는 크게 시간적 배경과 공간적 배경이 있어요.
이 중 시간적 배경은 사건이 일어나는 구체적인 시간을 말해요.

새벽이나 한낮 같은 특정한 시간대, 봄·여름 같은 계절, 1950년대나 2000년대와 같은 특정한 연대 등이 시간적 배경에 속해요.

소설 속에 나타난 사회 현실이나 역사적 상황도 시간적 배경에 속해요.

대한 독립 만세

대체 무슨 일이에요?

우리나라가 오늘 해방 됐대요.

사람들이 만세를 부르는 모습, 우리나라가 해방됐다는 말을 통해 시간적 배경이 1945년 8월 15일임을 알 수 있어요.

 개념 노트

● **시간적 배경**

• 소설에서 인물이 행동하고 사건이 일어나는 구체적인 (ㅅㄱ).

• 시간적 배경에는 특정한 시간대, 봄·여름 같은 (ㄱㅈ), 특정한 연대 등이 있음.

• 소설 속에 나타난 사회 현실과 (ㅇㅅ)적 상황도 시간적 배경에 속함.

답 시간, 계절, 역사

1-1 다음 글을 읽고 이 글의 시간적 배경을 고르시오.

> 저쪽 갈밭머리●에서 갈꽃이 한 옴큼 움직였다. 소녀가 갈꽃을 안고 있었다. 그리고 이제는 천천한 걸음이었다. 유난히 맑은 가을 햇살이 소녀의 갈꽃 머리에서 반짝거렸다. 소녀 아닌 갈꽃이 들길을 걸어가는 것만 같았다.
>
> – 황순원, 〈소나기〉에서
>
> ──
> ● 갈밭머리 갈대밭 근처.

> 이 글의 시간적 배경은 (봄 / 가을)이다.

1-2 다음 글을 읽고 물음에 답하시오.

> 우리 집에 두 번째 소가 들어온 것은 초등학교 3학년 때였다. 긴 장마가 조금 누그러지자 나는 아이들과 함께 강둑으로 나가 불어난 강물에서 떠내려오는 물건들을 건져 냈다. [중략] 간혹 수박이나 참외를 건져 내는 운도 따랐다. 그 몇 해 전에 마을 청년들이 염소를 주운 것을 빼면 그만한 횡재●도 없었다. 그런데 그해 나는 염소 따위는 댈 것도 아닌 큰 횡재를 하게 되었다. 소를, 그것도 숨이 붙어 있는 소를 줍게 된 것이다.
>
> – 전성태, 〈소를 줍다〉에서
>
> ──
> ● 횡재 노력도 들이지 않고 뜻밖에 재물을 얻는 것.

(1) 이 글의 중심 사건은 무엇인가요?

(2) 다음 빈칸에 들어갈 알맞은 말을 쓰시오.

> 이 소설의 시간적 배경은 여름이야. ＿＿＿라는 단어를 통해 알 수 있어.

1-3 다음 글을 읽고 물음에 답하시오.

> 제2차 세계 대전을 맞은 것도 괴불 마당 집에서였다.
> 일본 사람들은 '대동아 전쟁'이라고 했다. 나는 그게 무 언지도 몰랐지만 신이 났다. 우리는 그전부터 이미 호전적으로 길들여져 있었다. 일본은 이미 중국과의 전쟁을 하고 있었고, 우리는 중국을 '짱꼴라', 장개석을 '쇼오가이 세끼'라고 부르면서 덮어놓고 무시할 때였다. 동무들하고 싸울 때도 짱꼴라라고 놀려 주는 게 가장 심한 모욕이었다. [중략]
> 창씨개명령●은 그보다 앞서 내렸는데 생활이 각박해지면서 그 강제성도 심해져 더욱 인심을 흉흉하게 만들었다. 우리는 이름을 바꾸지 않았다. 할아버지가 내 눈에 흙이 들어가기 전엔 그것만은 안 된다고 완강하게 나오셨기 때문이다. [중략] 남대문에서 장사하던 숙부는 성을 안 갈아서 장사가 잘 안된다는 식으로 할아버지를 원망했다.
>
> – 박완서, 〈그 많던 싱아는 누가 다 먹었을까〉에서
>
> ──
> ● 창씨개명령 한국인의 성명을 일본식으로 바꾸도록 강제한 법령. 1940년부터 시행되었음.

(1) 다음 중 이 글에서 시대 상황을 알 수 있는 표현을 **모두** 고르시오.

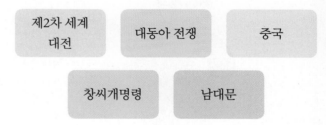

도움말
언제, 어디서든 사용하는 표현이 아니라, 특정 시대 상황과 관련 있는 표현을 찾아보세요.

(2) 다음을 읽고 괄호 안에서 알맞은 말을 고르시오.

> 이 글의 시간적 배경은 (일제 강점기 / 6·25 전쟁)이다.

4주 1일 소설의 배경

▶ 공간적 배경

공간적 배경은 사건이 일어나는 구체적인 공간을 말합니다.

서울과 같은 도시적 배경이 있고,

고향이나 농촌 같은 향토적 배경이 있어요.

▶ 배경의 기능

소설의 배경은 여러 기능을 해요.

실제 있었던 일 같아.

대한 독립 만세

비가 와서 그런지 분위기가 쓸쓸해.

사건이 실제 벌어진 것처럼 느끼게 해 주기도 하고, 글의 전체적인 분위기를 만들어 주기도 해요.

개념 노트

● **공간적 배경**
- 소설에서 인물이 활동하고 사건이 일어나는 구체적인 (ㄱㄱ).
- 대표적으로 도시적 배경, (ㅎㅌ)적 배경이 있음.

● **배경의 기능**
- 인물의 행동과 사건이 사실성을 지니게 해 줌.
- 작품의 전반적인 (ㅂㅇㄱ)를 만듦.

👉 답 공간, 향토, 분위기

2-1 다음 글을 읽고 이 글의 공간적 배경을 고르시오.

간드러진 노랫소리가 푸른 언덕을 넘어온다. 바우는 송아지를 뜯기며 밤나무 그늘에 앉아 그림 그리는 책을 펴 들었다. 송아지가 움직이는 대로 자리를 옮아 앉으며 옆으로 풀을 뜯는 송아지 모양을 그리느라 열심히 들여다보고 연필을 놀리고 하더니 잠시 멈추고 귀를 기울인다. [중략]

노랫소리는 점점 가까워 온다. 그리고 잠시 언덕 너머가 떠들썩하더니 호랑나비 한 마리가 피로한 나래로 갈팡질팡 날아와 밤나무 가지에 야트막하게 앉는다.

– 현덕, 〈나비를 잡는 아버지〉에서

─────
● 나래 날개.

이 글의 공간적 배경은 (농촌 / 도시)이다.

2-2 다음 글을 읽고 물음에 답하시오.

㉠원미동에 사는 사람들은, 아니 더 정확히 말하여 원미동 23통 5반 사람들은 이 겨울 들어 아주 난처한 일이 하나 생겼다. 생각하기에 따라서는 무에 그리 대단한 일이겠느냐고, 제법 요령 있게 넘어갈 수 있는 방법이 있지 않겠느냐고 하겠지만 어쨌든 딱한 일임에는 분명하였다.

– 양귀자, 〈원미동 사람들〉에서

(1) 이 글의 공간적 배경은 어디인가요?

(2) ㉠은 경기도 부천시에 있는 실제 지명입니다. 소설에서 실제 지명을 사용하면 어떤 효과가 있을까요?

인물이 하는 행동과 사건에 _____을 띠게 해 줘.

2-3 다음 글을 읽고 물음에 답하시오.

그 어느 해보다도 긴 겨울이 가고 봄이 왔다.

내년 봄이 아니라 올봄이 온 것이다. 달력에는 이미 벚꽃이 활짝 피어 있었다. 그런데도 그 어느 해보다도 길었던 겨울은 아직도 뭐가 부족했던지 화창한 봄날에 끼어들어 심술을 부렸다. 별안간 기온이 뚝 떨어지더니 바람까지 세차게 몰아쳤다. [중략]

그 순간 수남이도 문득 자기도 오늘 재수 옴 붙을 것 같은 예감이 들었다. 그래서 화들짝 놀라 간판을 다시 점검하고 힘껏 흔들어 보고, 대롱대롱 매달린 아크릴 간판은 아예 떼어서 안에다 갖다 두고, 떼어 세워 놓은 빈지문은 좁은 옆 골목 변소 앞에 끼워 놓았다.

바람 부는 서울의 뒷골목은 흉흉하고 을씨년스러웠다.

– 박완서, 〈자전거 도둑〉에서

─────
● 빈지문 한 짝씩 끼웠다 떼었다 하게 만든 문.
● 을씨년스럽다 날씨나 분위기 등이 쓸쓸하고 썰렁하다.

(1) 이 글의 배경을 쓰시오.
  • 시간적 배경: _____
  • 공간적 배경: _____

(2) 다음 중 이 글에서 '바람'의 역할에 대해 바르게 말한 사람은 누구인가요?

흉흉한 분위기를 만들고 있어.

시하

겨울이 가고 따뜻한 봄이 왔음을 알리고 있어.

시후

도움말
바람 때문에 어떤 일이 생길지 상상해 보세요.

9주

1일

이 작품은

일제 강점기에서 1950년대에 이르는 시기를 배경으로 하여 도덕이나 신념에 관계없이 부와 권력을 좇으며 시대에 적응해 살아간 한 의사의 삶을 보여 주는 소설입니다.

앞부분 줄거리

이인국은 유명한 외과 의사이다. 특유의 처세술로 혼란의 시대를 헤치고 살아남아 종합 병원의 원장이 되었다. 그는 딸의 결혼 문제로 미국에 가려고 미국 대사관의 브라운을 만날 준비를 하다가 과거를 회상한다.

어휘 풀이 ✎

● **말복** 음력 6월에서 7월에 있는 삼복 가운데 마지막 날.

● **타도하다** 대상이나 세력을 쳐서 무너뜨리다.

● **휑뎅그렁하다** 속이 비고 넓기만 하여 매우 허전하다.

● **감득되다** 느껴서 알게 되다.

● **사상범** 현 사회 체제에 반대하는 정치적, 사회적 의견을 가지고 개혁을 시도하는 죄를 지은 사람.

● **황국 신민** 일제 강점기에, 천황이 다스리는 나라의 신하 된 백성이라 하여 일본이 자국민을 이르던 말.

● **일도양단하다** 어떤 일을 머뭇거리지 아니하고 선뜻 결정하다.

● **단안** 어떤 사항에 대한 생각을 딱 잘라 결정함. 또는 그렇게 결정된 생각.

[01~06] 다음 글을 읽고 물음에 답하시오.

가 ㉠1945년 팔월 하순.

아직 해방의 감격이 온 누리를 뒤덮어 소용돌이칠 때였다.

말복도 지난 날씨언만 여전히 무더웠다. 이인국 박사는 이 며칠 동안 불안과 초조에 휘몰려 잠도 제대로 자지 못했다. 무엇인가 닥쳐올 사태를 오돌오돌 떨면서 대기하는 상태였다. [중략]

그는 창문으로 기웃이 한길가를 내려다보았다. 우글거리는 군중들은 아직도 소음 속으로 밀려가고 있다.

굳게 닫혀 있는 은행 철문에 붙은 벽보가 한길을 건너 하얀 윤곽만이 두드러져 보인다.

아니 그곳에 씌어 있는 구절.

'친일파, 민족 반역자를 타도하자.'

옆에 붉은 동그라미를 두 겹으로 친 글자가 그대로 눈앞에 선명하게 보이는 것만 같다.

나 벌써 육 개월 전의 일이다.

형무소에서 병보석으로 가출옥되었다는 중환자가 업혀서 왔다.

휑뎅그렁한 눈에 앙상하게 뼈만 남은 몸을 제대로 가누지도 못하는 환자, 그는 간호원의 부축으로 겨우 진찰을 받았다.

청진기의 상아 꼭지를 환자의 가슴에서 등으로 옮겨 두 줄기의 고무줄에서 감득되는 숨소리를 감별하면서도, 이인국 박사의 머릿속은 최후 판정의 분기점을 방황하고 있었다.

㉡입원시킬 것인가, 거절할 것인가……

환자의 몰골이나 업고 온 사람의 옷매무새로 보아 경제 정도는 뻔한 일이라 생각되었다.

그러나 그것보다도 더 마음에 켕기는 것이 있었다. 일본인 간부급들이 자기 집처럼 들락날락하는 이 병원에 이런 사상범을 입원시킨다는 것은 관선 시의원이라는 체면에서도 떳떳지 못할뿐더러, 자타가 공인하는 모범적인 황국 신민(皇國臣民)의 공든 탑이 하루아침에 무너지는 결과를 가져오는 것이라는 생각이 들었다.

순간 그는 이런 경우의 가부 결정에 일도양단하는 자기식으로 찰나적인 단안을 내렸다.

그는 응급 치료만 하여 주고 입원실이 없다는 가장 떳떳하고도 정당한 구실로 애걸하는 환자를 돌려보냈다.

– 전광용, 〈꺼삐딴 리〉에서

1 이 글의 시간적 배경은 (○ㅈ ㄱㅈㄱ)부터 1950년대까지이다.

2 이인국 박사의 직업은?
  ☐ 독립 운동가   ☐ 의사

3 이인국 박사는 해방이 되어 (기뻐하고 / 불안해하고) 있다.

---

01 이 글에 나타난 시대 상황에 대한 설명으로 적절한 것은?

① 일제 강점기 때 일본과 친일파 사이의 갈등이 심각했다.
② 해방이 된 뒤 독립 운동가를 곤란해하는 분위기가 흔했다.
③ 해방이 된 뒤 친일파를 찾아 벌을 주려는 분위기가 있었다.
④ 일제 강점기 때 일본에 협력하다 감옥에 가는 사람이 있었다.
⑤ 해방이 된 뒤 친일파에게 우호적인 태도를 취하는 사람들이 많았다.

• 우호적 개인이나 나라가 서로 사이가 좋은 것.

02 가 에 나타난 이인국의 심리로 적절한 것은?

① 기쁨   ② 슬픔   ③ 그리움
④ 불안함   ⑤ 자랑스러움

03 ㉠을 통해 알 수 있는 내용이 아닌 것은?

① 공간적 배경은 한국이다.
② 시간적 배경은 1945년 여름이다.
③ 우리나라가 일본에게서 해방된 직후이다.
④ 많은 사람이 해방이 된 것을 아쉬워하고 있다.
⑤ 실제 역사적 의미가 있는 해를 배경으로 제시해 사실성을 높이고 있다.

04 이인국이 ㉡과 같은 고민을 한 가장 궁극적인 이유는?

① 입원실이 부족해서
② 환자가 돈이 없어 보여서
③ 다른 일본인 환자를 치료해야 해서
④ 환자의 병을 치료할 자신이 없어서
⑤ 환자를 치료했다가 일본에 밉보일까 봐

• 궁극적 어떤 일의 마지막이나 끝에 도달하는 것.

05 이 글에서 시간적 배경을 알 수 있는 소재를 모두 고르시오.

ⓐ 해방	ⓑ 병원	ⓒ 은행
ⓓ 친일파	ⓔ 청진기	ⓕ 황국 신민

06 이 글과 〈보기〉를 참고할 때, 이인국의 삶의 태도를 잘못 분석한 학생이 누구인지 쓰시오.

> **보기**
>
> 해방이 된 뒤 소련군이 들어오고, 이인국은 감옥에 들어간다. 감옥에서도 이인국은 살아남기 위해 노어를 공부하고, 소련군 장교의 혹을 떼어 내는 수술에 성공해 자유를 얻는다. 6·25 전쟁 때 남쪽으로 내려온 이인국은 미국 대사관 직원인 브라운에게 청자 화병을 선물하고 그의 도움으로 미국행을 준비한다.
>
> • 노어 러시아어.

윤서: 자신의 이익과 생존만을 위해 행동하는 것 같아.

서준: 맞아. 그때그때 상황에 따라 빠르게 변하는 기회주의자의 삶을 살고 있어.

율희: 그리고 무엇이 도덕적으로 옳고 그른지 항상 고민하면서 살고 있어.

2일 소설의 소재

> ### 소재의 기능 ①

소재는 글의 내용이 되는 재료예요. 그런데 소설의 소재는 단순히 재료에 그치지 않고 여러 가지 기능을 한답니다.

소재는 갈등의 원인이 되기도 합니다.

'황금 사과'가 두 집 사이에서 일어난 갈등의 원인이 되었어요.

이 황금 사과는 우리 집 거예요.

천만에! 이것은 우리 집 것입니다.

사건을 자연스럽게 연결하는 기능도 하지요.

신데렐라의 '구두'가 없었다면 이야기가 이어지지 않았겠죠?

개념 노트

● **소재의 기능**

• 갈등의 (○○)이 되거나, 갈등 해소의 실마리가 될 수 있음.

• 여러 장면이나 사건을 자연스럽게 (○○)하는 기능을 하기도 함.

답 원인, 연결

1-1 다음 글을 읽고 물음에 답하시오.

언제 구웠는지 아직도 더운 김이 홱 끼치는 굵은 감자 세 개가 손에 뿌듯이 쥐였다.

"느 집엔 이거 없지?"
하고 생색 있는 큰소리를 하고는 제가 준 것을 남이 알면 큰일 날 테니 여기서 얼른 먹어 버리란다.
그리고 또 하는 소리가
"너 봄 감자가 맛있단다."
"난 감자 안 먹는다. 니나 먹어라." [중략]

그랬더니 그래도 가는 기색이 없고, 그뿐만 아니라 쌔근쌔근하고 심상치 않게 숨소리가 점점 거칠어진다. 이건 또 뭐야 싶어서 그때에야 비로소 돌아다보니 나는 참으로 놀랐다. 우리가 이 동리에 들어온 것은 근 삼 년째 되어 오지만 여지껏 가무잡잡한 점순이의 얼굴이 이렇게까지 홍당무처럼 새빨개진 법이 없었다. 게다 눈에 독을 올리고 한참 나를 요렇게 쏘아보더니 나중에는 눈물까지 어리는 것이 아니냐.

– 김유정, 〈동백꽃〉에서

• 생색 남에게 도움을 주고 그것을 자랑하거나 체면을 세우는 태도.
• 동리 시골의 마을이나 동네.
• 어리다 눈에 눈물이 조금 고이다.

(1) 이 글에 나타난 점순이의 심리로 알맞은 것을 고르시오.

화남   그리움

(2) 이 글에서 '나'와 점순이의 갈등의 원인이 되는 소재가 무엇인지 찾아 쓰시오.

도움말

점순이가 '나'에게 주려다가 거절당한 것이 무엇인지 생각해 보세요.

1-2 다음 글을 읽고 물음에 답하시오.

농부는 소녀 편을 한번 훑어보고는 그저 송아지 고삐를 풀어내면서,
"어서들 집으루 가거라. 소나기가 올라."
참, 먹장구름 한 장이 머리 위에 와 있다. 갑자기 사면이 소란스러워진 것 같다. 바람이 우수수 소리를 내며 지나간다. 삽시간에 주위가 보랏빛으로 변했다.
산을 내려오는데, 떡갈나무 잎에서 빗방울 듣는 소리가 난다. 굵은 빗방울이었다. 목덜미가 선뜻선뜻했다. 그러자 대번에 눈앞을 가로막는 빗줄기.
비안개 속에 원두막이 보였다. 그리로 가 비를 그을 수밖에.
그러나 원두막은 기둥이 기울고 지붕도 갈래갈래 찢어져 있었다. 그런대로 비가 덜 새는 곳을 가려 소녀를 들어서게 했다. 소녀는 입술이 파랗게 질려 있었다. 어깨를 자꾸 떨었다.

– 황순원, 〈소나기〉에서

• 먹장구름 먹빛같이 시꺼먼 구름.
• 듣다 눈물, 빗물 따위의 액체가 방울져 떨어지다.
• 긋다 비를 잠시 피하여 그치기를 기다리다.

(1) 이 글에 나타난 사건을 순서대로 배열하시오.

㉠ 소나기가 옴.
㉡ 산을 내려옴.
㉢ 원두막으로 감.

(2) 이 글에서 '소나기'의 기능은 무엇인가요?

사건을 자연스럽게 ＿＿＿＿ 하는 기능을 하고 있어.

소재의 기능 ②

특정한 소재를 대하는 인물의 태도에서 인물의 성격이나 심리가 드러나기도 해요.

맛있겠다!

저 포도는 너무 시어서 맛이 없을 거야.

'포도'가 맛이 없을 거라며 포기하는 여우의 모습에서 여우가 자기 합리화를 하는 성격임을 알 수 있어요.

소재를 통해 주제를 압축적으로 전달하기도 합니다.

이 머리카락을 잘라 팔아서 짐의 시계에 어울리는 시곗줄을 선물해야겠어.

델라

이 시계를 팔아 델라의 머리에 어울리는 머리핀을 선물해야겠어.

짐

델라와 짐은 자신이 가진 것을 팔아 상대에게 줄 선물을 마련합니다. 이 '선물'은 '델라와 짐의 사랑'을 보여 주는 소재예요.

개념 노트

● **소재의 기능**

• 특정 소재를 대하는 인물의 태도나 반응을 통해 인물의 (ㅅㄱ)이나 심리를 파악할 수 있음.

• (ㅈㅈ)를 압축적으로 전달하기도 함.

답 성격, 주제

2-1 다음 글을 읽고 물음에 답하시오.

> **앞부분 줄거리 |** 메주를 매달기 위해 아파트 문틀에 못을 박는 할머니에게 엄마는 결국 화를 내고 만다.
>
> "그러니까 메주 만들지 마시라 그랬잖아요." [중략]
> "요즘 아파트에서 그런 거 만드는 사람이 몇이나 된다고 그러세요?"
> "너는 안 먹고 살래? 아무리 아파트기로서니 사람이 할 일은 하고 살아야재. 그래, 아파트 살면 장을 다 사 먹어야 한단 말이여?"
> "아유, 그만두세요. 어머닌 옛날 방식만 고집하시니."
> 엄마는 돌아서서 안방 쪽으로 갔다. 할머니는 속이 상한지 한참이나 그대로 서 있었다. 나는 조심스럽게 할머니를 불러 보았다.
> "…… 할머니이."
> 할머니는 그제서야 내 얼굴을 보더니 혼잣말같이 중얼거렸다.
> "시상이 아무리 달라졌다 혀도 달라지지 않는 것도 있는 법이여. 그렇재, 암."
>
> – 오승희, 〈할머니를 따라간 메주〉에서

(1) 이 글의 중심 소재는 무엇인가요?

(2) 메주를 대하는 태도를 통해 알 수 있는 할머니의 성격은 어떠한가요?
  ① 새로운 방식을 추구하는 성격이다.
  ② 전통적인 방식을 지키는 성격이다.

(3) (1)과 (2)를 통해 알 수 있는 소재의 기능은 무엇인가요?

> 소재를 대하는 태도를 통해 인물의 (ㅅㄱ)을 파악할 수 있다.

2-2 다음 글을 읽고 물음에 답하시오.

> **앞부분 줄거리 |** 허영심이 강한 마틸드는 친구인 포레스티에 부인의 목걸이를 빌려 파티에 참석했다가 그만 목걸이를 잃어버린다. 친구에게 돌려줄 목걸이를 새로 사느라 엄청난 빚을 진 마틸드는 10년 동안 갖은 고생을 하며 빚을 갚는다. 그리고 길거리에서 우연히 포레스티에 부인을 만난다.
>
> "그건 네가 빌려준 것과 똑같아 보이긴 하지만 다른 목걸이야. 그 목걸이 값을 갚느라 10년이나 걸렸지 뭐야. 이제는 다 해결되었어. 얼마나 마음이 후련한지 몰라."
> 포레스티에 부인은 발걸음을 멈췄다.
> "그래, 내 것 대신에 다른 다이아몬드 목걸이를 사 왔단 말이야?"
> "그래. 여태껏 그걸 몰랐구나. 하긴 똑같은 모양이니까."
> 마틸드는 약간 으스대는 듯한 순진한 웃음을 지어 보였다. / 포레스티에 부인은 매우 놀라며 친구의 두 손을 꼭 쥐었다.
> "아이 가엾어라, 마틸드! 사실 그 목걸이는 가짜였어. 기껏해야 5백 프랑밖에 되지 않는……."
>
> – 모파상, 〈목걸이〉에서

(1) 이 글의 중심 소재는 무엇인가요?

(2) 다음 대화를 읽고 이 글에서 '목걸이'가 의미하는 것이 무엇인지 고르시오.

 빌린 목걸이가 가짜였다니……. 마틸드는 가짜 때문에 10년 넘게 고생을 했어.

 이 모든 게 마틸드의 헛된 욕심 때문이지. 그래서 이 글의 주제는 '인간의 헛된 욕심 비판' 같아.

인간의 헛된 욕심   인간의 끝없는 도전

(도움말)
소재가 주제를 압축적으로 전달할 수 있다는 점을 고려하세요.

이 작품은
아버지와 아들의 2대에 걸친 수난을 통해 역사적인 비극과 그 극복 의지를 보여 주고 있는 소설입니다.

앞부분 줄거리
일제 강점기에 징용에 끌려갔다가 사고로 한쪽 팔을 잃은 아버지 만도는 6·25 전쟁에 나갔던 아들 진수가 돌아온다는 소식을 듣고 마중을 나간다. 만도는 아들이 살아 돌아온다는 사실에 기뻐하지만, 진수가 다리 한쪽을 잃은 것을 보고 분노를 터뜨린다.

[01~05] 다음 글을 읽고 물음에 답하시오.

가 "아부지!" / "와?"

"이래 가지고 나 우째 살까 싶습니더."

"우째 살긴 뭘 우째 살아? 목숨만 붙어 있으면 다 사능 기다. 그런 소리 하지 마라."

"……."

"나 봐라. 팔뚝이 하나 없어도 잘만 안 사나? 남 봄에 좀 덜 좋아서 그렇지, 살기사 왜 못 살아?"

"차라리 아부지같이 팔이 하나 없는 편이 낫겠어예. 다리가 없어 노니, 첫째 걸어 댕기기에 불편해서 똑 죽겠심더."

"야야, 안 그렇다. 걸어 댕기기만 하면 뭐하노, 손을 지대로 놀려야 일이 뜻대로 되지."

"그럴까예?"

"그렇다니까. 그러니까 집에 앉아서 할 일은 니가 하고, 나댕기메 할 일은 내가 하고, 그라면 안 대겠나, 그제?"

"예."

진수는 가벼운 한숨을 내쉬며 아버지를 돌아보았다. 만도는 돌아보는 아들의 얼굴을 향해서 지그시 웃어 주었다.

나 개천 둑에 이르렀다. 외나무다리가 놓여 있는 그 시냇물이다. ㉠진수는 슬그머니 걱정이 되었다. 물은 그렇게 깊은 것 같지 않지만, 밑바닥이 모래흙이어서 지팡이를 짚고 건너가기가 만만할 것 같지 않기 때문이다. 외나무다리 위로는 도저히 건너갈 재주가 없고……. 진수는 하는 수 없이 둑에 퍼지고 앉아서 바짓가랑이를 걷어 올리기 시작했다. 만도는 잠시 멀뚱히 서서 아들의 하는 양을 내려다보고 있다가,

"진수야, 그만두고 자아, 업자." / 하는 것이었다. [중략]

진수는 지팡이와 ㉡고등어를 각각 한 손에 쥐고, 아버지의 등어리로 가서 슬그머니 업혔다. 만도는 팔뚝을 뒤로 돌리면서 아들의 하나뿐인 다리를 꼭 안았다. 그리고,

"팔로 내 목을 감아야 될 끼다."

했다. 진수는 무척 황송한 듯 한쪽 눈을 찍 감으면서, 고등어와 지팡이를 든 두 팔로 아버지의 굵은 목줄기를 부둥켜안았다. 만도는 아랫배에 힘을 주며, '끙!' 하고 일어났다. [중략]

만도는 아직 술기가 약간 있었으나, 용케 몸을 가누며 아들을 업고 외나무다리를 조심조심 건너가는 것이었다. 눈앞에 우뚝 솟은 용머리재가 이 광경을 가만히 내려다보고 있었다.

– 하근찬, 〈수난이대〉에서

어휘 풀이

● **수난** 견디기 힘든 어려운 일을 당함.
● **징용** 전쟁 등의 위급한 일이 일어났을 때, 나라에서 강제로 국민을 데려다가 일하게 함.
● **나댕기다** '나다니다'의 방언. 밖으로 나가 여기저기 다니다.
● **개천** 시내보다 크고 강보다 작은 물줄기.
● **양** 어떤 상태에 있거나 어떤 행동을 하는 것 같음을 나타내는 말.

간단 체크

1 만도는 한쪽 (팔 / 다리)을/를 잃었고, 진수는 한쪽 (팔 / 다리)을/를 잃었다.

2 만도는 절망에 빠진 아들 진수를 (무시한다 / 위로한다).

3 만도와 진수는 외나무다리를 건너는 것을 (포기한다 / 포기하지 않는다).

01 이 글에 대한 설명으로 적절한 것은?

① 1970년대 서울을 배경으로 하고 있다.

② 1인칭 주인공 시점으로 서술되고 있다.

③ 개인의 이익만 추구하는 사람들을 비판하고 있다.

④ 어려운 현실에 결국 무너지는 인물의 모습을 그리고 있다.

⑤ 한 아버지와 그 아들의 수난을 통해 우리 민족이 겪은 수난을 이야기하고 있다.

02 이 글의 인물들에 대한 설명으로 적절하지 <u>않은</u> 것은?

① 만도는 아들의 처지를 위로하고 있다.

② 진수는 자신의 처지에 대해 비관하고 있다.

③ 진수는 자신의 마음을 몰라주는 아버지에게 분노하고 있다.

④ 만도는 비록 한쪽 팔을 잃었지만 긍정적인 태도를 갖고 있다.

⑤ 만도는 서로 도우면 어려움을 해결할 수 있다고 생각하고 있다.

● **비관하다** 인생을 어둡게만 보아 슬프고 절망스럽게 생각하다.

03 ㉠의 이유로 적절한 것은?

① 시냇물이 너무 깊어서

② 시냇물이 너무 차가워서

③ 외나무다리가 많이 낡아서

④ 아버지를 업고 다리를 건너야 해서

⑤ 한쪽 다리로는 외나무다리를 건너기 어려워서

04 〈보기〉는 이 글의 앞부분의 일부이다. 이 글과 〈보기〉를 참고할 때, ㉡에 담긴 의미로 적절한 것은? (정답 2개)

보기

만도는 읍 들머리에서 잠시 망설이다가, 정거장 쪽과는 반대되는 방향으로 걸음을 옮겼다. 장거리를 찾아가는 것이었다. 진수가 돌아오는데 고등어나 한 손 사 가지고 가야 될 거 아닌가 싶어서였다. [중략] 한참 이리저리 서성거리다가 결국은 고등어 한 손이었다. 그것을 달랑달랑 들고 정거장을 향해 가는데, 겨드랑 밑이 간질간질해 왔다. 그러나 한쪽밖에 없는 손에 고등어를 들었으니 참 딱했다. 어깻죽지를 연방 위아래로 움직거리는 수밖에 없었다.

● **들머리** 어떤 곳에 들어가는 첫머리.
● **장거리** 장이 서는 거리.
● **손** 고등어 등을, 두 마리를 하나로 묶어 세는 단위.

① 진수에 대한 만도의 애정

② 만도와 진수의 갈등의 원인

③ 한쪽 팔이 없어 불편한 만도의 상황

④ 일제의 수탈로 어려워진 농촌의 현실

⑤ 가족 간의 대화가 없는 현실에 대한 비판

● **수탈** 약한 상대의 것을 강제로 빼앗음.

05 다음은 '외나무다리'와 이 글의 주제에 대해 나눈 대화이다. 빈칸에 공통으로 들어갈 말로 적절한 것은?

소연: 외나무다리는 만도와 진수가 겪은 _____을/를 상징해.

준완: 만도와 진수가 힘을 합쳐 결국 외나무다리를 건넌다는 것은 바로 그 _____을/를 극복한다는 것을 상징하지. 이게 이 글의 주제이기도 하고.

① 권리와 의무

② 사랑과 이별

③ 시련과 고난

④ 자유와 평등

⑤ 전쟁과 평화

비유

작가는 소설 내용을 독자에게 효과적으로 전달하기 위해 여러 표현 방법을 사용해요.

먼저 '비유'는 표현하고자 하는 대상을 다른 대상에 빗대어 표현하는 방법이에요.

구름 사이의 밝은 달과 같고, 물 가운데 연꽃 같구나. 참으로 어여쁘다.

비유를 사용하면 장면이나 인물을 더욱 실감 나게 표현할 수 있어요.

상징

인간의 감정이나 사상 같은 추상적인 것을 구체적인 사물로 나타내는 '상징'도 표현 방법 중 하나예요.
구체적이지 않아 막연하고 일반적.

이거 너 줄게. 네 잎 클로버는 행운을 상징한대.

상징을 사용하면 전달하려는 것을 인상 깊게 표현할 수 있어요.

개념 노트

● 비유와 상징

	비유	상징
개념	표현하고자 하는 대상을 다른 대상에 (ㅂㄷ)어 표현하는 방법.	인간의 감정, 사상 같은 (ㅊㅅㅈ)인 관념을 구체적인 사물로 나타내는 방법.
효과	장면이나 인물을 더욱 실감 나게 표현할 수 있음.	전달하고자 하는 바를 인상 깊게 표현할 수 있음.

답 빗대, 추상적

1-1 다음 글을 읽고 물음에 답하시오.

> **가** 엿판가에는 아이들이 파리 떼처럼 붙어 있다. 보아하니 윤이는 아랫배에 두 손을 붙여 도사리고 앉아 엿을 노리고 있고, 영이는 서서 아이들과 어느 것이 굵으니 작으니 하며 태태거리고 있다.
> — 오영수, 〈고무신〉에서
>
> **나** 한 떼거리의 피란민(避亂民)들이 머물다 떠난 자리에 소녀는 마치 처치하기 곤란한 짐짝처럼 되똑하니 남겨져 있었다. 정갈한 청소부가 어쩌다가 실수로 흘린 쓰레기 같기도 했다. 하얀 수염에 붉은 털옷을 입고 주로 굴뚝으로 드나든다는 서양의 어느 뚱뚱보 할아버지가 간밤에 도둑처럼 살그머니 남기고 간 선물 같기도 했다.
> — 윤흥길, 〈기억 속의 들꽃〉에서
>
> ● 태태거리다 장난스럽게 다투다.
> ● 피란민 난리를 피하여 가는 백성.
> ● 되똑하다 작은 물체나 몸이 중심을 잃고 한쪽으로 기울어지다.

(1) **가**의 밑줄 친 문장에서 '아이들'을 무엇에 비유하고 있나요?

(2) **나**에서 밑줄 친 '짐짝', '쓰레기', '선물'은 모두 무엇을 비유한 표현인지 **나**에서 찾아 두 글자로 쓰시오.

(3) 다음 대화의 빈칸에 들어갈 알맞은 말을 쓰시오.

> **가**와 **나**에는 모두 비유가 쓰였네.

> 맞아. 비유를 사용하니까 장면이나 인물이 더 _____ 나게 느껴져.

1-2 다음 글을 읽고 물음에 답하시오.

> **소설 〈꿩〉(이오덕) 줄거리**
> 용이는 머슴의 자식이라는 이유로 다른 아이들의 책 보퉁이를 대신 메 주는 자신의 처지에 답답함을 느낀다. 어느 날 용이는 자신을 보며 수군거리는 아이들을 보고 화가 나서 돌멩이를 집어 골짜기 아래로 던진다. 그 순간 꿩이 소리치며 하늘로 날아오르고 이를 본 용이는 힘이 솟구치는 것을 느끼며 용기를 얻어 다른 아이들의 책 보퉁이를 골짜기 아래로 던져 버린다.
> 동네 아이들은 빈손으로 올라온 용이에게 책 보퉁이를 가져오라고 다그친다. 하지만 용이는 이전과는 달리 자신은 이제 못난 아이가 아니라고 말하며 아이들과 당당히 맞선다. 용이의 달라진 모습에 어쩔 줄 몰라 하던 동네 아이들은 자신들의 책 보퉁이를 찾으러 돌아간다. 용이는 꿩이 하늘을 날아오르는 모습처럼 두 팔을 내저으며 학교를 향해 달려간다.

(1) 용이가 다른 아이들의 책 보퉁이를 대신 메 주었던 이유는 무엇인가요?

> 나이가 어리기 때문에   머슴의 자식이기 때문에

(2) 용이의 심리와 행동 변화를 이끈 소재는 무엇인가요?

> 꿩   책 보퉁이

(3) 다음 대화의 빈칸에 공통으로 들어갈 알맞은 말을 쓰시오.

> 용이는 꿩이 날아오르는 모습을 보고 _____를 내서 친구들의 책 보퉁이를 던졌어.

> 맞아. 그걸 보면 꿩은 _____를 상징하는 것 같아.

4주 3일 소설의 표현 방법

▶ 반어

인물의 심리나 상황을 좀 더 인상 깊게
드러내기 위해 '반어'를 쓰기도 해요.

너 머리에
새똥이….

하아,
오늘 운수가
정말 좋구나.

반어는 본래 의도와
반대로 표현해요.

▶ 풍자

소설에서는 어떤 대상을 비판할 때, 그 대상을 조롱하거나 우습게 그리기도 합니다.
이를 '풍자'라고 해요.

휴대 전화 중독을
재미있게
풍자하고 있어요.

개념 노트

● **반어와 풍자**

	반어	풍자
개념	원래 표현하려는 내용을 실제 의미와는 (ㅂㄷ)되는 말이나 상황으로 표현하는 방법.	인물의 부정적인 면이나 사회의 부조리 등을 간접적으로 (ㅂㅍ)하며 웃음을 유발하는 표현 방법.
효과	인물의 심리나 상황을 좀 더 인상 깊게 드러낼 수 있음.	대상을 비꼬거나 조롱하여 우스꽝스럽게 만드는 경우가 많음.

답 반대, 비판

2-1 다음 글을 읽고 물음에 답하시오.

> **소설 〈운수 좋은 날〉(현진건) 줄거리**
>
> 아픈 아내와 굶주린 아이를 집에 두고 일을 나선 인력거꾼 김 첨지는 오랜만에 큰 벌이를 하게 되는 행운을 얻는다.
>
> > "오늘 내가 돈을 막 벌었어. 참 오늘 운수가 좋았느니."
>
> 그러나 계속되는 행운에도 김 첨지는 불안함을 느낀다. 손님을 태운 인력거를 몰다 자신의 집 근처에 가까워지면 이유 모를 불안에 시달리고, 일을 마치고 집에 돌아가야 할 시점에 친구 치삼이와 술을 마시며 일부러 귀가를 늦춘다. 마침내 집으로 돌아간 김 첨지는 이미 싸늘한 시신이 되어 있는 아내를 발견한다.
>
> > "설렁탕을 사다 놓았는데 왜 먹지를 못하니, 왜 먹지를 못하니……? 괴상하게도 오늘은 운수가 좋더니만……."

(1) 이 글의 내용을 참고하여 다음 표의 빈칸에 들어갈 알맞은 말을 고르시오.

겉으로 드러난 말	운수 좋은 날
원래 표현하려는 내용	

① 가장 운수 좋은 날   ② 가장 불행한 날

(2) 다음 대화의 빈칸에 들어갈 알맞은 말을 순서대로 쓰시오.

 이 글의 작가는 가장 _____ 한 날을 운수 좋은 날이라고 _____ 를 써서 표현하고 있어.

 _____ 를 써서 표현하니까 김 첨지가 처한 비극적인 상황이 더 잘 드러나는 것 같아.

2-2 다음 글을 읽고 물음에 답하시오.

> 우리 박 선생님은 참 이상한 선생님이었다.
>
> 박 선생님은 생긴 것부터가 무척 이상하게 생긴 선생님이었다. 키가 한 뼘밖에 안 되어서 뼘생 또는 뼘박이라는 별명이 있는 것처럼, 박 선생님의 키는 키 작은 사람 가운데에서도 유난히 작은 키였다. 일본 정치 때에, 혈서로 지원병을 지원했다 체격 검사에 키가 제 척수에 차지 못해 낙방이 되었다면, 그래서 땅을 치고 울었다면, 얼마나 작은 키인지 알 일이다.
>
> 그런 작은 키에, 몸집은 그저 한 줌만 하고. 이 한 줌만 한 몸집, 한 뼘만 한 키 위에 깜짝 놀랄 만큼 큰 머리통이 위태위태하게 올라앉아 있다. 그래서 박 선생님 또 하나의 별명은 대갈장군이라고도 했다.
>
> – 채만식, 〈이상한 선생님〉에서

● 혈서 굳은 결심이나 맹세 등을 나타내기 위해 스스로 상처를 내어 피로 쓴 글.
● 척수 치수. 옷, 신발, 몸의 일부분 등의 길이를 잰 값.

(1) 이 글에서는 박 선생님을 어떻게 묘사하고 있나요?
  ① 우스꽝스럽게 묘사하고 있다.
  ② 멋지고 근사하게 묘사하고 있다.

(2) 다음 대화의 빈칸에 들어갈 알맞은 말을 쓰시오.

 박 선생님은 일제 강점기 때 혈서로 지원병을 지원했다는 것을 보면 친일파였던 것 같아.

 아, 그래서 _____ 를 써서 박 선생님에 대한 비판적인 태도를 드러내고 있구나.

도움말

인물을 우스꽝스럽게 만들어 간접적으로 비판하는 표현 방법이 무엇인지 생각해 보세요.

이 작품은
'연'을 중심 소재로 하여 방황하는 아들을 바라보는 어머니의 애틋한 마음을 그린 소설입니다.

전체 줄거리
가난한 처지 때문에 상급 학교에 가지 못한 아들은 아쉬운 마음을 연날리기로 달랜다. 어느 날 어머니는 평소보다 높이 떠오른 연을 보며 불안감을 느끼다가 결국 실이 끊어져 날아간 연을 바라보며 망연자실한다. 하지만 이내 아들이 도회지로 떠났음을 알게 된 어머니는 아들을 원망하지 않고 아들이 건강하고 무사하기를 빈다.

[01~06] 다음 글을 읽고 물음에 답하시오.

가 마을 쪽 하늘에선 연이 떠오르지 않는 날이 없었다.

㉠ 연은 먼 하늘 여행을 꿈꾸는 작은 새처럼 하루 종일 마을 위를 맴돌았다.

들에서나 산에서나 마을 근처에선 언제 어디서나 새처럼 하늘을 떠도는 연을 볼 수 있었다.

연이 하늘에 떠올라 있는 동안은 어머니도 마음이 차라리 편했다.

들에서나 산에서나 어머니는 이따금 자신도 모르게 그 연을 찾아 일손을 멈추곤 했다. 그리고 그 적막스런 봄 하늘을 바라보며 허기진 한숨을 삼키곤 했다.

아비 없이 자란 놈이라 하는 수가 없는가 보았다.

"우리 집 처지에 상급 학교가 당하기나 한 소리냐. 이름자나마 쓰고 읽게 된 걸 다행으로 알거라."

어미 곁에서 함께 땅이나 파고 살자던 소리가 아들놈의 어린 가슴에 못을 박은 모양이었다.

"상급 학교 못 가면 연이나 실컷 띄우고 놀 거야. 상급 학교 안 보내 준 대신 연실이나 많이 만들어 줘."

중간 부분 줄거리 | 상급 학교 진학을 포기한 아들은 하루 종일 연날리기를 한다. 어느 날 어머니는 높이 뜬 아들의 연을 보며 불안감을 느끼고, 연은 어느새 실이 끊어져 날아가 버린다. 어머니는 멀어져 가는 연을 하염없이 바라본다.

나 "아지매요. 건이 새끼 좀 빨리 쫓아가 봐야 혀요. 건이 새낀 아까 도회지 돈벌이 간다고 읍내께로 튀었다니께요. 지는 도회지 가서 돈 벌어 온다고 연실 같은 건 내나 실컷 감아 가지라면서요……."

어머니가 흐느적흐느적 허기진 걸음걸이로 마을을 들어섰을 때였다. 아들놈의 연실을 감아 들이고 있던 이웃집 조무래기 놈이 제풀에 먼저 변명을 하고 나섰으나, 어머니는 이번에도 미리 모든 것을 짐작하고 있었던 것처럼 놀라는 빛이 없었다. [중략] 그 텅 빈 초가의 사립문을 들어서고 나서야 아들의 연이 날아간 하늘을 향해 어머니는 발길을 잠깐 머물러 섰을 뿐이었다.

하지만 이제 연의 흔적은 보이지 않았다. 텅 빈 하늘만 하염없이 멀어져 가고 있었다.

어머니는 다만 그 무심한 하늘을 향해 다시 한번 가는 한숨을 삼키며 허망스럽게 중얼거리고 있었다.

㉡"아가, 어딜 가거나 몸이나 성하거라……."

– 이청준, 〈연〉에서

어휘 풀이

● **적막스럽다** 고요하고 쓸쓸하다.
● **상급 학교** 좀 더 높은 등급의 학교. 이 글에서는 중학교를 가리킴.
● **당하다** 사리에 마땅하거나 가능하다.
● **연실** 연을 매어서 날리는 데 쓰는 실.
● **도회지** 사람이 많이 살고 상공업이 발달한 번화한 지역.
● **허망스럽다** 어이없고 허무한 데가 있다.

01 이 글에 대한 설명으로 적절한 것은?

① 빈부격차의 문제점을 고발하고 있다.
② 도시와 농촌의 모습을 대비하고 있다.
③ 연을 잘 날리는 방법을 설명하고 있다.
④ 가족 간 소통의 필요성을 강조하고 있다.
⑤ 아들에 대한 어머니의 애틋한 사랑을 그리고 있다.

02 아들이 연을 날리는 이유로 적절한 것은?

① 돌아가신 아버지가 그리워서
② 친구들과 같이 시간을 보내고 싶어서
③ 공부는 하지 않고 놀기만 하고 싶어서
④ 연날리기 실력을 키워 돈을 벌기 위해서
⑤ 상급 학교에 가지 못한 좌절감을 달래기 위해서

03 〈보기〉는 생략된 중간 부분 중 일부이다. 〈보기〉에서 어머니가 불안해하는 까닭으로 적절한 것은?

> ─ 보기 ─
>
> 　어머니는 언제 어디서나 그 아들의 연을 볼 수 있었다. / 연을 보면 아들의 얼굴을 보는 것 같았고, 아들의 마음을 보는 것 같았다.
> 　연은 언제나 머나먼 하늘 여행을 꿈꾸고 있는 작은 새처럼 보였고, 그래서 언젠가는 실줄을 끊고 마을의 하늘을 떠나가 버릴 것처럼 <u>어머니의 마음을 불안하게 했다.</u>

① 연을 날리느라 공부를 소홀히 할까 봐
② 연을 날리다가 친구들과 갈등이 생길까 봐
③ 연실이 끊어져 새 연을 사느라 돈이 들까 봐
④ 연실이 끊어진 것처럼 아들에게 사고가 날까 봐
⑤ 연이 떠나가 버릴 것처럼 언젠가 아들도 떠날까 봐

04 ㉠에 대한 설명으로 적절하지 <u>않은</u> 것은?

① 표현하려는 대상은 '연'이다.
② 빗대어 표현한 대상은 '새'이다.
③ '연'과 '새'는 마을 위를 맴돈다는 공통점이 있다.
④ 표현하고자 하는 대상을 다른 대상에 빗대어 표현하고 있다.
⑤ 추상적인 관념을 구체적인 사물로 나타냄으로써 전달하고자 하는 바를 인상 깊게 표현하고 있다.

05 ㉡에 담긴 어머니의 마음으로 적절한 것은?

① 아들에 대한 원망
② 아들에 대한 염려
③ 아들에 대한 기대
④ 남편에 대한 그리움
⑤ 가난한 형편에 대한 부끄러움

06 다음은 이 소설을 감상한 학생들의 대화이다. 감상 내용이 적절하지 <u>않은</u> 사람은?

 윤서: 연은 하늘에 떠 있지만 연실에 묶여 있어.

 혜수: 하지만 연실이 끊어지면 어디든지 자유롭게 날아갈 수 있지.

 지후: 그런 면에서 '연'은 아들을 상징한다고 볼 수 있어.

 율희: 맞아. 아들도 고향에 묶여 있다가 새로운 세계, 즉 도회지로 나간 거니까.

 서준: 하지만 끊어진 연은 반드시 제자리로 돌아오니까 아들도 언젠가는 엄마에게 돌아올 거야.

① 윤서　② 혜수　③ 지후　④ 율희　⑤ 서준

4주 소설의 감상 **153**

4주

3일

4일 소설의 감상 방법

작품 자체에 초점을 맞춘 감상

같은 소설을 읽더라도 무엇에 중점을 두느냐에 따라 감상 내용이 달라질 수 있어요.
우선 작품 자체에 초점을 맞추어 감상하는 방법이 있답니다.

개념 노트

● **작품 자체에 초점을 맞춘 감상**
  • 작품 외적인 요소를 완전히 제외하고 (ㅈㅍ ㅈㅊ)에만 초점을 맞추어 감상하는 방법.
  • 인물의 특징, 사건의 구성 방식, 갈등 구조, 표현 기법 등을 중심으로 파악함.

답 작품 자체

1-1 다음 글을 읽고 물음에 답하시오.

앞부분 줄거리 | 문기는 수만이의 협박에 못 이겨 숙모의 돈을 훔친다. 그러나 아랫집에서 심부름하는 점순이가 숙모의 돈을 훔쳤다는 누명을 쓰고 쫓겨나자 문기는 죄책감에 시달린다. 결국 문기는 자신의 잘못을 고백하기 위해 선생님을 찾는다.

　문기는 책보를 흔들흔들 고개를 숙이고 담임 선생님 집 앞을 왔다가는 무춤하고 섰다가 그대로 지나가고 그대로 지나가고 한다. 세 번째는 드디어 그 집 문 안을 들어서서 선생님을 찾았다. [중략]

　문기는 선생님 앞에 엎드려 모든 것을 자백할 결심이었다. 그런데 선생님의 부드러운 태도에 도리어 문기는 말문이 열리지 않았다. 다음은 건넌방에서 어린애가 울어 못 했다. 다음은 사모님이 들락날락하고 그리고 다음엔 손님이 왔다. 기어이 문기는 입을 열지 못한 채 물러 나오고 말았다.

　먼저보다 갑절● 무겁고 컴컴한 마음이었다. 도저히 문기의 약한 어깨로는 지탱하지 못할 무거운 눌림이다. 걸음은 집을 향해 가는 것이지만 반대로 마음은 멀어진다.

－ 현덕, 〈하늘은 맑건만〉에서

─────
● 갑절 두 배.

(1) 문기가 선생님에게 간 이유는 무엇인가요?

> 자신의 잘못을 (고백 / 변명)하기 위해서이다.

(2) 이 글에 나타나는 주요 갈등은 무엇인가요?

> 문기의 내적 갈등　　　　문기와 선생님의 외적 갈등

(3) 이 글에 나타난 문기의 심리에 해당하는 것을 <u>모두</u> 고르시오.

> 괴로움　　　　두려움　　　　후련함

1-2 다음 글을 읽고 물음에 답하시오.

> 니무슨주변에고기묵건나. 콩나물무거라. 참기름이나마니처 서무그라.

　누렇게 뜬 창호지에다 먹으로 쓴 편지의 일절이다. 언제부터인가 나는 피곤할 때면 화실 한쪽 벽에 걸린 그 조그마한 액자의 편지를 읽는 버릇이 생겼다. 그건 매우 서투른 글씨의 편지다. 앞부분과 끝부분은 없고 중간의 일부분만인 그 편지는 누가 누구에게 보낸 것인지도 알 수 없다. 다만 그 내용으로 미루어 시골에 있는 늙은 아버지—어쩌면 할아버지일지도 모른다.—가 서울에 돈 벌러 올라온 아들에게 쓴 편지라는 것이 대충 짐작될 따름이다. 사실은 그 편지가 노인이 쓴 것으로 생각되는 까닭은 그 내용도 내용이려니와 그보다도 더 그 편지의 종이나 글씨에 있는지 모른다. 아마 어느 가을에 문을 바르고 반 장쯤 남았던 창호지를 용케 생각해 내어 벽장 속을 뒤져 먼지를 떨고 손바닥으로 몇 번이나 쓸어 펴서 적당히 두루마리 모양이 나게 오린 것이리라. 누렇게 뜬 종이 가장자리가 삐뚤삐뚤하다.

－ 이범선, 〈표구된 휴지〉에서

─────
● 일절 종이 따위를 한 번 끊음.

(1) 이 글의 형식상 특징에 해당하는 것은 무엇인가요?
　① 발단 부분에 편지의 일부분이 직접 제시되었다.
　② 발단 부분에 시간적 배경과 등장인물에 대한 소개가 직접 제시되었다.

(2) 다음 중 작품 자체에 초점을 맞춰 감상하고 있는 사람은 누구인가요?

> 편지를 보니 자식이 어디에서든 끼니를 잘 챙겨 먹길 바라는 아버지의 사랑이 느껴져.

은수

> 돈을 벌기 위해 농촌에서 도시로 이동했던 1960년대의 사회 현실이 반영된 것 같아.

훈기

4주 4일 소설의 감상 방법

작가의 삶과 관련지은 감상

소설을 쓴 작가의 삶과 관련지어 감상하는 방법도 있어요.

시대 상황을 중심으로 한 감상

작품에 나타난 시대 상황에 초점을 맞춰 감상하기도 합니다.

● **작가의 삶과 관련지은 감상**
- 작품을 (ㅈㄱ)의 경험, 사상, 감정 등을 표현한 것으로 보고 작가의 삶에 초점을 맞추어 감상하는 방법.
- 작가의 생애, 성격, 가치관 등을 바탕으로 작품의 의미를 해석하고 감상함.

● **시대 상황을 중심으로 한 감상**
- 작품을 현실 세계의 반영이라 보고, 작품에 반영된 (ㅅㄷㅅㅎ)을 중심으로 감상하는 방법.
- 작품 속 세계와 실제의 현실 세계를 비교하며 감상함.

답 작가, 시대 상황

2-1 다음 글을 읽고 물음에 답하시오.

> 그날 처음 빌려 본 책이 "아아, 무정"이라는 제목으로 아동용으로 쉽게 간추려진 〈레 미제라블〉이었다. 물론 일본말이었고 삽화가 이루 말할 수 없이 아름다워 읽는 재미에다 황홀감을 더해 주었다. 간추려졌다고는 하지만 상당한 두께의 책이어서 도서관을 닫을 시간까지 열심히 읽었는데도 다 읽지 못했다. 대출은 허락되지 않았다. 못다 읽은 책을 그냥 놓고 와야 하는 심정은 내 혼을 거기다 반넘게 남겨 놓고 오는 것과 같았다. [중략]
> 내 동무가 읽은 건 〈소공녀〉였고 끝까지 다 읽었다고 했다. 우리는 몹시 흥분해서 서로가 읽은 책 이야기를 주고받았고 다음 일요일에도 또 가자고 약속했다.
> 엄마는 내가 일요일마다 도서관에 가는 것을 덮어놓고 기특해했고 오빠는 내가 공부하러 가는 게 아니라 동화책을 읽으러 간다는 것을 알았지만, 도서관에 비치된 책에 대해 신뢰감을 갖고 있었기 때문에 말리지 않았다. 그날 이후 일요일마다 도서관에 가서 책 한 권씩 읽는 건 내 어린 날의 찬란한 빛이 되었고, 복순이와 나는 더욱 단짝이 되었다.　　　－ 박완서, 〈그 많던 싱아는 누가 다 먹었을까〉에서

(1) 이 글의 제재는 무엇인가요?

> [어린 시절의 독서 경험]　　[성인 시절의 독서 경험]

(2) 도서관에서 처음 책을 접한 '나'의 심리는 어떠했나요?

> [서글픔]　　　　　[황홀감]

(3) 이 글을 읽고 다음과 같이 감상하였다고 할 때, 이와 관련 있는 감상 방법을 고르시오.

> 이 글에는 작가 자신의 경험이 반영되었다고 들었어. 이 글에 나타난 독서 경험이 '나'가 나중에 작가가 되는 데 밑바탕이 되었을 것 같아.

① 작가의 삶과 관련지은 감상
② 시대 상황을 중심으로 한 감상

2-2 다음 글을 읽고 물음에 답하시오.

> 우리 동네는 변두리였으므로 얼마 전까지도 모두 그날그날 벌어먹고 사는 사람들이 많아 연탄 배달도 일거리가 그리 많지 않았다. 기껏해야 구멍가게에서 두서너 장을 사서는 새끼줄에 대롱대롱 매달고 가는 게 고작이었다. 그랬는데 이삼 년 전부터 아직도 많은 빈터에 집터가 다져지고, 하나둘 문화 주택이 들어서더니 이제는 제법 그럴듯한 동네 꼴이 잡혀 갔다. 원래부터 있던 허름한 집들과 새로 생긴 집들과는 골목 하나를 경계로 하여 금을 긋듯 나누어져 있었는데, 먼 데서 보면 제법 그럴싸한 동네로 보였다. 일단 들어와 보면 지저분한 헌 동네가 이웃에 널려 있지만, 그냥 먼발치로만 보면 2층 슬래브 집들에 가려 닥지닥지 붙은 판잣집 등속이 보이지 않았으므로 서울의 변두리에 흔한 여느 신흥 부락으로만 보였다.
> 　　　　　　　　　　　　－ 최일남, 〈노새 두 마리〉에서

● 문화 주택　생활하기에 편리하고 보건 위생에 알맞은 새로운 형식의 주택.
● 등속　나열한 사물과 같은 종류의 것들을 몰아서 이르는 말.
● 신흥 부락　새로 생긴 마을.

(1) 이 글의 '우리 동네'와 관련 있는 단어를 <u>모두</u> 고르시오.

> [변두리]　　　[아파트]　　　[연탄]
> [자가용]　　　[판잣집]

(2) 다음 중 시대 상황을 중심으로 이 글을 감상한 사람은 누구인가요?

도시화가 진행됐던 1970년대의 사회적 상황이 드러나 있어.

은수

이 글의 서술자가 동네의 모습을 독자에게 직접 설명하고 있어.

훈기

[01~06] 다음 글을 읽고 물음에 답하시오.

가 길동이 점점 자라 여덟 살이 되자 총명하기가 보통이 넘어 하나를 들으면 백을 깨달았다. 공은 더욱 귀여워했지만 천한 어미 소생이어서 길동이 늘 아버지니 형이니 하고 부르면 그때마다 꾸짖고 그렇게 부르지 못하게 하였다. 길동이 열 살이 넘도록 감히 아버지와 형을 부르지 못하는 데다가 종들로부터도 천대받는 것을 뼈에 사무치게 한탄하면서 마음 둘 바를 몰랐다.

"대장부가 세상에 나서 공자와 맹자를 본받지 못할 바에야 차라리 병법이라도 익혀 대장인(大將印)을 허리춤에 비스듬히 차고 동서로 정벌하여 ⊙나라에 큰 공을 세우고 이름을 만대에 빛내는 것이 장부의 통쾌한 일이 아니겠는가? 나는 어찌하여 이렇게 외롭고, 아버지와 형이 있는데도 아버지를 아버지라 부르지 못하고 형을 형이라 부르지 못하니 심장이 터질 지경이라, 이 어찌 통탄할 일이 아니겠는가!"

나 길동은 스스로 '활빈당(活貧黨)'이라 이름하고 조선 팔도로 다니며 각 읍 수령이 불의로 모은 재물이 있으면 탈취(奪取)하고, 가난하고 의지할 데 없는 사람이 있으면 구제하면서 백성은 침범하지 않고 나라의 재산에는 추호도 손을 대지 않으니 부하들은 그 뜻에 감복하였다.

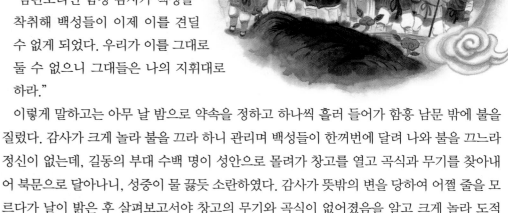

"탐관오리인 함경 감사가 백성을 착취해 백성들이 이제 이를 견딜 수 없게 되었다. 우리가 이를 그대로 둘 수 없으니 그대들은 나의 지휘대로 하라."

이렇게 말하고는 아무 날 밤으로 약속을 정하고 하나씩 흘러 들어가 함흥 남문 밖에 불을 질렀다. 감사가 크게 놀라 불을 끄라 하니 관리며 백성들이 한꺼번에 달려 나와 불을 끄느라 정신이 없는데, 길동의 부대 수백 명이 성안으로 몰려가 창고를 열고 곡식과 무기를 찾아내어 북문으로 달아나니, 성중이 물 끓듯 소란하였다. 감사가 뜻밖의 변을 당하여 어쩔 줄을 모르다가 날이 밝은 후 살펴보고서야 창고의 무기와 곡식이 없어졌음을 알고 크게 놀라 도적 잡기에 힘을 기울였다.

그런데 북문에 방이 붙기를,

"아무 날 돈과 곡식을 도적한 자는 활빈당 당수(黨首) 홍길동이다."

하였기에 감사가 군사를 뽑아 보내어 도적을 잡으려 하였다. 길동은 여러 부하와 함께 곡식을 많이 탈취했으나 행여 길에서 잡힐까 염려하여 둔갑법과 축지법(縮地法)을 써서 처소로 돌아왔더니 날이 새려 하였다.

— 허균, 〈홍길동전〉에서

이 작품은

조선 시대의 문인 허균이 지은 한글 소설로, 적서 차별이 심하고, 부패한 벼슬아치들이 횡포를 부려 백성이 살기 어려웠던 당대의 현실이 잘 반영되어 있습니다.

어휘 풀이

- **공** 사람을 높여 부르거나 이르는 말. 이 글에서는 홍길동의 아버지 '홍 판서'를 가리킴.
- **소생** 자기가 낳은 아들이나 딸.
- **병법** 군사를 지휘하여 전쟁하는 방법.
- **대장인** 대장이 가지던 도장. 대장의 신분을 알리는 증표가 됨.
- **통탄하다** 매우 가슴 아파하며 탄식하다.
- **활빈당** 가난한 사람들을 살리는 무리.
- **탈취하다** 남의 것을 강제로 빼앗아 가지다.
- **구제하다** 어려운 처지에 놓인 사람을 도와주다.
- **추호** 매우 적거나 조금인 것을 비유적으로 이르는 말.
- **감복하다** 진심으로 크게 감동하다.
- **탐관오리** 백성의 재물을 탐내어 빼앗는 타락한 관리.
- **당수** 단체의 우두머리.
- **축지법** 도술을 부려 땅을 좁혀서 먼 거리를 아주 빨리 갈 수 있게 하는 방법.

1 길동은 어릴 적 자신의 처지에 (만족했다 / 슬퍼했다).

2 길동은 (ㅎㅂㄷ)을 만들어 가난한 백성들을 도와주었다.

3 **나**에서 (ㅌㄱㅇㄹ)는 이 글에 나타난 시대 상황을 분명하게 보여 주는 말이다.

01 이 글에 대한 설명으로 적절하지 <u>않은</u> 것은?

① 한글로 쓴 이야기이다.

② 비범한 능력을 지닌 주인공이 등장한다.

③ 당시의 사회·문화적 상황이 반영되어 있다.

④ 신분 차별로 인한 인물의 갈등이 나타나 있다.

⑤ 작품 속 주인공이 자신의 이야기를 직접 전달하고 있다.

02 이 글에서 알 수 있는 당시 시대 상황으로 적절한 것끼리 묶인 것은?

ㄱ. 신분 제도가 존재했다.

ㄴ. 여성이 관직에 진출하기 시작했다.

ㄷ. 적자와 서자• 사이에 차별이 있었다.

ㄹ. 양반은 부인을 여러 명 둘 수 있었다.

ㅁ. 재력을 바탕으로 상인 계급이 크게 성장했다.

• 적자, 서자 본인이 낳은 아들을 적자, 본부인이 아닌 여자가 낳은 아들을 서자라 함.

① ㄱ, ㄴ, ㄷ   ② ㄱ, ㄷ, ㄹ

③ ㄱ, ㄷ, ㅁ   ④ ㄴ, ㄷ, ㄹ

⑤ ㄴ, ㄹ, ㅁ

03 **가**에서 길동이 한탄하는 이유로 적절하지 <u>않은</u> 것은?

① 타고난 재능이 부족해서

② 천한 어미에게서 태어나서

③ 종들로부터 천대를 받아서

④ 형을 형이라 부를 수 없어서

⑤ 아버지를 아버지라 부를 수 없어서

04 ㉠과 관련 있는 한자 성어로 적절한 것은?

① 고진감래(苦盡甘來)

② 관포지교(管鮑之交)

③ 역지사지(易地思之)

④ 입신양명(立身揚名)

⑤ 청출어람(靑出於藍)

05 **나**에서 부하들이 길동에게 감복한 이유로 적절한 것은?

① 길동이 명문가의 자식이어서

② 길동이 백성들의 지지를 받아서

③ 길동이 가난한 백성을 구제해 주어서

④ 길동이 뛰어난 도술을 지니고 있어서

⑤ 길동이 나라의 재산을 백성에게 나누어 주어서

06 다음 중 〈보기〉와 같은 관점에서 이 글을 감상한 학생이 누구인지 쓰시오.

> **보기**
>
> 〈홍길동전〉이 창작된 시기는 집권층의 횡포로 많은 백성이 고통받는 시기였다. 홍길동이 활빈당을 조직하여 백성들을 괴롭히는 탐관오리를 응징하는 것은 이러한 시대상을 반영한 것이라고 할 수 있다.

윤서: 〈홍길동전〉은 홍길동이라는 영웅의 시련과 성장을 그린 영웅 소설이야.

지후: 〈홍길동전〉은 작가 허균의 경험과 사상이 잘 드러난 작품이야.

율희: 〈홍길동전〉은 적서 차별이라는 당시 시대 상황을 잘 반영한 작품이야.

서준: 홍길동이 둔갑법과 축지법을 쓰는 것을 보면 〈홍길동전〉은 고전 소설의 비현실성이 잘 드러난 작품이야.

도움말

〈보기〉는 작품 자체, 작가, 시대 상황 중 어느 것에 중점을 두어 감상한 내용인지 생각해 보세요.

9주

4일

4주 5일 소설의 감상_종합

개념 한번 더 체크

소설의 배경

시간적 배경

소설에서 ☐☐이 행동하고 사건이 일어나는 구체적인 시간.

공간적 배경

소설에서 인물이 활동하고 사건이 일어나는 구체적인 공간.

배경의 기능

- 인물의 행동과 사건에 ☐☐☐을 부여함.
- 작품의 전반적인 분위기를 만듦.

실제 있었던 일제 강점기를 배경으로 하니까 이인국 박사의 행동이 더 사실적으로 다가와.

소설의 소재

소재의 개념

글의 내용이 되는 재료.

소재의 기능

- 갈등의 원인, ☐☐ 해소의 실마리가 될 수 있음.
- 여러 장면이나 사건을 자연스럽게 연결해 줌.
- 인물의 성격이나 심리를 파악할 수 있게 함.
- ☐☐를 압축적으로 전달하기도 함.

나 '감자'가 갈등의 원인이지.

소설의 표현 방법

비유

표현하고자 하는 대상을 다른 대상에 ☐ ☐어 표현하는 방법.

반어

원래 표현하려는 내용을 실제 의미와는 ☐ 되는 말이나 상황으로 표현하는 방법.

상징

인간의 감정, 사상 같은 추상적인 관념을 구체적인 사물로 나타내는 방법.

예 ← 행운

 ← 평화

풍자

인물의 부정적인 면이나 사회의 부조리 등을 간접적으로 비판하여 ☐☐을 유발하는 표현 방법.

소설의 감상 방법

작품 자체에 초점을 맞춘 감상

작품 외적인 요소를 완전히 제외하고 작품 자체에만 초점을 맞추어 감상하는 방법.

작가의 삶과 관련지은 감상

작품을 ☐☐의 경험, 사상, 감정 등을 표현한 것으로 보고 작가와 관련지어 감상하는 방법.

시대 상황을 중심으로 한 감상

작품을 현실 세계의 반영이라 보고, 작품에 반영된 시대 상황을 중심으로 감상하는 방법.

답 인물, 사실성, 갈등, 주제, 빗대, 반대, 웃음, 작가

[01~06] 다음 글을 읽고 물음에 답하시오.

이 작품은
6·25 전쟁 중 피란길에 홀로 남겨진 아이를 중심으로 전쟁의 비극과 황폐해져 가는 사람들의 모습을 그린 소설입니다.

앞부분 줄거리
6·25 전쟁이 한창인 때, 만경강 다리 근처에 위치한 '나'의 마을에는 피란민의 발길이 끊이지 않는다. '나'는 한 무리의 피란민이 머물다 떠난 자리에 혼자 남겨져 있던 한 아이를 발견한다.

어휘 풀이

● **주제꼴** 변변하지 못한 몰골이나 몸치장.
● **곱살스럽다** 얼굴이나 성미가 예쁘장하고 얌전한 데가 있다.
● **피란민** 난리를 피하여 가는 백성.
● **설다** 익숙하지 못하다.
● **물빤드기** 물맴이 등의 물에 사는 곤충을 가리키는 말의 사투리로, 별로 하는 일 없이 게으름을 피우며 얄밉고 빤빤스럽게 놀기만 하는 사람을 이름.
● **야멸차다** 자기만 생각하고 남의 사정을 돌볼 마음이 거의 없다.
● **인지** 집게손가락.
● **뒤란** 집 뒤 울타리의 안.
● **칩떠보다** 눈을 치뜨고 노려보다.

가 "얘." / 생판 모르는 녀석이 간드러진 소리로 나를 부르고 있었다. 주제꼴은 꾀죄죄해도 곱살스러운 얼굴에 꼭 계집애처럼 생긴 녀석이었다. 우선 생김새에서 풍기는, 어딘지 모르게 도시 아이다운 냄새가 나를 당황하도록 만들었다. 더구나 사람을 부르는 방식부터가 우리하고는 딴판이었다. 그처럼 교과서에서나 보던 서울 말씨로 나를 부르는 아이는 아직껏 마을에 한 명도 없었던 것이다.

"왜 놀라니? 내가 무서워 보이니?"

조금도 무섭지 않았다. 다만 약간 얼떨떨한 기분일 뿐이었다. 피란민이 줄을 잇는 동안 갖가지 귀에 선 말씨들을 들어 왔으나 녀석처럼 그렇게 착 감기는 목소리에 겁 없는 눈짓을 던지는 아이는 처음이었다. 녀석은 토박이 아이들이 피란민 아이들한테 부리는 텃세가 조금도 두렵지 않은 모양이었다.

중간 부분 줄거리 | 배고프고 갈 곳 없는 녀석은 '나'를 따라 우리 집으로 오고, 어머니는 녀석을 보자마자 달가워하지 않으며 내쫓으려고 한다.

나 ㉠"아침상 퍼얼써 다 치웠다. 따른 집에나 가 봐라." / 어머니는 얼음처럼 차갑게 말했다.

"사나새끼가 똑 지집맹키로 야들야들허게 생긴 것이 영락없는 물빤드기고만……."

혼잣말을 구시렁거리며 어머니는 한껏 야멸찬 표정을 하고 도로 부엌으로 들어가려 했다.

"아줌마!" / 이때 녀석이 또 예의 그 계집애처럼 간드러진 소리로 어머니를 불러 세웠다.

"따른 집에나 가 보라니께!" / "아줌마한테 요걸 보여 줄려구요."

녀석은 엄지와 인지를 붙여 동그라미를 만들어 보였다. 그 동그라미 위에 다른 또 하나의 작은 동그라미가 노란 빛깔을 띠면서 날름 올라앉아 있었다. 뒤란 그늘 속에서도 그것은 충분히 반짝이고 있었다. 그걸 보더니 어머니의 눈에 환하게 불이 켜졌다.

"아아니, 너, 고거 ㉡금가락지 아니냐!"

말이 채 끝나기도 전에 금반지는 어느새 어머니의 손에 건너가 있었다. 솔개가 병아리를 채듯이 서울 아이의 손에서 금반지를 낚아채어 어머니는 한참을 칩떠보고 내립떠보는가 하면, 혓바닥으로 침을 묻혀 무명 저고리 앞섶에 싹싹 문질러 보다가 나중에는 이빨로 깨물어 보기까지 했다. 마침내 ㉢어머니의 얼굴에 만족스러운 미소가 떠올랐다.

– 윤흥길, 〈기억 속의 들꽃〉에서

1 이 글의 서술자는?

☐ '나'　　　☐ 녀석　　　☐ 어머니

2 이 글의 시대적 배경은?

☑ 일제 강점기　　　☐ 6·25 전쟁

3 **나** 에서 사건이 전개되는 데 중심적인 역할을 하는 소재는
(ㄱㄱㄹㅈ)이다.

01 이 글의 서술상 특징으로 적절한 것은?

① 작품 속 주인공 '나'가 자신의 이야기를 중심으로
서술하고 있다.

② 서술자가 작품 밖 관찰자의 위치에서 이야기를
서술하고 있다.

③ 서술자가 신처럼 전지전능한 입장에서 이야기를
서술하고 있다.

④ 소설 속 모든 인물의 내면 심리나 감정 변화 등을
생생하게 전달하고 있다.

⑤ 작품 속 인물인 '나'가 관찰자의 입장에서 주인공
에 대한 이야기를 서술하고 있다.

02 **가** 에 나타난 '녀석'의 특징으로 적절하지 <u>않은</u> 것은?

① 겁이 많음.

② 목소리가 간드러짐.

③ 여자아이처럼 생김.

④ 서울 말씨를 사용함.

⑤ 도시 아이 같은 생김새를 지님.

03 다음은 이 글의 시대적 배경에 대한 대화이다. 빈칸에 들
어갈 알맞은 말을 쓰시오.

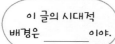

이 글의 시대적
배경은 _____ 이야.

맞아. '피란민'이란
단어를 보면 배경이
언제인지 알 수 있지.

04 〈보기〉를 참고할 때, ㉠의 이유와 관련 있는 사회·문화적
상황으로 적절한 것은?

보기

　　어른들은 피란민을 별로 달가워하지 않았다.
[중략] 굶주린 어린애를 앞세워 식량을 애원하는
그들 때문에 어른들은 골머리를 앓곤 했다. 언제
끝날지 모르는 전쟁 때문에 뒤주 속에 쌀바가지를
넣었다 꺼내는 어머니의 인심이 날로 얄팍해져 갔
다.　　　　　　　　　－ 윤흥길, 〈기억 속의 들꽃〉에서

● 뒤주 쌀, 보리, 콩 등의 곡식을 담아 두는 데 쓰는 네모나고
큰 나무 상자.

① 전쟁 때문에 식량이 부족해져 인심이 각박해졌다.

② 전쟁 중에도 아이들을 위한 교육을 멈추지 않았다.

③ 전쟁이 끝나고 고향으로 돌아가는 피란민이 많아
졌다.

④ 전쟁으로 부모를 잃은 아이들은 모두 고아원에서
생활했다.

⑤ 피란을 가다가 가족과 떨어져 이산가족이 된 사
람이 많았다.

05 ㉡의 역할로 적절한 것은?

① '나'와 녀석이 친해지는 계기가 된다.

② 작품의 전체적인 분위기를 형성한다.

③ 녀석이 어머니의 관심을 끄는 수단이 된다.

④ '나'의 성격을 단적으로 드러내는 역할을 한다.

⑤ '나'와 어머니 사이에 갈등이 생기는 원인이 된다.

06 어머니가 ㉢과 같이 행동한 이유로 적절한 것은?

① 가족을 잃은 녀석이 불쌍했기 때문에

② 금가락지가 진짜임을 확인했기 때문에

③ 녀석을 머슴으로 부리기로 결정했기 때문에

④ 녀석이 여자아이라는 것이 밝혀졌기 때문에

⑤ 녀석이 금가락지를 많이 갖고 있음을 확인했기
때문에

이 작품은
조선 후기 양반의 부정적인 모습을 비판한 소설로, 양반들의 허례허식과 모순을 풍자를 써서 드러내고 있습니다.

앞부분 줄거리
한 무능한 양반이 관아에서 빌린 빚을 갚지 못해 곤란한 상황에 놓이자, 그 마을에 사는 부자가 양반의 빚을 대신 갚아 주고 양반 신분을 사려고 한다.

어휘 풀이

● **허례허식** 형편에 맞지 않게 겉만 화려하게 꾸밈. 또는 그런 예절.
● **모순** 어떤 사실의 앞뒤, 또는 두 사실이 서로 어긋나 이치에 맞지 않음.
● **비천하다** 지위나 신분이 낮고 천하다.
● **환자** 환곡. 조선 시대에, 각 고을에서 봄에 백성들에게 곡식을 꾸어 주고 가을에 이자를 붙여 거두던 일. 또는 그 곡식.
● **증서** 권리, 의무, 사실 등을 증명하는 문서.
● **일절** 아주, 전혀, 절대로의 뜻으로, 흔히 행위를 그치게 하거나 어떤 일을 하지 않을 때에 쓰는 말.
● **홍패** 문과 급제자에게 주던 합격 증서.
● **척** 길이의 단위. 약 30.3센티미터에 해당한다.
● **곤궁하다** 가난하고 여유가 없다.

[07~12] 다음 글을 읽고 물음에 답하시오.

가 그 마을의 부자가 가족과 상의하며 이렇게 말했다.

"양반은 가난하다 할지라도 늘 존귀하지만, 나는 부자라도 항상 비천해서 감히 말도 탈 수 없고, 양반을 보면 몸을 움츠리고 숨을 죽인 채 설설 기어가 바닥에 엎드려 절해야 하고, 코가 땅에 닿도록 엎어져 무릎으로 기어야 해. 나는 항상 이런 수모를 겪으며 살아왔어. 지금 양반 하나가 가난해서 환자를 갚지 못하다가 큰 곤욕을 치르게 생겼으니, 필시 양반 신분을 유지하지 못할 듯싶어. 내가 장차 그 양반 신분을 사서 가졌으면 해."

중간 부분 줄거리 | 마을의 부자는 양반의 빚을 대신 갚아 주고 양반 신분을 산다. 이 이야기를 들은 군수는 부자를 불러 양반으로서 지켜야 할 일에 관한 내용을 담은 첫 번째 양반 신분 매매 증서를 작성한다.

나 "양반은 비천한 일은 일절 않고, 훌륭한 옛사람과 같이 되기를 바라며 뜻을 고상하게 가져야 한다. [중략] 손으로 돈을 만지지 말고 쌀값을 묻지 말아야 한다. 아무리 더워도 버선을 벗지 말고, 맨상투로 식사를 해서는 안 된다. 밥 먹을 때 국을 먼저 떠먹어서는 안 되고, 마실 때 후루룩 소리를 내서는 안 된다. 젓가락으로 음식을 집을 때 방아 찧듯이 해서는 안 되고, 생파를 먹지 말아야 한다. 술 마실 때 수염을 빨지 말고, 담배 피울 때 볼이 움푹 패도록 담배를 빨지 말아야 한다."

다 호장이 증서를 다 읽고 나자 부자는 한참 멍하니 있다가 말했다.

"양반이라는 게 겨우 이것뿐입니까? 저는 양반이 신선과 같다고 들었는데, 양반이라는 게 정말 이뿐이라면 너무 재미없는 일 아닙니까. 저에게 뭔가 이익이 되도록 증서를 고쳐 주십시오."

그러자 군수는 증서를 새로 만들었다. [중략]

"양반은 농사도 짓지 않고 장사도 하지 않지만, 글공부 대충해서 크게 되면 문과(文科) 급제요, 작게 되더라도 진사(進士) 급제다. 문과 홍패가 이 척에 불과하지만 그 안에 온갖 물건이 구비되어 있으니, 이것이 곧 돈 자루다. [중략]

곤궁한 선비는 시골에 살아도 제멋대로 횡포를 부릴 수 있다. 이웃집 소를 뺏어다가 제 논을 먼저 갈고, 백성들을 끌어다가 제 밭 김을 매게 한들 누가 감히 대들쏘냐? 코에다가 잿물을 들이붓고, 머리끄덩이를 돌리며 귀밑머리를 뽑은들 감히 원망할 자 없을지어다."

증서를 작성하는 중간에 부자가 혀를 내두르며 말했다.

"그만두세요. 그만둬! 맹랑하기도 합니다! 장차 나를 ㉠도둑놈으로 만들 셈입니까?"

부자는 고개를 절레절레 흔들며 가더니 죽을 때까지 다시는 양반이 되겠다는 말을 하지 않았다.

– 박지원, 〈양반전〉에서

간단 체크

4 양반이 자신의 신분을 부자에게 판 까닭은?

□ 빚을 갚기 위해서   □ 장사를 하기 위해서

5 부자는 자신에게 (손해가 / 이익이) 되도록 증서를 고쳐 달라고 요구한다.

6 이 글에서 양반에 대한 작가의 부정적인 생각을 분명하게 드러낸 단어는 (ㄷㄷㄹ)이다.

07 이 글에 나타난 시대 상황으로 적절하지 <u>않은</u> 것은?

① 돈으로 신분을 사고팔 수 있었다.
② 양반은 가난해도 존귀하게 대우받았다.
③ 사람은 각자의 능력에 따라 대우받았다.
④ 평민은 돈이 많아도 양반들에게 수모를 당했다.
⑤ 신분을 이용하여 백성들에게 횡포를 부리는 양반이 있었다.

08 ⓐ에 나타난 양반이 지켜야 할 행동으로 적절하지 <u>않은</u> 것은?

① 쌀값을 묻지 말아야 한다.
② 손으로 돈을 만지지 말아야 한다.
③ 맨상투로 식사를 해서는 안 된다.
④ 아무리 더워도 버선을 신고 있어야 한다.
⑤ 밥을 먹을 때에는 국을 먼저 떠먹어야 한다.

09 ⓐ에 나타난 매매 증서의 역할로 적절한 것은?

① 부자가 양반이 되기를 포기하게 만든다.
② 부자와 가족 사이의 갈등을 심화시킨다.
③ 양반과 부자의 사이를 돈독하게 만든다.
④ 양반이 존경받을 만한 사람임을 알게 한다.
⑤ 양반이 자신의 신분을 부자에게 파는 계기가 된다.

도움말

두 번째 매매 증서의 내용을 듣고 부자가 한 행동이 무엇인지 생각해 보세요.

10 다음은 ㉠을 통해 작가가 표현하고자 한 바를 정리한 것이다. 빈칸에 들어갈 알맞은 말을 순서대로 쓰시오.

작가는 부당한 특권을 누리고 횡포를 저지르는 _____의 모습을 _____하고자 했어.

11 〈보기〉에서 밑줄 친 아내의 말을 통해 풍자하고 있는 양반의 모습으로 적절한 것은?

보기

양반은 밤낮으로 울기만 할 뿐 빚을 갚을 아무런 대책이 없었다. 그러자 양반의 아내가 나무랐다.

"평생 당신은 책 읽기를 좋아하더니만 환자 갚는 데는 아무 소용도 없구려. 쯧쯧, 양반! 양반은 한 푼어치도 안 되는구려!"

– 박지원, 〈양반전〉에서

① 경제적으로 무능력한 모습
② 부당한 특권을 누리는 모습
③ 허례허식에 얽매여 있는 모습
④ 백성들에게 횡포를 저지르는 모습
⑤ 가족을 소홀히 여기고 돈만 밝히는 모습

12 다음 중 이 글을 읽은 감상 내용으로 적절하지 <u>않은</u> 것은?

① 태영: 양반은 과거에 급제하면 부당한 이득을 취할 수 있었겠군.
② 남규: 이 글은 가난한 백성을 위해 일하는 양반의 사례를 보여 주기 위해 쓰였군.
③ 정우: 부자는 두 번째 증서의 내용을 듣고 양반에 대한 인식이 부정적으로 바뀌었군.
④ 서영: 양반은 이것저것 지켜야 할 게 많은 것 같아. 지나치게 허례허식에 얽매여 있어.
⑤ 희주: 결국 부자가 바라는 양반의 모습은 두 가지 증서 중 어느 것에도 나타나지 않았군.

4주

5일

누구나 100점 테스트

▶▶136~139쪽 참고

01 다음 빈칸에 들어갈 알맞은 말을 순서대로 쓰시오.

> 소설의 배경에는 크게 두 가지가 있다. 먼저 사건이 일어나는 구체적인 시간을 가리키는 (   )적 배경이 있다. 그리고 사건이 일어나는 구체적인 공간인 (   )적 배경이 있다.

▶▶136~139쪽 참고

02 다음 글을 읽고 괄호 안에서 알맞은 말을 고르시오.

> 한 떼거리의 피란민(避亂民)들이 머물다 떠난 자리에 소녀는 마치 처치하기 곤란한 짐짝처럼 되똑하니 남겨져 있었다. 정갈한 청소부가 어쩌다가 실수로 흘린 쓰레기 같기도 했다.
> – 윤흥길, 〈기억 속의 들꽃〉에서

• 이 글의 시간적 배경은 (6·25 전쟁 / 해방 직후)이다.

▶▶136~141쪽 참고

03 다음 글을 읽고 이 글의 배경으로 알맞은 것을 〈보기〉에서 <u>모두</u> 고르시오.

> 1945년 팔월 하순.
> 아직 해방의 감격이 온 누리를 뒤덮어 소용돌이칠 때였다.
> 말복도 지난 날씨언만 여전히 무더웠다. [중략]
> 굳게 닫혀 있는 은행 철문에 붙은 벽보가 한길을 건너 하얀 윤곽만이 두드러져 보인다.
> 아니 그곳에 씌어 있는 구절.
> '친일파, 민족 반역자를 타도하자.'
> – 전광용, 〈꺼삐딴 리〉에서

보기
ㄱ 여름   ㄴ 일본   ㄷ 해방 직후

(   )

▶▶142~145쪽 참고

04 다음 빈칸에 공통으로 들어갈 알맞은 말을 쓰시오.

> • 글의 내용이 되는 재료인 (   )는 소설 속 여러 장면이나 사건을 자연스럽게 연결하는 기능을 한다.
> • 특정 (   )를 대하는 인물의 태도나 반응을 통해 인물의 성격이나 심리 상태 등을 파악할 수 있다.

▶▶142~145쪽 참고

05 다음 중 소재의 기능을 <u>잘못</u> 이해한 학생이 누구인지 쓰시오.

소재는 갈등의 원인이 되기도 하고, 갈등 해소의 실마리가 되기도 해.

은수

소설에서 소재는 보조적인 역할에 머무르기 때문에 작품의 주제와는 관련이 없어.

훈기

(   )

▶▶142~145쪽 참고

06 다음 글을 읽고 이 글의 중심 소재가 무엇인지 쓰시오.

> 언제부터인가 나는 피곤할 때면 화실 한쪽 벽에 걸린 그 조그마한 액자의 편지를 읽는 버릇이 생겼다. 그건 매우 서투른 글씨의 편지다. 앞부분과 끝부분은 없고 중간의 일부분만인 그 편지는 누가 누구에게 보낸 것인지도 알 수 없다. 다만 그 내용으로 미루어 시골에 있는 늙은 아버지—어쩌면 할아버지일지도 모른다.—가 서울에 돈 벌러 올라온 아들에게 쓴 편지라는 것이 대충 짐작될 따름이다.
> – 이범선, 〈표구된 편지〉에서

(   )

07 소설의 표현 방법과 설명을 바르게 연결하시오.

▶▶148~151쪽 참고

(1)	상징	•	• ㉠	인간의 감정이나 사상 같은 추상적인 관념을 구체적인 사물로 나타내는 방법.
(2)	반어	•	• ㉡	표현하고자 하는 대상을 다른 대상에 빗대어 표현하는 방법.
(3)	비유	•	• ㉢	인물의 부정적인 면이나 사회의 부조리 등을 간접적으로 비판하며 웃음을 유발하는 방법.
(4)	풍자	•	• ㉣	원래 표현하려는 내용을 실제 의미와는 반대되는 말이나 상황으로 표현하는 방법.

08 다음 글을 읽고 어떤 표현 방법이 사용되었는지 쓰시오.

▶▶148~151쪽 참고

> "양반은 농사도 짓지 않고 장사도 하지 않지만, 글공부 대충해서 크게 되면 문과(文科) 급제요, 작게 되더라도 진사(進士) 급제다. [중략] 곤궁한 선비는 시골에 살아도 제멋대로 횡포를 부릴 수 있다. 이웃집 소를 뺏어다가 제 논을 먼저 갈고, 백성들을 끌어다가 제 밭 김을 매게 한들 누가 감히 대들쏘냐? 코에다가 잿물을 들이붓고, 머리끄덩이를 돌리며 귀밑머리를 뽑은들 감히 원망할 자 없을지어다."
>
> ― 박지원, 〈양반전〉에서

( )

09 다음을 읽고 괄호 안에서 알맞은 말을 고르시오.

▶▶154~157쪽 참고

(1) 소설에 나타난 인물의 특징, 사건의 구성 방식, 표현 기법 등을 중심으로 소설을 감상하는 방법은 (작품 자체에 / 작품 외적인 요소에) 초점을 맞춘 감상이다.

(2) 작품을 현실 세계의 반영이라고 보고, 작품 속 세계와 현실 세계를 비교하며 감상하는 방법은 (작가의 삶과 관련지은 / 시대 상황을 중심으로 한) 감상이다.

10 다음은 학생들이 〈홍길동전〉을 읽은 뒤 보인 반응이다. 어떤 감상 방법으로 소설을 감상하고 있는지 〈보기〉에서 찾아 알맞은 기호를 쓰시오.

▶▶154~157쪽 참고

보기
㉠ 작가의 삶과 관련지은 감상
㉡ 시대 상황을 중심으로 한 감상
㉢ 작품 자체에 초점을 맞춘 감상

 윤서 〈홍길동전〉에는 출세하는 데에 신분상의 제약이 컸던 당시 사회의 모습이 반영되어 있어.

 지후 많은 고전 소설이 그러하듯 〈홍길동전〉도 3인칭 전지적 시점에서 서술되어 있어.

 율희 허균이 〈홍길동전〉을 쓴 데에는 서자 출신이었던 스승의 영향이 컸던 것 같아.

 서준 길동이 비범한 능력을 가지고 있다는 설정은 〈홍길동전〉이 가진 영웅 소설로서의 특징 중 하나야.

(1) 윤서: ( ) (2) 지후: ( )
(3) 율희: ( ) (4) 서준: ( )

❶ 신나는 어휘 놀이

정현이네 반 친구들은 교과서에 나온 문학 작품을 더 잘 이해하기 위해 버스를 타고 문학관에 답사를 가기로 했습니다.
정현이네 반 친구들이 어느 버스를 타고, 어느 작가의 문학관에 가는지 알아봅시다.

1 **정현이네 반 친구들이 문학관에 가기 위해 타야 할 버스 번호를 알아맞혀 보자.**

■ 제시된 뜻풀이에 알맞은 단어의 숫자를 순서대로 나열하면 버스 번호를 알 수 있어요.

첫 번째 자리의 번호	대상이나 세력을 쳐서 무너뜨리다.
두 번째 자리의 번호	어려운 처지에 놓인 사람을 도와주다.
세 번째 자리의 번호	자기만 생각하고 남의 사정을 돌볼 마음이 거의 없다.

1 감복하다	2 곤궁하다	3 구제하다	4 당하다	5 되똑하다
6 설다	7 야멸차다	8 타도하다	9 통탄하다	

2 정현이네 반 친구들이 가려는 곳이 어느 작가의 문학관인지 알아맞혀 보자.

> **놀이 방법**
> • 책 표지에 제시된 뜻풀이에 해당하는 단어를 아래 표에서 찾아요.
> • 단어 아래에 적힌 자음과 모음을 순서대로 조합해서 빈칸에 이름을 써넣어요.

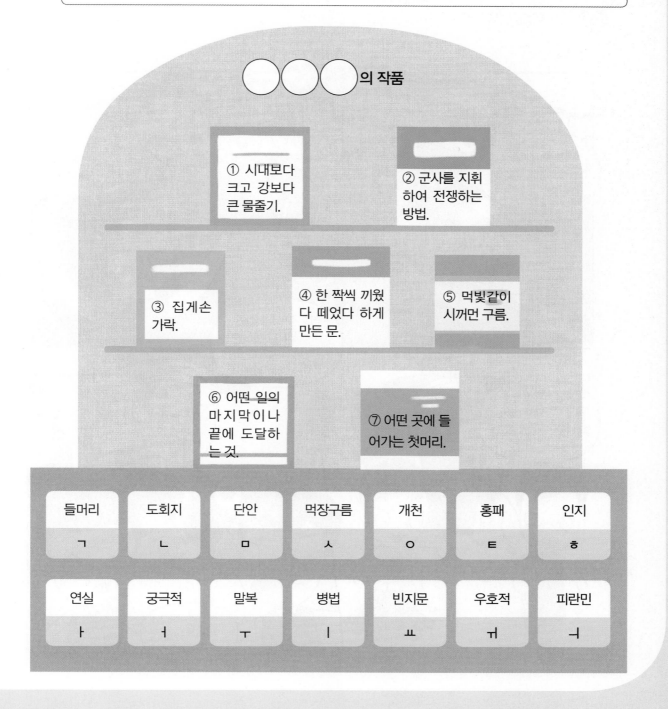

◯◯◯의 작품

① 시대보다 크고 강보다 큰 물줄기.

② 군사를 지휘하여 전쟁하는 방법.

③ 집게손가락.

④ 한 짝씩 끼웠다 떼었다 하게 만든 문.

⑤ 먹빛같이 시꺼먼 구름.

⑥ 어떤 일의 마지막이나 끝에 도달하는 것.

⑦ 어떤 곳에 들어가는 첫머리.

들머리	도회지	단안	먹장구름	개천	홍패	인지
ㄱ	ㄴ	ㅁ	ㅅ	ㅇ	ㅌ	ㅎ

연실	궁극적	말복	병법	빈지문	우호적	피란민
ㅏ	ㅓ	ㅜ	ㅣ	ㅛ	ㅟ	ㅢ

ㄴ주

❷ Q&A 특강

Q 왜 풍자를 사용해서 비판하는 걸까요?

❸ 소설 속 우리 역사

소설 중에는 실제로 있었던 역사적 상황을 배경으로 하는 소설이 있어요. 그래서 소설을 읽다 보면 그 당시 사회의 모습이 어떠했는지 알 수도 있어요. 일제 강점기부터 6·25 전쟁을 배경으로 한 소설들을 살펴보며 당시 사회 모습이 어떠했는지 같이 알아보기로 해요.

일제 강점기를 배경으로 하는 소설

▲ '황국 신민의 맹세'를 하는 사람

▲ 일본으로 가져가기 위해 항구에 쌓아
놓은 쌀

• 아침에 운동장에서 조회를 할 때마다 황국 신민의 맹세를 하고 나서 군가 행진곡에 발을 맞춰 교실에 들어갈 때면 괜히 피가 뜨거워지곤 했는데 그건 뭔가를 무찌르러 달려 나가야 할 것 같은 호전적인 정열이었다.
• 그 후 얼마 안 돼 쌀이 배급제가 되더니 운동화와 고무신까지 배급제가 되었다. 쌀은 식구에 따라 배급 통장을 만들어 주었지만 고무신은 동네 애국반을 통해 한 반에 한두 켤레씩 나오면 제비를 뽑아서 순서를 정했다.
• 창씨개명령은 그보다 앞서 내렸는데 생활이 각박해지면서 그 강제성도 더욱 심해져 더욱 인심을 흉흉하게 만들었다.

– 박완서, 〈그 많던 싱아는 누가 다 먹었을까〉에서

● 황국 신민의 맹세 '황국 신민'은 '일본 왕의 신하 된 백성'을 뜻함. 즉 조선인이 일본 왕에게 충성할 것을 맹세하는 말.
● 배급제 물건이나 식량 등을 나누어 주는 제도.

➜ 일제 강점기(1910~1940년대)에 일본은 우리 민족의 이름을 강제로 일본식으로 바꾸거나, 일본 왕에게 충성하겠다는 맹세를 하게 했습니다. 그리고 쌀과 같은 식량과 각종 자원을 전쟁에 필요하다는 이유로 빼앗아 갔습니다.

8·15 광복 전후를 배경으로 하는 소설

▲ 8·15 광복 직후 만세를 부르는 사람들

- 1945년 팔월 하순.
  아직 해방의 감격이 온 누리를 뒤덮어 소용돌이칠 때였다.
- 들끓는 소리는 더 커 갔다. 궁금증에 견디다 못해 그는 엉거주춤 꾸부린 자세로 밖을 내다보았다. 포도에 뒤끓는 사람들은 손에 손에 태극기와 적기(赤旗)를 들고 환성을 올리고 있었다. '무엇일까?'
  그는 고개를 갸웃하며 다시 자리에 주저앉았다.

계단을 구르며 급히 올라오는 발자국 소리가 들려 왔다. 혜숙이다.
"아마 소련군이 들어오나 봐요, 모두들 야단법석이에요……."

– 전광용, 〈꺼삐딴 리〉에서

● 포도 포장도로.　　　　● 적기 소련 국기.

➡ 이 시기는 일본에게서 해방되었다는 기쁨도 잠시, 남쪽과 북쪽에 각각 미군과 소련군이 머무르게 되면서 한반도에 삼팔선이 그어지게 됩니다. 그래서 해방 직후의 혼란한 시기에 이념의 대립으로 갈등하거나 기회주의적인 모습을 보이는 사람들도 있었습니다.

6·25 전쟁을 배경으로 하는 소설

▲ 대동강 철교를 건너는 피란민

- 한 떼거리의 피란민들이 머물다 떠난 자리에 소녀는 마치 처치하기 곤란한 짐짝처럼 되똑하니 남겨져 있었다.
- 먼저, 쫓기는 사람들의 무리가 드문드문 마을에 나타나기 시작했다. 그리고 곧이어 포성이 울렸다. 돌산을 뚫느라고 멀리서 터뜨리는 남포의 소리처럼 은은한 포성이 울릴 때마다 집안의 기둥이나 서까래가 울고 흙벽이 떨었다. 포성과 포성의 사이사이를 뚫고 피란민의 행렬이 줄지어 밀어닥쳤다.

– 윤흥길, 〈기억 속의 들꽃〉에서

● 되똑하다 작은 물체나 몸이 중심을 잃고 한쪽으로 기울어지다.　　● 포성 대포를 쏠 때 나는 소리.

➡ 그리고 1950년 6월 25일, 전쟁이 시작되고 많은 사람이 난리를 피해 피란을 가게 됩니다. 그 와중에 많은 아이가 '처치하기 곤란한 짐짝처럼 남겨진 소녀'처럼 부모를 잃고 고아가 되기도 하였습니다.

Memo

Memo

내 안의 국어 DNA를 깨우자!

국어 공부력을 기르는
DNA 깨우기

중학에서 다지는 국어 공부력

비문학 독해, 문법, 어휘, 문학 등
어느 것 하나 놓칠 수 없는
중학 국어 공부의 확실한 해법!

알찬 구성, 친절한 안내

개념·원리 이해부터 문제 적용까지
학습 계획표를 따라 공부하면
어느 새 실력이 쑥쑥!

교과 연계로 학습 효율 UP

교과와 연계하여 내용을 선정함으로써
배경지식을 쌓으며 내신도 챙길 수 있는
일석이조의 효율적인 학습 시스템!

비문학 독해 DNA 깨우기 (3권)

1. 독해원리 / 2. 독해유형 / 3. 기출유형

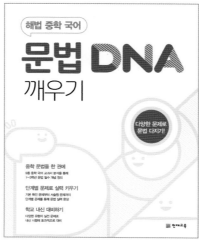

문법 DNA 깨우기 (1권)

어휘 DNA 깨우기 (2권) 기본 / 실력

COMING SOON ── 문학 DNA 깨우기 (3권) 2021년 하반기 출간 예정

시작해 봐, 하루시리즈로!

#기초력_쌓고!
#공부습관_만들고!

시작은 하루 중학 국어

- 시
- 소설(개념)
- 소설(작품)
- 문법
- 비문학
- 수필

이 교재도 추천해요!

- 중학 국어 DNA 깨우기 시리즈 (비문학 독해 / 문법 / 어휘)

시작은 하루 중학 수학

- 1-1, 1-2
- 2-1, 2-2
- 3-1, 3-2

이 교재도 추천해요!

- 해결의 법칙 (개념 / 유형)
- 빅터연산

천재교육

정답과 해설

중학 ★ 바탕 학습
소설 (개념)

시작은
하루
국어

정답과 해설
포인트 3가지

▶ 혼자서도 이해할 수 있는 친절한 정답 풀이

▶ 헷갈리는 오답도 속 시원히 설명해 주는 명쾌한 오답 풀이

▶ 개념과 제재에 대한 이해를 도와주는 다양한 추가 자료 제공

소설
(개념)

시작은

하루
국어

정답과 해설

소설의 개념과 인물

1 지어낸 이야기이다, 줄거리가 있다, 인물이 등장한다.

2 (1) 백설 공주: ❹ 왕비: ㉮ (2) 주인공

2 (1) ㉮와 ❹ 바구니를 보면 주인공은 ❹ 바구니에, 주인공과 대립하는 인물들은 ㉮ 바구니에 있음을 알 수 있다.

1일   소설의 개념과 특성

개념 원리 확인   10 ~ 13쪽

1-1 (1) ㉮: ㉡, ㉣ ❹: ㉠, ㉢ (2) 상상하여   **1-2** (1) 봄날의 풍경 (2) ㉮: ㉡ ❹: ㉠ (3) 산문   **2-1** (1) ㉠ (2) ㉢ (3) ㉡   **2-2** 예술성   **2-3** (1) 자백 (2) 정직한 사람 (3) 진실성

1-1 (1) ㉮는 실제로 일어나지 않은 일을 글쓴이가 상상해서 쓴 소설이고, ❹는 글쓴이가 자신이 실제 경험한 일을 쓴 일기이다.
(2) 일기가 자신이 경험한 일에 대해 쓴 글인 반면, 소설은 작가가 상상하여 꾸며 쓴 이야기이다.

1-2 (1) ㉮의 '민들레', '냉이' 등과 ❹의 '봄바람', '살구꽃' 등을 통해 봄날의 풍경을 나타내고 있음을 알 수 있다.
(2) ㉮는 연과 행의 구분 없이 죽 이어 쓴 글이고, ❹는 연과 행으로 구분되어 있다.
(3) 시는 연과 행으로 구성된 운문 문학인 반면, 소설은 줄글로 쓴 산문 문학이다.

2-2 이 대화의 학생들은 모두 소설이 아름다움과 감동을 느끼게 해 준다는 이야기를 하고 있다.

2-3 (1) 문기는 사고에서 깨어난 뒤 작은아버지에게 자신

이 한 일을 처음부터 끝까지 남김없이 자백한 뒤 마음이 맑아지며 몸도 가뜬해진 기분이 든다.
(2) 자신이 한 일을 숨김없이 자백을 하자 마음속 어둠이 사라지며 맑아 간다고 하였으므로, 이 글을 통해 찾고자 하는 바람직한 인간상은 정직한 사람임을 알 수 있다.
(3) 소설을 통해 바람직한 인간상을 찾고자 하는 것은 소설의 특성 중 '진실성'과 관련 있다.

1일   기초 집중 연습   14 ~ 15쪽

간단 체크   **1** 소설   **2** 상상하여   **3** 산문

01 ①   **02** ②   **03** 고무신   **04** ④   **05** ⑤
06 ①

작품 개관   〈고무신〉

갈래	현대 소설
제재	고무신
배경	• 시간적: 1940년대 후반, 봄 • 공간적: 바다가 보이는 산기슭 마을
주제	젊은 남녀의 애틋한 사랑
특징	① 비유를 써서 풍경, 인물의 외양이나 행동 등을 생생하게 묘사함. ② 중심 소재인 '고무신'에 상징적 의미를 부여함.

작가 소개

오영수(1914~1979) 소설가. 서민들의 따뜻한 인간애를 다룬 단편 소설을 많이 지었다. 주요 작품으로 〈머루〉, 〈갯마을〉, 〈어린 상록수〉 등이 있다.

01 이 글은 소설로, 소설은 현실에서 있음 직한 일을 작가가 상상하여 꾸며 쓴 산문 문학이다.
오답 풀이
② 수필에 대한 설명이다.
③ 시에 대한 설명이다.
④ 설명문에 대한 설명이다.
⑤ 논설문에 대한 설명이다.

02 남이는 엿장수가 주인집 아이들을 꾀어 옥색 고무신을 가져갔다고 생각하고 엿장수에게 화를 내고 있다.

03 주인집 아이들이 남이의 고무신을 엿과 바꿔 먹는 바람에 남이와 엿장수가 만나게 되었으므로 남이와 엿장수가 만나게 된 매개체는 '고무신'이다.

'고무신'의 역할

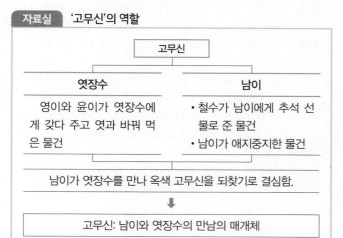

04 신을 내놓으라는 남이의 말에 "그 신이 당신 신이던교?"라고 하는 것을 보아, 엿장수는 고무신이 남이의 것임을 알지 못했을 것이다.

①, ②, ③ 엿장수는 자신을 까칠하게 대하는 남이에게 연신 웃어 보이고 부드럽게 대한다. 그리고 남이를 바라보며 남이의 송곳니가 예쁘다고 생각한다. 이를 통해 엿장수가 남이에게 호감이 있음을 알 수 있다.
⑤ 고무신을 빨리 내놓으라고 앙살을 부리는 남이에게 도가에 가 보고 있으면 갖다 주고, 없으면 새 신이라도 사다 준다며 남이를 차분하게 달래고 있다.

남이와 엿장수의 대조적인 태도

남이
• 입을 샐쭉하고 까칠하게 말함.
• 엿장수의 고분고분한 태도에도 계속 앙살을 부리며 신을 내놓으라고 함.
→ 옥색 고무신이 엿장수에게 넘어가 화가 많이 나 있는 상태임.

↕

엿장수
• 은근한 말투로 히죽 웃어 보임.
• 남이에게 지나치게 고분거림.
• 남이를 어르고 달램.
→ 남이에게 지나칠 정도로 공손하고 부드럽게 대함.

05 벌에 쏘인 뒤 앙감질을 하는 엿장수를 보고 남이는 손등으로 입을 가리고 킥킥 웃는다. 이를 보아 엿장수에 대한 남이의 적대감이 사라지고, 둘 사이의 갈등이 해소되었음을 알 수 있다.

〈고무신〉에서 '벌 사건'의 역할

엿장수	남이
남이의 저고리 앞섶에 붙은 벌을 발견하고는 순간적으로 벌을 잡음.	엿장수의 손이 저고리 앞섶에 닿자 당황하면서 얼굴을 붉힘.
• 벌에게 손바닥을 쏘여 손을 펴 불며 앙감질을 함. • 웃는 남이의 송곳니가 예쁘다고 생각함.	앙감질하는 엿장수를 보고 웃어 버림.

↓

• 두 사람 사이에 미묘한 감정이 싹틈. • 엿장수에 대한 남이의 적대감이 사라지고, 둘 사이의 갈등이 해소됨.

06 여학생은 남학생의 이야기를 듣고 소설에 나오는 내용이 현실에서 충분히 있을 법한 이야기라고 말하고 있다. 이와 관련 있는 소설의 특성은 '개연성'이다.

2일 소설의 요소

16 ~ 19쪽

1-1 부모에 대한 효성   **1**-2 (1) 짧은 (2) 짧은, 문체
1-3 (1) 진수 (2) 다리 한쪽이 없음. (3) 효과적   **2**-1 (1)
수남이 (2) 눈이 맑음, 목소리가 굵음.   **2**-2 (1) '나' (2)
공작나방을 훔침.   **2**-3 (1) 이별 (2) 산기슭 마을 (3) 가난하다.

1-1 아버지의 눈을 뜨게 하기 위해 자신의 몸을 팔려고 하는 모습과 "효성이 지극"하다는 말에서 이 글을 통해 나타내려는 중심 생각이 '부모에 대한 효성'임을 알 수 있다.

1-2 (1) 이 글에서는 길이가 짧은 문장들이 연속적으로 사용되고 있다.
(2) 작가의 독특한 문장 표현 방식은 '문체'이다.

1-3 (1) 만도는 다른 사람은 전쟁에서 죽거나 소식을 알 수 없는데, 아들인 진수가 살아 돌아온다는 소식을 듣고 매우 기뻐한다.
(2) "스쳐 가는 바람결에 한쪽 바짓가랑이가 펄럭거리는 것이 아닌가."에서 진수가 다리 한쪽이 없음을 알 수 있다.
(3) 이 글의 작가는 도입 부분에 진수가 살아서 돌아온다는 것을 반복적으로 강조하고, 뒤에 진수의 다리 한쪽이 없다는 사실을 제시하고 있다. 이와 같이 내용을 구성함으로써 만도가 받은 충격을 효과적으로 드러내고 있다.

2-1 (1) 이 글에 등장하는 인물은 청계천 세운 상가 뒷길에 있는 전기용품 도매상의 꼬마 점원인 수남이다.
(2) 수남이는 볼이 빨갛고 통통하며, 눈이 맑고 깨끗하다. 목소리는 제법 굵고 부드럽다.

2-2 (1) 이 글에 등장하는 인물은 이 글의 주인공이자 서술자인 '나'이다.
(2) '나'는 에밀의 방에 들어가 공작나방을 훔쳤다.

2-3 (1) 이 글의 첫 문장에서 "이 마을에도 올봄 접어들어 안타까운 이별이 있었다."라고 제시되고 있다.
(2) 이 글에 등장하는 마을은 "바다와 시가지 일부가 한꺼번에 내다보이는, 지대가 높고 귀환 동포가 누더기처럼 살고 있는 산기슭 마을"이다.
(3) "마을 사람들은 철수 내외와 같이 가난뱅이 월급쟁이가 아니면 대개가 그날그날의 날품팔이이다."를 통해 마을 사람들 대부분이 가난함을 알 수 있다.

2일 **기초** 집중 연습   20 ~ 21쪽

간단 체크   **1** 아파트   **2** 층간 소음   **3** 휠체어

01 ⑤   **02** ④   **03** ②   **04** ③   **05** ②   **06** ④

작품 개관 〈소음 공해〉

갈래 현대 소설

제재 아파트의 소음 문제

배경 • 시간적: 현대   • 공간적: 아파트

주제 이웃에 대한 관심의 중요성, 이웃에 무관심한 현대인의 삶에 대한 비판과 반성

특징 ① 현대 사회에서 이웃과의 단절로 생겨난 오해를 소재로 함.
② 소음의 원인에 대한 독자들의 궁금증을 유발하며 긴장감을 높임.
③ 결말 부분의 극적 반전을 통해 이웃 간의 관심과 대화가 부족한 현대인의 삶의 모습을 비판함.

작가 소개

오정희(1947~) 소설가. 현대인의 삶과 의식을 비판적으로 성찰하는 작품을 많이 썼다. 주요 작품으로 〈중국인 거리〉, 〈바람의 넋〉, 〈옛 우물〉 등이 있다.

01 이 글은 아파트의 층간 소음 때문에 발생한 인물들의 갈등을 다루고 있다.

02 '아이들이 집 안에서 자전거를 탄다'는 것은 '나'가 위층의 소음을 듣고 추측한 내용이다. 위층 소음의 정체는 휠체어 소리이므로 ④의 설명은 적절하지 않다.

오답 풀이
③ "여자의 텅 빈, 허전한 하반신을 덮은 화사한 빛깔의 담요와 휠체어"에서 위층 집에 사는 여자의 하반신이 불편함을 알 수 있다.
⑤ "신경질적인 젊은 여자의 응답", "해도 너무하시네요.", "절더러 어쩌라는 거예요?" 등에서 위층 집에 사는 여자가 '나'의 항의에 신경질적으로 반응하였음을 알 수 있다.

03 위층에서 나는 '드륵드륵' 소리는 휠체어 바퀴 소리로, 휠체어는 소음의 원인이면서 하반신이 불편한 위층 여자의 처지를 보여 주는 소재이다.

오답 풀이
① 인터폰: 대화의 매개체이지만, 직접 대면하는 대화를 가로막는 소재이다. 이웃에 대한 무관심과 단절을 드러낸다. 또한 '나'가 위층 여자의 처지를 알 수 없었던 원인을 제공하는 소재이기도 하다.
③ 공동 주택: 이웃 간에 서로 직접적으로 마주치지 않는 공간으로, 이웃과 단절된 삶을 살아가는 현대인

의 모습을 드러내는 소재이다.
⑤ 실내용 슬리퍼: '나'가 소음을 줄여 달라는 메시지를 전달하기 위해 준비한 선물로, 이웃에 대한 무관심을 상징한다.

04 ㉮에서 '나'는 자신의 항의에 대한 위층 여자의 반응에 더욱 화가 난다. 그러나 ㉯에서 위층에서 나는 소리의 정체가 휠체어 소리였음을 알게 되어 당황하고, 화를 낸 것에 부끄러움을 느낀다.

05 이 글은 아파트의 층간 소음 문제를 소재로 하여 이웃에게 무관심한 현대인의 삶을 비판하고 있다.

06 이 글은 위층 소음의 정체가 휠체어 끄는 소리였다는 극적인 반전이 드러나며 이야기가 마무리된다. 이를 통해 '이웃에게 무관심한 현대인들의 삶의 모습 비판'이라는 주제가 더욱 효과적으로 드러나고 있다.

3일 인물의 유형

개념 원리 확인 22 ~ 25쪽

1-1 (1) 경호네 내외/경호 아버지와 어머니 (2) ① (3) 지후, 율희 **1-2** (1) 흥부: ㉠, ㉢, ㉻ 놀부: ㉡, ㉣, ㉤ (2) 흥부: ㉠ 놀부: ㉡ **2-1** (1) 일본 말만 사용해서 (2) 전형적
2-2 (1) ㉮의 용왕: ㉡ ㉯의 용왕: ㉠ (2) 입체적

1-1 (1) 이 글에서는 김포 슈퍼의 경호네 내외에 대해 이야기하고 있다.
(2) 김포 쌀 상회를 운영하던 경호네 내외가 가게를 확장해서 김포 슈퍼를 열었다.
(3) 경호네 내외는 충청도 산골 마을에서 상경하여 원미동에 김포 쌀 상회를 내었고, 내외간이 모두 성실한 일꾼이므로 지후와 율희의 분석은 적절하다. "노상 웃는 얼굴이어서 원미동 사람들에게 고루 인정을 받고 있었다."를 볼 때 경호네 내외가 무표정한 얼굴이라는 서준의 분석은 적절하지 않다.

1-2 (1) 흥부는 마음이 착하고 효성이 지극하여 형제 사이

의 우애가 극진하다. 반면 놀부는 부모께는 불효하고 형제간에 우애 없으며 마음 쓰는 것이 괴상하다.
(2) 〈흥부전〉은 형제간의 우애를 주제로 한 작품이다. 따라서 착하고 형제 사이에 우애롭게 지내려는 흥부가 주동 인물, 이런 흥부와 대립하는 놀부가 반동 인물이다.

2-1 (1) 일제 강점기에는 일본어를 국어라 하였다. 이인국 박사는 해방 전 온 가족이 일본 말만 써서 '국어 상용의 가' 종잇장을 타게 되었다.
(2) 이인국 박사는 일제 강점기에는 일본 말만 써서 '국어 상용의 가' 종잇장을 받을 정도로 일본에 협력적이었지만, 해방이 된 뒤 그것이 드러날까 두려워 종잇장을 찢어 버린다. 이를 볼 때 이인국 박사는 자신의 이익을 위해서만 행동하는 전형적인 기회주의자의 모습을 보이고 있음을 알 수 있다.

2-2 (1) ㉮의 용왕은 자신의 병을 치료하기 위해 권위를 앞세워 토끼를 죽이려고 하는 이기적인 인물이다. 반면 ㉯에서는 토끼를 잡아들여야 한다는 신하들의 상소를 거부하며 토끼의 목숨을 빼앗으려 했던 자신의 잘못을 뉘우치고 있다.
(2) 용왕은 사건이 전개됨에 따라 성격이 변하였으므로 입체적 인물이다.

3일 기초 집중 연습 26 ~ 27쪽

간단 체크 1 고깃간 2 수만이 3 핑계

01 ⑤ **02** ① **03** ④ **04** ① **05** ② **06** 주동, 반동

작품 개관 〈하늘은 맑건만〉
갈래 현대 소설
제재 거스름돈을 잘못 받고 나서 생긴 일(양심에 어긋난 행동)
배경 • 시간적: 1930년대 • 공간적: 어느 도시
주제 양심을 속이지 않고 정직하게 사는 삶의 중요성
특징 ① 갈등을 겪으며 성장하는 인물의 모습이 잘 나타남.
② 주인공과 대립하는 인물이 등장하여 주인공의 갈등을 커지게 함.
③ 사건의 진행에 따른 인물의 심리 변화가 잘 나타남.
④ '정직'이라는 보편적인 가치를 일깨움.

작가 소개
현덕(1909~?) 소설가. 본명은 현경윤(玄敬允). 1938년 소설 〈남생이〉를 시작으로 하여 왕성한 활동을 하며 큰 주목을 받았다. 소설집 《집을 나간 소년》, 《남생이》와 동화집 《포도와 구슬》, 《토끼 삼형제》 등이 있다.

01 문기는 "둥실둥실 물을 따라 떠나가는 공을 통쾌한 듯 바라보"았으므로 공이 떠내려가는 것을 보고 아깝다고 생각했다는 것은 이 글의 내용과 일치하지 않는다.

오답 풀이
② 문기는 이쪽저쪽 주머니를 털어 보이며 돈이 없다고 수만이에게 계속 말한다.
③ 수만이는 "너 혼자 두고 쓰잔 말이지?", "누군 너만 못 약을 줄 아니?", "아주 핑계가 됐거든."이라고 빈정대며 문기가 남은 돈을 혼자 쓰려고 거짓말을 하고 있다고 생각한다.

02 "그제야 문기는 무거운 짐을 풀어 놓은 듯 어깨가 거뜬했다. ~ 속이 후련했다."라는 것을 보아 후련하고 홀가분한 심정임을 알 수 있다.

03 ㉠ 뒤에 문기는 "두 번 다시 그런 허물을 범하지 않겠다고" 다짐한다. 여기서 허물은 잘못 받은 거스름돈을 쓰고 삼촌을 속인 것으로, 양심에 어긋나는 행위로 볼 수 있다. 그러므로 ㉠ 뒤에 이어질 말로 적절한 것은 ④이다.

04 수만이의 협박에 못 이겨 숙모의 돈을 훔쳐 수만이에게 준 것을 보아 '강직하다'는 문기의 성격으로 적절하지 않다.

오답 풀이
② 수만이가 자신의 말을 믿지 않자 어떻게 변명할 줄 몰라 고개를 떨어뜨리고 울상을 하는 것에서 소심한 성격이 드러난다.
③ 수만이가 자신의 말을 믿지 않자 증거를 보이느라 이쪽저쪽 주머니를 털어 보이는 모습에서 순진함이 드러난다.
④ 문기는 다시는 양심에 어긋나는 행위를 하지 않겠다고 다짐하지만, 수만이의 협박을 받고 사실이 드러나는 것이 두려워 숙모의 돈을 훔친다. 이를 보아 심약한 성격임을 알 수 있다.

⑤ 사실이 드러날까 두려워 숙모의 돈을 훔쳐 수만이에게 주는 것을 보아 용기가 부족함을 알 수 있다.

05 수만이는 남은 돈을 고깃간 집 안마당으로 던졌다는 문기의 말을 믿지 않기 때문에 ㉡과 같이 반응한 것이다.

자료실 **㉯에 나타난 문기와 수만이의 갈등**

문기
• 남은 돈을 고깃간 집 안마당으로 던져 돌려주었음.
• 더 이상 양심에 어긋나는 행동을 하지 않겠다고 다짐함.

↕

수만
• 남은 돈으로 환등 틀을 사러 가자고 함.
• 문기의 말을 믿지 않고 문기가 남은 돈을 혼자 쓰려고 거짓말을 한다고 생각함.

06 소설에서 주제를 실현하는 인물 유형은 '주동 인물'이고, 주동 인물과 대립하여 갈등을 일으키는 인물 유형은 '반동 인물'이다.

자료실 **주요 인물과 주변 인물**

소설 속 인물의 유형은 '중요도'에 따라 '주요 인물'과 '주변 인물'로도 나눌 수 있다.

주요 인물	• 사건을 이끌어 가는 중심인물 → 〈하늘은 맑건만〉에서 주요 인물은 문기임.
주변 인물	• 사건의 진행을 돕거나 사건을 꾸미는 데 필요한 인물 → 〈하늘은 맑건만〉에서 주변 인물은 수만이, 삼촌, 숙모 등임.

4일 인물 성격 제시 방법

개념 원리 확인   28~31쪽

1-1 (1) 김밥 아줌마: ㉠, ㉢ 김대호 씨: ㉡, ㉣ (2) 서술자
1-2 (1) ㉡ (2) ㉠ (3) 직접적   **2-1** (1) 진우 (2) 인물의 대화를, 간접적   **2-2** (1) 반가움과 기쁨 (2) 아버지에 대한 애정 (3) 간접적

1-1 (1) ㉮의 "그이는 다소 무뚝뚝하고 뻣뻣하다."에서 김밥 아줌마의 성격이 드러난다. 또한 ㉯의 "이해의 길이도 길고, 느리고 낙천적인 만큼"에서 김대호 씨의 성격이 드러나고 있다.

(2) 이 글에서는 서술자가 김밥 아줌마와 김대호 씨의 성격을 직접 이야기하고 있다.

1-2 (1) 길동이 "총명하기가 보통이 넘어 하나를 들으면 백을 깨달았다."라고 제시되어 있다.

(2) "길동은 잠자리로 돌아와 슬퍼해 마지않았다."에서 아버지에게 꾸중을 들은 길동이 슬퍼하고 있음을 직접적으로 제시하고 있다.

(3) 이 글에서는 서술자가 홍길동의 특성과 심리를 직접적으로 이야기하고 있다.

2-1 (1) 자기 숙제를 한다고 며칠 동안 나비를 못살게 하며 나비를 잡고, 그것을 지적한 바우에게 '건방지다'고 하는 것을 보아 자기중심적이고 거만한 성격임을 알 수 있다.

(2) 이 글에서는 바우와 경환이의 대화를 통해 경환이의 성격이 간접적으로 제시되고 있다.

2-2 (1) 아버지가 집에 돌아온 것을 알았으면 더 일찍 집에 올걸 그랬다고 생각하는 것을 보아 반가움과 기쁨의 심리가 담겨 있음을 알 수 있다.

(2) 동길이는 잠을 자는 아버지에게 방해될까 봐 파리를 쫓고 있다. 즉, 아버지에 대한 애정이 담겨 있는 행동이다.

(3) 이 글에서는 동길이의 마음속 말과 행동을 통해 아버지에 대한 동길이의 심리가 간접적으로 제시되고 있다.

4일 기초 집중 연습   32 ~ 33쪽

간단 체크   1 개울가   2 농촌   3 간접적

01 ⑤   **02** ③   **03** ③   **04** 은수   **05** ⑤   **06** ④

작품 개관   〈소나기〉

갈래	현대 소설
제재	소나기
배경	• 시간적: 가을 • 공간적: 농촌
주제	소년과 소녀의 순수한 사랑
특징	① 가을 농촌의 모습을 그림 그리듯이 구체적으로 묘사함.
	② 인물의 심리가 주로 묘사나 대화를 통해 간접적으로 드러남.
	③ 등장인물 사이에 뚜렷한 갈등이 나타나지 않음.

작가 소개
황순원(1915~2000) 소설가. 간결한 문장으로 인물의 심리를 섬세하게 그린 작품을 많이 썼다. 주요 작품으로 〈목넘이 마을의 개〉, 〈독 짓는 늙은이〉, 〈학〉, 〈카인의 후예〉 등이 있다.

01 이 글에는 '나'가 나타나지 않는다. 작품 밖의 서술자가 소년과 소녀의 이야기를 전달하고 있다.

02 소년과 소녀가 사는 집의 위치는 제시되어 있지 않다. 다만 갈림길에서 소녀는 아래편으로, 소년은 위쪽으로 가야 한다는 것을 보면 소녀가 소년의 옆집에 살고 있지 않음을 짐작할 수 있다.

오답 풀이
① "서울 있을 땐 아주 먼 데까지 소풍 갔었다."라는 소녀의 말을 통해 소녀가 서울에서 살다 왔음을 알 수 있다.
②, ④, ⑤ ㉮의 내용을 통해 알 수 있다.

03 소녀에게 먼저 말을 걸지 못하고 그냥 기다리는 것을 보아 소년은 소극적인 성격임을 알 수 있다. 반면 소년에게 먼저 말을 건네며 산 너머로 놀러 가자고 제안하는 것을 보아 소녀는 소년에 비해 적극적인 성격임을 알 수 있다.

04 ㉠과 "오늘 같은 날은 일찌감치 집으로 돌아가 집안일을 도와야 한다는 생각을 잊어버리기라도 하려는 듯이."에서 소년은 원래 집에 일찍 돌아가 집안일을 도와야 하는 상황임을 알 수 있다. 그런데 소녀와 놀고 싶은 마음이 있어 갈등하고 있는 것이다.

05 소녀에 비해 소극적이어서 소녀의 뒤를 따르기만 했던 소년이 소녀보다 앞서 뛰어가고 있다. 이는 소년이 이전의 소극적인 모습에서 벗어나 조금씩 적극적으로

행동하고 있음을 나타낸다.

06 소년은 점차 적극적인 태도를 보이며 자신을 드러내고 싶은 마음에 소녀 앞에서 송아지에 올라탄다. 그리고 소녀는 하지 못할, 자기 혼자만 할 수 있는 일이라고 생각하며 자랑스러워하고 있다.

5일 소설의 개념과 인물_종합

5일	기초 집중 연습	36 ~ 39쪽

간단 체크 1 남이, 엿장수 2 외모 3 아버지 4 춘향 5 변학도 6 행복한

01 ⑤	02 ②	03 ①	04 ③	05 서준	06 ②
07 ①	08 ④	09 ⑤	10 ③		

01 엿장수는 이 마을에서 엿을 많이 팔 수 있어서 마을에 자주 찾아온 것이 아니라, 남이를 좋아하게 되어 만나고 싶어서 마을에 일찍 오고 오래 머문 것이다.

오답 풀이

① "꽃놀이를 가면 ~ 질러감 되겠지."에서 엿장수는 남이가 자천 골짜기로 꽃놀이를 간다고 생각하고, 남이를 보기 위해 울음 고개로 향했음을 알 수 있다.

② 엿장수가 웃는 날에는 아이들에게 엿을 나누어 주었고, 덤덤히 앉았다가 가는 날은 엿을 나누어 주지 않았다. 그래서 엿을 얻어먹고 싶은 아이들은 엿장수 눈치부터 보는 버릇이 생겼다.

③ "남이는 약간 망설이다가 역시 암말도 없이 ~ 안으로 들어왔다."에서 남이가 자신이 떠나는 것을 엿장수에게 말하지 않았음을 알 수 있다.

④ "엿장수가 오는 시간을 누구보다 더 잘 알고 있는 이 마을 아이들"이라는 표현에서 알 수 있다.

02 엿장수는 남이를 만나고 싶어 마을에 일찍 오고(①), 아이들과 놀며 마을에 오래 머문다(③, ④). 남이를 본 날이면 벙글벙글 웃고, 남이를 보지 못한 날이면 덤덤히 앉았다가만 간다(⑤). ②는 남이를 만나고 싶어 하는 엿장수의 마음과 관련이 없다.

---

03 예전과 다르게 외모에 신경 쓰는 모습에서 엿장수가 남이에게 잘 보이려고 애쓰고 있음을 짐작할 수 있다.

04 엿장수를 보는 것이 마지막이라는 생각에 슬퍼서 남이의 눈에 어두운 그림자가 지나간 것이다.

05 엿장수는 남이가 마을을 떠난다는 사실도 알지 못했기 때문에 남이의 새 출발을 축하해 주기 위해 고무신을 선물했다는 감상은 적절하지 않다.

자료실 소재 '고무신'의 역할과 상징적 의미

'고무신'과 관련된 사건	역할과 의미
• 남이가 추석 선물로 받아 애지중지하는 옥색 고무신을 아이들이 엿과 바꿔 먹음. • 남이는 엿장수에게 자신의 고무신을 돌려 달라고 함.	남이와 엿장수의 만남의 매개체
• 엿장수가 남이에게 새 옥색 고무신을 선물했음을 짐작할 수 있음. • 남이가 엿장수가 선물한 옥색 고무신을 신고 아버지를 따라 떠남.	• 애정의 징표 • 이별의 상징

작품 개관 〈춘향전〉

갈래	고전 소설
제재	춘향의 정절
배경	• 시간적: 조선 시대 후기 • 공간적: 전라도 남원
주제	① 신분을 초월한 남녀 간의 사랑 ② 정의롭지 못한 지배 계층에 대한 비판
특징	① 판소리의 영향으로 운문체와 산문체가 섞여 있음. ② 남녀의 사랑을 소재로 하여 조선 후기 신분 차별과 탐관오리의 횡포에 대한 저항 의지를 드러냄.

06 이 글은 기생의 딸인 춘향과 양반의 아들인 이몽룡의 신분을 초월한 사랑을 다루고 있다.

07 이몽룡은 춘향을 알아보지 못한 것이 아니라 춘향의 마음을 떠보려고 모른 척한 것이다.

08 ⓐ에서는 수청을 들라는 어사또의 말에 어이없어한다. ⓑ에서는 어사또가 이몽룡인 것을 알고 깜짝 놀란다. ⓒ에서는 변학도 때문에 죽을 처지에 놓였다가 이몽룡

덕분에 다시 살아나게 되어 매우 기뻐하고 있다.

09 춘향은 자신을 '높은 절벽 높은 바위'나 '푸른 솔 푸른 대'와 같은 자연물에 비유하며 자신의 굳은 정절을 드러내고 있다.

10 '주동 인물'은 사건을 주도적으로 이끌면서 작가가 표현하고자 하는 주제를 실현하는 인물이고, '반동 인물'은 주동 인물과 대립하여 갈등을 일으키는 인물이다. 이를 고려할 때 〈춘향전〉에서 주동 인물은 춘향, 반동 인물은 변학도이다.

자료실 〈춘향전〉의 이야기 구조와 주제

• '춘향'과 '이몽룡'의 관계를 중심으로

이야기 구조	사랑 → 이별 → 재회
주제	신분을 초월한, 변치 않는 사랑

• '춘향'과 '변학도'의 관계를 중심으로

이야기 구조	수난 → 저항 → 승리
주제	불의한 지배 계층에 대한 비판

누구나 100점 테스트 　　　　40 ~ 41쪽

01 작가, 줄거리　　**02** (1) 허구성 (2) 예술성 (3) 개연성 (4) 산문성　　**03** 시하　　**04** ㉠: 생각 ㉡: 문체 ㉢: 사건　　**05** ㉠　　**06** 만도(아버지), 진수(아들)　　**07** (1) ㉢ (2) ㉡ (3) ㉠　　**08** 훈기　　**09** (1) 직접, 간접　　**10** (1) 간 (2) 직

03 소설은 허구의 세계를 그리지만, 삶의 진실을 추구하고 바람직한 인간상을 찾고자 하는 '진실성'이 있기 때문에 시하의 설명이 적절하다.

08 주동 인물과 대립해서 갈등을 일으키는 인물은 개성적 인물이 아니라 반동 인물이다. 개성적 인물은 특정 시대, 특정 부류나 계층과 상관없이 독자적인 성격을 지닌 인물을 말한다.

10 (1) 소녀에게 비켜 달라는 말을 하지 못하고 개울둑에

앉아 소녀가 비키기를 기다리는 모습을 통해 소년의 소극적인 성격이 간접적으로 드러난다.
(2) "억척스럽고 성실한 일꾼이었다.", "모난 데 없이 두루뭉술하여" 등에서 내외의 성격을 직접적으로 제시하고 있다.

특강 창의·융합·코딩　　　　42 ~ 45쪽

❶ 신나는 어휘 놀이

1 5, 9, 6　　**2** 김윤서: 가열 5번, 정채현: 다열 3번, 한정우: 다열 2번, 이유리: 나열 4번

❷ Q&A 특강

주제, 제재, 주제

❶-1 '월'에 제시된 뜻풀이에 알맞은 단어는 '호령하다', '일'은 '약다', '시'는 '극진하다'이다. 이를 순서대로 나열하면 영화 상영 날짜와 시간은 5월 9일 6시임을 알 수 있다.

❶-2 김윤서의 입장권에 적힌 뜻풀이에 해당하는 단어는 '반색'이다. 정채현의 입장권에는 '저의', 한정우의 입장권에는 '이랑', 이유리의 입장권에는 '하직'에 해당하는 뜻풀이가 적혀 있다.

2주 소설의 갈등과 구성

이번 주에는 무엇을 공부할까? ❷   50 ~ 51쪽

1 (1) 숙제, 드라마 (2) 리모컨 (3) ㉮, ㉯   **2** (1) 같다, 다르다 (2) ㉮, ㉯

1일   갈등의 개념과 기능

개념 원리 확인   52 ~ 55쪽

1-1 (1) ① (2) ① (3) 인사   **1-2** (1) ② (2) 편지   **2-1**
(1) 거절하지 못한다 (2) 순박하고 참을성 있음.   **2-2** (1)
② (2) 주인 영감

1-1 (1) ㉮에는 '나'가 그 그림이 자신의 그림이 아니라고 말했어야 했다는 생각을 하고 자책감을 느껴 갈등하는 상황이 나타나 있다.
(2) ㉯에는 '나'가 백선규에게 인사를 해야겠다는 생각과 귀찮다는 생각이 얽혀 갈등하는 상황이 나타나 있다.
(3) '나'가 백선규를 발견하고 그에게 인사를 해 볼까 하는 생각과 귀찮다는 생각이 마음속에서 얽혀 갈등하고 있다.

1-2 (1) '나'와 엄마가 대립하는 상황이 나타나 있다.
(2) 엄마는 '나'의 편지를 돌려주지 않으려 하고, '나'는 편지를 돌려 달라고 하여 두 인물이 갈등하고 있다.

2-1 (1) 용이는 아이들의 부당한 요구를 거절하지 못하고 아이들의 책 보퉁이를 대신 메고 가고 있다.
(2) 아이들이 자신에게 짐을 떠맡기고 가는 부당한 상황에서도 화를 내지 않고 참는 모습을 통해 용이가 순박하고 참을성이 있음을 알 수 있다.

2-2 (1) 주인 영감은 자전거를 들고 달아난 수남이를 칭찬했지만 수남이는 그런 주인 영감에게 실망하고, 자신이 잘못을 저질렀다는 죄책감에 괴로워하였다.
(2) 빈칸에는 부도덕한 인물이 들어가야 한다. 주인 영감은 수남이의 행동이 옳은지는 생각하지 않고 그저 자동차 수리비를 물어내지 않게 되어 수남이를 칭찬하는 부도덕하고 비양심적인 인물이다.

1일   기초 집중 연습   56 ~ 57쪽

간단 체크   **1** 주인 영감   **2** 자전거   **3** 쾌감

01 ③   **02** ③   **03** ⑤   **04** ⓓ, ⓐ, ⓕ   **05** ③

작품 개관 〈자전거 도둑〉

갈래 현대 소설, 성장 소설
제재 자전거
배경 ・시간적: 1970년대 ・공간적: 청계천 세운 상가
주제 물질적인 이익만을 추구하는 현대인의 부도덕성에 대한 비판
특징 ① 인물들의 심리와 성격이 섬세하게 드러남.
② 순진한 소년의 시각에서 어른들의 부도덕성을 서술함.
③ 도덕적으로 대립되는 인물을 제시하여 도덕성과 양심 회복의 필요성을 나타냄.

작가 소개
박완서(1931~2011) 소설가. 자신의 전쟁 체험을 바탕으로 6 · 25 전쟁과 분단 문제를 다루거나 물질 중심주의와 여성을 억압하는 현실에 대한 비판을 담은 작품을 많이 발표했다. 주요 저서에 《미망》, 《아주 오래된 농담》, 《잃어버린 여행 가방》 등이 있다.

01 소설에서 갈등이 하는 기능과 예스러운 분위기는 관련이 없다.

자료실 소설 속 갈등의 기능

・**사건 전개**: 앞의 사건에서 벌어진 갈등의 결과가 다음 사건을 연결하는 중요한 고리 역할을 함.
・**주제 제시**: 갈등의 해결 과정을 통해 주제를 분명하게 전달함.
・**인물의 성격, 가치관 제시**: 갈등 상황에서 인물의 가치관과 태도가 드러남.
・**관심과 흥미 유발**: 사건 전개에 긴장과 흥미를 더하고 독자의 관심을 불러일으킴.

02 수남이는 신사에게 한 번만 봐 달라고 빌고 있을 뿐 거짓말하고 있지는 않다.

①, ⑤ 수남이에게서 차 수리비 오천 원을 받아 내려는 신사와 주머니 속에 든 돈을 지키려는 수남이 사이의 갈등이 나타나 있다.
④ 어린 수남이가 계속 봐 달라고 용서를 빌어도 수남이를 전혀 상대하지 않고 묵묵히 자전거 바퀴에다 열쇠를 채우며 수리비를 요구하는 것으로 보아 신사는 냉정한 사람임을 짐작할 수 있다.

03 수남이는 전기용품 도매점 점원으로 일하고 있다. 주인 영감의 돈을 지키기 위해 신사에게 용서를 비는 모습에서 수남이가 책임감이 강한 것을 알 수 있다.

04 ❹에 나타난 수남이의 마음속 갈등을 순서대로 바르게 나열하면 'ⓒ - ⓓ - ⓐ - ⓑ - ⓕ - ⓔ'이다.

05 수남이는 주인 영감이 자신을 도덕적으로 견제해 줄 수 없다고 생각하고 있다.

①, ② 수남이는 아버지가 자신을 도덕적으로 견제해 줄 수 있는 어른이라고 생각하고 아버지가 계신 고향으로 돌아가기로 결심한다. 작가는 이런 결말을 통해 이익만을 좇지 말고, 도덕성과 양심을 회복해야 한다는 주제를 드러내고 있다.

2일 갈등의 유형

개념 원리 확인	58 ~ 61쪽

1-1 (1) 짝 (2) '나'의 내적 갈등　　**1-2** (1) ② (2) 훈기
2-1 (1) ② (2) ②　　**2-2** (1) ㉠: 영신 ㉡: 주재소 (2) 사회

1-1 (1) 이 글에는 짝을 바꾸고 싶은 마음과 착한 어린이답게 행동하고 싶은 마음 사이에서 갈등하는 '나'의 모습이 드러나 있다.
(2) '나'의 마음속에서 짝을 바꾸고 싶은 마음과 짝을 바꿔 달라고 하면 안 된다는 마음이 얽혀 갈등하는 상

황이 나타나 있다. '나'와 수택이 사이의 갈등은 드러나지 않는다.

1-2 (1) 김 첨지의 직업은 인력거꾼이고, 김 첨지의 아내는 김 첨지에게 일하러 나가지 말라고 말해 김 첨지가 불안해하고 있다.
(2) 김 첨지는 행운이 계속되자 불안해하고 있다.

2-1 (1) 바우가 경환이에게 "그래서 남의 참외밭 결딴내는 거냐."라고 한 것을 통해 경환이가 바우네 참외밭을 망가뜨렸음을 알 수 있다. 바우의 몸이 가늘고 날씬한지는 알 수 없다.
(2) 이 글에는 바우와 경환이 사이의 갈등이 나타나 있다.

2-2 (1) 이 글에는 아이들에게 한글을 가르치려는 영신과 한글 교육을 방해하는 주재소 사이의 갈등이 나타나 있다. 주재소는 일제 강점기에 일본 경찰이나 군인이 일하던 기관이므로, 영신과 주재소 사이의 갈등은 영신과 일제 강점기라는 사회 상황과의 갈등으로 볼 수 있다.
(2) 영신은 일제 강점기라는 사회적 상황 때문에 한글 교육에 어려움을 겪고 있다. 이러한 갈등을 인물과 사회 사이의 갈등이라고 한다.

2일 기초 집중 연습	62 ~ 63쪽

간단 체크	1 고깃간　2 쌍안경　3 내적

01 ⑤　**02** ⑤　**03** ②　**04** ②　**05** ②　**06** ③

01 삼촌은 문기에게 "설마 네가 날 속이야 하겠니."라고 말하며 문기의 말을 믿어 주고 있다.

① 문기는 숙모의 심부름을 하였다.
② 문기는 고깃간에서 숙모가 준 돈을 그대로 냈다.
③ 고깃간 주인은 돈을 받고 고기를 주었다. 다만 문기가 준 돈의 액수를 착각해 문기에게 거스름돈을 더 많이 준 것이다.
④ 문기는 더 받은 거스름돈으로 쌍안경을 샀지만, 수만이에게 받은 것이라며 삼촌에게 거짓말을 한다.

02 문기는 고깃간 주인으로부터 자신이 생각한 것보다 더 많은 거스름돈을 받아 어리둥절해하고 있다.

03 은전, 오십 전, 일 원, 고깃간 등의 단어는 1930년대라는 시대적 배경을 드러내는 소재이다.

자료실 〈하늘은 맑건만〉의 시대적 배경을 짐작할 수 있는 표현

- 지금은 잘 쓰이지 않는 '둥구미'
- 고깃간에서 고기를 종이에 말아 파는 모습
- '지전 아홉 장, 은전 몇 닢, 일 원'과 같은 화폐 단위
→ 일제 강점기(1930년대)를 배경으로 하고 있음.

04 삼촌은 ⊙에서 문기에게 다른 사람이 주는 물건을 쉽게 받지 말라고 훈계하고 있다.

자료실 삼촌의 특성

삼촌의 말과 행동
- 자신의 형을 대신하여 조카인 문기를 키움.
- "네 입으로 수만이가 줬다니 네 말이 옳겠지. 설마 네가 날 속이기야 하겠니. 하지만 남이 준다고 아무것이고 덥적덥적 받는다는 것두 좀 생각해 볼 일이거든."
↓
삼촌의 특성
- 가족을 아끼는 마음이 깊음.
- 조카에 대한 믿음이 있음.
- 책임감이 강하고 엄격함.
- 올바른 가치관을 지님.

05 ❹에서 문기는 삼촌에게 꾸중을 들은 뒤 양심의 가책을 느끼고 자신을 믿어 준 삼촌의 기대에 어긋난 행동을 한 것에 부끄러워하고 있다. 문기의 마음속에서 일어나는 내적 갈등이 잘 드러난다.

자료실 문기의 내적 갈등

수만이의 꼬임에 넘어가 잘못 받은 거스름돈을 씀.
↓
삼촌에게 거짓말을 하여 자신의 잘못을 감춤.
↓
자신을 길러 준 삼촌의 기대에 어긋나는 행동을 했다는 사실 때문에 생각할수록 낯이 더 뜨거워짐.

06 문기의 얼굴이 달아오른 까닭은 자신이 삼촌의 기대에 어긋나는 잘못된 행동을 하고 삼촌을 속였다는 사실에 부끄러움과 죄책감을 느꼈기 때문이다.

3일 소설의 구성 단계

개념 원리 확인 64~67쪽

1-1 (1) 할머니 (2) ❹: 전개 ❷: 절정　**1**-2 ❺　**2** (1) ㉢
(2) ㉣ (3) ㉠ (4) ㉤ (5) ㉡　**3**-1 (1) ① (2) ②　**3**-2 (1) 해소 (2) 결말

1-1 (1) 〈할머니를 따라간 메주〉는 메주를 둘러싸고 일어나는 할머니와 엄마 사이의 갈등과 해결 과정을 '나'(은지)의 시선으로 그린 소설이다.
(2) ❹는 할머니와 엄마의 갈등이 시작되는 전개 단계에 해당하고 ❷는 할머니와 엄마의 갈등이 최고조에 이르는 절정 단계에 해당한다.

1-2 소설의 구성 단계 중 결말은 모든 사건과 갈등이 마무리되는 단계이다. ㉮~❺ 중에서 결말에 해당하는 것은 ❺이다.

2 소설의 구성 단계는 갈등의 정도에 따라 '발단 – 전개 – 위기 – 절정 – 결말'의 5단계로 구성된다.

3-1 (1) 이몽룡이 암행어사가 되어 나타나는 장면이다.
(2) 〈춘향전〉에서 암행어사가 출두하여 부패한 벼슬아치들이 도망가는 장면으로, 소설의 구성 단계 중 갈등이 최고조에 이르는 단계인 절정에 해당한다.

3-2 (1) 이 글에는 춘향이 옥에서 풀려나 그동안의 갈등이 해소되고 행복한 결말을 맺는 모습이 나타나 있다.
(2) 암행어사가 되어 나타난 이몽룡이 옥에 갇혀 있다 풀려난 춘향과 다시 만나는 장면으로, 갈등이 해결되고 사건이 마무리되는 단계인 결말에 해당한다.

01 ③ **02** ⑤ **03** ④ **04** ③ **05** ③

작품 개관 〈꿩〉

갈래 현대 소설, 성장 소설

제재 꿩

배경 •시간적: 1960년대 •공간적: 어느 산골 마을

주제 부당한 차별에 당당하게 맞서서 얻은 자유, 부당한 일에 당당하게 맞서는 용기

특징 ① 상징적 소재와 비유적 표현을 통해 주제를 효과적으로 드러냄.
② 사건 전개에 따른 주인공의 태도 변화를 극적으로 표현함.

작가 소개

이오덕(1925~2003) 아동 문학가이자 교육자. 어린이 글쓰기 운동 및 우리말과 우리글을 다듬는 일에 힘쓴 우리말 연구가이다. 주요 작품에 〈꿩〉, 〈종달새 우는 아침〉, 〈개구리 울던 마을〉 등이 있다.

01 성윤이는 당당한 용이의 모습을 보고 "이 자식, 두고 봐라."라는 말을 하고는 책 보퉁이를 가지러 갔다. 성윤이가 용이에게 달려들어 싸우는 모습은 나타나지 않는다.

오답 풀이

① 용이를 보고 "4학년이나 됐다는 아이가 남의 책 보퉁이나 메다 주고…….''라고 수군거리는 데에서 알 수 있다.
② "아이들의 고함이 산 위에서 들려왔을 때"에서 알 수 있다.
④ 용이가 돌멩이를 집어 골짜기 아래로 던지자 "꼬공 꼬공, 푸드득!" 하고 꿩이 하늘로 날아올랐다.
⑤ 용이는 꿩이 날아오르는 모습을 본 뒤 힘이 마구 솟구쳐 아이들의 책 보퉁이를 집어 던졌다.

02 아이들은 책 보퉁이를 가져오라고 용이를 몰아세우다가 용이가 당당하게 맞서자 당황하며 자신들의 책 보퉁이를 직접 찾으러 갔다.

03 용이가 화가 난 까닭은 남의 책 보퉁이를 대신 날라다 주는 자신을 보고 못난 아이라고 수군거리는 것 같았기 때문이다.

04 ⓛ에는 아이들의 말을 따르기만 했던 과거와 달리 아이들과 당당하게 맞서는 용이의 모습이 나타나 있다.

자료실 **용이의 태도 변화와 '꿩'의 상징적 의미**

용이의 태도 변화

꿩을 보기 전	아이들의 부당한 요구를 거부하지 못하고 어쩔 수 없이 책 보퉁이를 들어다 줌.

↓

꿩을 본 뒤	자신은 이제 못난 아이가 아니라고 하며 자신감 있고 당당한 태도로 아이들과 맞섬.

'꿩'의 상징적 의미

생명력	꿩이 날아오르며 우는 소리를 "살아 있는 생명의 소리"라고 표현함.
용기	꿩이 날아오르는 모습을 본 용이의 온몸에 '어떤 힘'이 마구 솟구침.
자유	꿩이 날아오르는 모습을 본 용이는 '하늘에라도 날아오를 듯'하다고 느낌.
자신감	꿩을 본 뒤 아이들에게 당당히 맞선 용이는 자신이 더 이상 못난 아이가 아니라고 생각함.

05 ⓐ~ⓔ를 소설의 구성 단계에 맞게 순서대로 바르게 나열한 것은 'ⓔ-ⓑ-ⓓ-ⓒ-ⓐ'이다.

4일 소설의 구성 유형

1-1 (1) ② (2) 시간의 흐름에 따른 **1-2** (1) 감자, 과거
(2) 시간의 흐름을 바꾼 **2-1** (1) 외부, 내부 (2) 액자식
2-2 (1) ② (2) ⓜ: ㉠ ⓝ: ㉡ ⓓ: ㉠

1-1 (1) 〈심청전〉에는 심청의 출생과 성장, 아버지와 이별하고 다시 만나는 내용이 시간 순서대로 나타나 있다.
(2) 〈심청전〉은 심청의 출생부터 심학규가 눈을 뜨게 되기까지의 과정을 시간의 흐름에 따라 구성하고 있다.

1-2 (1) 〈동백꽃〉은 '나'의 집 수탉과 점순이네 수탉이 싸우는 장면으로 시작하였다가, 나흘 전에 '나'가 점순이가 주는 감자를 거절한 일이 제시된다. 그리고 다시 현재로 돌아와 사건이 이어진다.

(2) 〈동백꽃〉은 '현재-과거-현재'의 순서로 내용을 전개하고 있다.

자료실 〈동백꽃〉의 시간의 흐름을 바꾼 구성 방식

〈동백꽃〉은 '나'의 집 수탉과 점순네 수탉이 싸우는 장면으로 시작하였다가 '나'가 나흘 전에 점순이가 주는 감자를 거절한 사건으로 거슬러 올라간다. 이렇듯 발단 부분에서 '나'와 점순이의 갈등을 제시하고, 전개와 위기 부분에서는 과거로 돌아가 갈등이 일어난 원인을 드러내고 있다. 그리고 절정 부분에서 다시 현재로 돌아와 두 사람의 갈등이 최고조에 이르렀다가 해소된다.

〈동백꽃〉은 '현재-과거-현재'와 같이 시간의 흐름을 바꾼 구성을 취하고 있으며, '닭싸움'을 매개로 하여 현재와 과거가 연결된다.

구성 단계	사건	시간
발단	'나'가 나무를 하러 집을 비운 사이에 점순이가 닭싸움을 붙임.	현재
전개	'나'는 점순이가 준 감자를 거절함.	과거
위기	'나'가 자신의 수탉에게 고추장을 먹이지만 닭싸움에서 패함.	과거
절정	닭싸움을 보고 화가 난 '나'가 점순이의 수탉을 때려 죽임.	현재
결말	점순이와 '나'가 화해함.	현재

2-1 (1) 〈코르니유 영감의 비밀〉은 '나'가 '프랑세 마마이'라는 사람에게 들은 이야기를 들려주는 형식으로 구성되어 있다. ㉮에서는 '나'가 프랑스 마마이에게 이야기를 들었다는 내용이, ㉯에서는 프랑세 마마이가 '나'에게 들려준 이야기가 구체적으로 전개되고 있다. ㉮는 외부 이야기, ㉯는 내부 이야기에 해당한다.

(2) 이 글은 외부 이야기 속에 내부 이야기가 들어 있는 액자식 구성을 취하고 있다.

2-2 (1) 〈운영전〉은 궁녀 운영과 김 진사의 비극적 사랑을 그린 고전 소설로, 이야기 속에 또 하나의 이야기가 들어 있는 액자식 구성을 취하고 있다.

(2) 〈운영전〉은 유영에 대한 외부 이야기와 김 진사와 운영의 비극적 연애담인 내부 이야기로 나뉜다.

4일	기초 집중 연습	74~75쪽

간단 체크 1 별로 달가워하지 않음. 2 과거 3 액자식 구성

01 ② **02** ⑤ **03** ① **04** ② **05** ① **06** 수민

작품 개관 〈공작나방〉

갈래	현대 소설, 성장 소설
제재	공작나방
배경	• 시간적: 현대 • 공간적: 어느 마을
주제	나비 수집과 관련된 경험에서 얻은 깨달음과 그 깨달음을 통한 정신적인 성장
특징	① 주인공이 어린 시절을 회상하는 형식으로 이루어짐. ② 액자식 구성을 통해 이야기를 전개함. ③ 인물의 심리와 갈등을 섬세하게 표현함.

작가 소개

헤르만 헤세(1877~1962) 독일의 소설가이자 시인. 〈유리알 유희〉로 1946년 노벨 문학상을 받았다. 주요 작품에 〈수레바퀴 밑에서〉, 〈데미안〉, 〈싯다르타〉 등이 있다.

01 이 글은 '나'가 하인리히에게 나비 수집 판을 보여 주자 하인리히가 자신의 어린 시절을 회상하여 이야기를 들려주는 액자식 구성을 취하고 있다. 시간 순서대로 내용이 전개되지 않고 시간의 흐름이 바뀌어 나타난다.

02 하인리히는 나비를 잡는 데 열중하여, 학교를 쉬는 날에는 빵 한 쪽을 챙겨 아침 일찍부터 밤늦게까지 집에 돌아오지 않고 뛰어다녔다.

오답 풀이

①, ② "저녁 산책을 마치고 돌아와 서재에서 함께 이야기를 나누고 있었다. ~ 내 어린 아들이 밤 인사를 하고 나가자 우리는 자연스럽게 아이들과 어린 시절이 기억에 관해 이야기를 시작했다."에서 대화를 나눈 장소가 서재이고, 시간은 밤임을 알 수 있다.

③ "자네의 수집 판을 자세히 보지 않은 것을 기분 나쁘게 생각하지 말아 주게."라는 하인리히의 말에서 알 수 있다.

03 ㉮는 하인리히가 친구의 집에 방문한 현재의 이야기이고, ㉯는 하인리히가 자신의 어린 시절을 회상하여 들려주는 이야기이다. ㉮의 '나'는 하인리히의 친구이고 ㉯의 '나'는 하인리히이다.

외부 이야기

외부 이야기의 '나'는 하인리히가 추억을 떠올리게 하여 내부 이야기가 전개되도록 이끄는 서술자임.

↓

내부 이야기

내부 이야기의 '나'는 외부 이야기의 '나'에게 자신의 경험을 들려주는 하인리히로, 소설의 주인공이자 서술자임.

04 ㉮에서 하인리히와 친구가 대화하는 장면은 현재이고, 하인리히가 나비를 수집한 이야기인 ㉯는 과거 회상이다. 따라서 사건이 발생한 시간 순서대로 장면을 나열하면 'ⓐ-ⓒ-ⓑ-ⓓ'가 된다.

05 ㉠은 '나'와 하인리히가 '나'의 어린 아들과 밤 인사를 하기 전 대화를 나눈 것을 가리킨다. ㉡~㉤은 하인리히가 '나'의 나비 수집 판을 보고 나서 떠올린 자신의 어린 시절 이야기(㉯)를 의미한다.

06 ㉮는 외부 이야기로 하인리히와 친구가 나눈 이야기가 나타나 있고, ㉯는 내부 이야기로 하인리히의 어린 시절 이야기가 나타나 있다.

5일 소설의 갈등과 구성_종합

5일	기초 집중 연습	78 ~ 81쪽

간단 체크　**1** 서자　**2** 억울하게　**3** 병조 판서　**4** 숙모　**5** 거스름돈　**6** 발단, 위기

01 ③　**02** ④　**03** ②　**04** ②　**05** ③　**06** ⑤
07 ②　**08** ⑤　**09** ④　**10** ③　**11** ①

갈래　고전 소설
제재　홍길동의 삶
배경　•시간적: 조선 시대 •공간적: 조선과 율도국
주제　불합리한 사회 제도 비판과 이상국의 건설
특징　① 인물과 사회 사이의 갈등이 잘 드러남.
　　　② 영웅 소설의 대표적 작품으로, 영웅의 일대기적 구성이 나타남.
　　　③ 홍길동의 비범한 능력을 통해 고전 소설의 전기적 특성이 드러남.

허균(1569~1618) 조선 중기의 문인. 불평등한 신분 제도를 비롯하여 당시 사회의 옳지 않은 것들을 없애거나 고쳐야 한다고 주장하였다. 우리나라 최초의 한글 소설인 〈홍길동전〉을 지었고, 한시 선집인 《국조시산(國朝詩刪)》 등을 남겼다.

01 이 글은 시간 순서에 따라 사건이 전개되는 구성을 취하고 있다.

• **일대기적 구성**: 주인공의 출생부터 죽음에 이르기까지 시간적 순서에 따라 이야기가 전개된다.
• **전형적·평면적 인물**: 주로 한 계층을 대표하는 전형적 인물이 등장하는데, 이야기의 처음부터 끝까지 인물의 성격이 변하지 않는다.
• **우연적·비현실적 사건 전개**: 우연한 사건의 반복으로 이야기가 전개되고, 현실에서 일어나기 어려운 일들이 일어난다.
• **행복한 결말, 권선징악의 주제**: 주인공이 행복해지는 것으로 끝난다. 착한 사람은 복을 받고 나쁜 사람은 벌을 받는다는 주제를 드러낸다.

02 길동이 임금에게 한 말 가운데 "신이 전하를 받들어 만세를 모실까 하였사오나, 천비 소생이라 벼슬길이 막혔는지라."에서 당시 서자는 벼슬길에 나갈 수 없었음을 알 수 있다.

오답 풀이

① 이 글에서 부패한 관리나 탐관오리를 임금이 처벌하는 내용은 나타나 있지 않다. 이 글에서 탐관오리를 벌한 것은 임금이 아니라 홍길동이다.
② 이 글에서 백성들이 힘을 모아 임금에게 대항하였다는 내용은 나타나 있지 않다.
③ 이 글에서 청렴한 관리가 많아 백성의 존경을 받았다는 내용은 나타나 있지 않다. 오히려 탐관오리들이

백성의 고혈을 빨아서 재물을 모았다는 내용이 제시되어 있다.
⑤ 홍길동은 신분이 천한 여자 종에게서 태어난 서자라는 이유로 차별을 받았으므로 신분이 따른 차별이 없고 모두가 평등하게 대우를 받는 사회였다는 것은 적절하지 않다.

03 홍길동이 천비에게서 태어나 벼슬길에 오르지 못한 것은 홍길동의 비범한 능력이 드러난 사건이 아니라 홍길동이 사회와 갈등하게 된 원인이다.

04 [A]는 소설 구성의 5단계 중에서 절정에 해당하는 부분으로, 갈등이 최고조에 이르고 해결의 실마리가 나타나는 단계에 해당한다. 홍길동이 임금에게 적서 차별의 억울함을 호소하고, 탐관오리들의 횡포를 지적하고 있다.
오답 풀이
① 소설 구성의 5단계 중 전개에 해당한다.
③, ④ 소설 구성의 5단계 중 발단에 해당한다.
⑤ 소설 구성의 5단계 중 결말에 해당한다.

05 홍길동은 서자 신분 때문에 차별을 받아 아버지를 아버지라 부르지 못하고 형을 형이라 부르지 못해서 원한이 맺혔다.

06 서자로 태어난 홍길동은 자신의 신분 때문에 호부호형을 하지 못하고 벼슬길에도 오르지 못해 괴로워한다. 〈홍길동전〉에서 가장 중심이 되는 갈등은 홍길동과 조선의 신분제 사회 사이의 갈등이다.

07 이 글은 한 소년이 가게 주인의 실수로 거스름돈을 더 받고 나서 겪는 내적 갈등과 외적 갈등을 그린 소설이다. 소설은 현실에서 있음 직한 일을 작가가 상상하여 꾸며 쓴 글이다.
오답 풀이
③ ㉮의 "며칠 전 일이다."를 통해 과거를 회상하고 있음을 알 수 있다.

08 ㉯에서 수만이는 돈을 받아 내기 위해 문기를 계속 괴롭히고 있다.

09 어떻게 하면 좋을지 몰라 막막할 때 흔히 '눈앞이 캄캄하다'라는 표현을 쓴다. 앞이 캄캄했다는 말을 통해 문기는 수만이가 정말로 자신이 저지른 잘못을 폭로할까 봐 불안해하고 두려워하고 있음을 알 수 있다. 떳떳함과는 거리가 멀다.

10 수만이는 문기가 저지른 잘못이 자신과 관련이 있는데도 문기를 도둑으로 몰고 협박하며 끈질기게 괴롭힌다. 이를 통해 수만이는 집요하고 비열한 면이 있으며 원하는 것을 얻기 위해 수단과 방법을 가리지 않는 성격임을 알 수 있다.

11 ㉢은 문기가 숙모의 돈을 훔친 일을 말한다. 문기는 수만이의 협박에 못 이겨 숙모의 돈을 훔쳐 수만이에게 주었다. 이 일로 수만이와의 갈등은 해소되지만 문기는 죄책감을 느끼고 내적 갈등은 더욱 깊어진다.

누구나 100점 테스트	82 ~ 83쪽

01 갈등 **02** '나' **03** 은수 **04** 내적, 인물, 사회
05 (1) 내 (2) 외 **06** ㉠: 발단 ㉡: 위기 **07** ㉡, ㉤
08 (1) ㉠ (2) ㉡ (3) ㉣ (4) ㉢ (5) ㉤ **09** (1) 시간의 흐름을 바꾼 (2) 액자식 **10** (1) 액자식 구성 (2) 시간의 흐름을 바꾼 구성 (3) 시간의 흐름에 따른 구성

02 '저 사람'에게 인사를 해 볼까 하는 생각과 귀찮다는 생각이 마음속에서 얽혀 갈등하는 '나'의 내적 갈등이 드러나 있다.

03 소설에서 갈등이 일어나고 해결되는 과정 속에서 작가가 전달하고자 하는 주제가 드러난다.

05 (1) 행운이 계속되자 불안해하는 김 첨지의 내적 갈등이 나타나 있다.
(2) 바우와 경환이 사이의 외적 갈등이 나타나 있다.

07 '전개'는 갈등이 시작되는 단계이고, '결말'은 갈등이 해결되고 사건이 마무리되는 단계이다.

❶ 신나는 어휘 놀이

1 은서: 침낭, 세훈: 냄비, 신우: 손전등, 준희: 텐트, 송비: 랜턴 **2** 가평

❷ Q&A 특강

자연, 운명

❶-1 '마음에 들어 만족스럽다.'는 '달갑다'의 뜻이므로 은서의 준비물은 침낭이다. '깨끗하고 순수하다.'는 '청순하다'의 뜻이므로 세훈의 준비물은 냄비이다. '장난치듯 즐겁게 노는 일.'은 '유희'의 뜻이므로 신우의 준비물은 손전등이다. '뚜렷하게 보이거나 들리지 아니하고 희미하고 흐릿하다.'는 '어슴푸레하다'의 뜻이므로 준희의 준비물은 텐트이다. '새의 꽁무니 부분.'은 '꽁지'의 뜻이므로 송비의 준비물은 랜턴이다.

❶-2 '한 가지 일에 정신을 집중하다.'는 '열중하다'의 뜻이고, '수준이 보통을 넘어 아주 뛰어나다.'는 '비범하다'의 뜻이다. 각 단어가 쓰인 카드에 적힌 글자를 순서대로 나열하면 '가평'이 된다.

3주 서술자와 시점

1 (1) ㉮: 세희가 자신의 마음에 대해 이야기하고 있다. ㉯: 다른 친구가 세희의 마음에 대해 이야기하고 있다. (2) ㉮
2 (1) 못된, 나쁜 (2) 시각

1 (2) ㉮에서 말하는 사람은 세희로, 자기 자신의 이야기를 하고 있다. ㉯에서 말하는 사람은 세희가 아닌 다른 인물로, 세희의 행동을 관찰하여 이야기를 전달하고 있기 때문에 ㉮에 세희의 마음이 더 잘 드러나 있다.

1일 소설의 시점 ①

1-1 '나' **1-2** 시하 **2** (1) '나' (2) 놀람과 설렘
3-1 (1) '나' (2) 작품 안 (3) 어머니 **3-2** (1) '나' (2) 작품 안 (3) 수택이 **4** 서준 **5** '나'의 심리, 주인공의 행동

1-1 이 글의 서술자는 작품 속 '나'이다.

1-2 작품 속 주인공인 '나'가 위층에서 들리는 소음에 관한 자신의 심리, 즉 자신의 이야기를 서술하고 있다.

2 (1) '나'가 자신의 이야기를 서술하고 있다.
(2) '나'는 평소 동경하던 아가씨가 다른 사람들을 대신해 오자 깜짝 놀라고 설렌다.

3-1 (1) 이 글의 서술자는 '나'이다.
(2) 서술자 '나'는 작품 속의 인물이다.
(3) 부수적 인물 '나'가 주인공인 어머니의 행동과 표정을 관찰하여 서술하고 있다.

3-2 (1) 이 글의 서술자는 '나'이다.

(2) 서술자 '나'는 작품 속의 인물이다.

(3) '나'가 주인공 수택이의 모습과 행동을 관찰하여 서술하고 있다.

4 '나'가 자신의 이야기를 서술하는 시점은 1인칭 주인공 시점이다. 1인칭 관찰자 시점은 '나'가 관찰자의 입장에서 주인공의 이야기를 서술하는 시점이다.

5 1인칭 관찰자 시점은 작품 속 '나'가 주인공을 관찰하여 서술하는 시점이므로, '나'의 심리와 주인공의 행동을 전달할 수 있으나 주인공의 심리를 속속들이 알지는 못한다.

1일   기초 집중 연습   98~99쪽

간단 체크 1 '나' 2 안 3 관찰자

01 ②   **02** ④   **03** ⑤   **04** ④   **05** ⑤   **06** 된장찌개

작품 개관 〈할머니를 따라간 메주〉

갈래 현대 소설

제재 메주 띄우기

배경 • 시간적: 1990~2000년대
• 공간적: 도시(아파트) → 시골(할머니 댁)

주제 가치관 차이로 인한 세대 간의 갈등과 해결

특징 ① '나'(은지)가 관찰자로서 할머니와 엄마의 갈등을 관찰하며 이야기를 전개함.
② 서로 다른 가치관을 지닌 등장인물들의 외적 갈등이 잘 드러남.

작가 소개

오승희(1961~) 소설가. 저마다의 고민을 안고 괴로워하면서 정신적으로 성장해 가는 아이들의 삶을 다룬 소설을 많이 썼다. 주요 작품에 〈그림 도둑 준모〉, 〈할머니를 따라간 메주〉 등이 있다.

01 "니가 지금 메주 만드는 거 돕기나 하면서 그런 말을 하냐? 손가락 하나 까딱 안 하고 만들지 말란 소리만 하면 다여?"라는 할머니의 말을 통해 엄마가 메주 만드는 일을 돕지 않았음을 알 수 있다.

---

02 이 글의 서술자는 작품 속 '나'로, 주인공인 할머니와 엄마를 관찰하여 이야기를 전달하고 있다. '나'는 할머니와 엄마의 말과 행동을 관찰하여 전달하기 때문에 그들의 속마음을 정확하게 알지는 못하고 자신이 판단한 대로 서술한다.

03 [A]에는 아파트에서 메주를 만들고자 하는 할머니와 그러한 행동을 못마땅해하는 엄마의 외적 갈등이 두드러지게 나타나 있다.

04 할머니와 엄마 사이에서 화해를 이끌어 내기 위해 된장찌개를 먹으려는 모습을 통해 '나'가 사려 깊고 배려심 많은 성격을 가지고 있음을 알 수 있다.

05 이 글에는 전통적인 생활 방식을 지키려는 할머니와 편리하고 현대적인 생활 방식에 익숙한 엄마의 갈등이 드러나 있다. ㉠과 ㉡을 통해 전통적인 삶의 방식을 지키려는 할머니의 가치관을 엿볼 수 있다.

06 '나'는 엄마와 할머니의 갈등을 해결하기 위해서 평소 좋아하지 않던 된장찌개를 앞으로 열심히 먹기로 다짐하고 있다.

2일   소설의 시점 ②

개념 원리 확인   100~103쪽

1-1 (1) 소미 (2) 3인칭   **1-2** (1) 아니요 (2) 아니요 (3) 3인칭 관찰자 시점   **2-1** (1) ㉠: 인물의 행동 ㉡: 인물의 속마음 (2) 밖, 인물의 심리   **2-2** 슬픔, 두려움   **3** 인물이 과거에 한 일, 인물의 행동, 인물의 심리

1-1 (1) 이 글의 서술자는 작품 밖에서 인물의 행동을 객관적으로 관찰하여 서술하고 있으며, 인물의 속마음은 알지 못한다.

(2) 이 글의 시점은 3인칭 관찰자 시점이다. 작품 밖

의 서술자가 객관적인 태도로 인물의 대화와 행동을 관찰하여 전달하고 있다.

1-2 (1) 이 글에는 '나'가 등장하지 않는다.
(2) 서술자가 마을 사람들이나 학의 심리를 서술한 내용은 나타나지 않는다.
(3) 작품 밖의 서술자가 마을 사람들과 학의 행동을 관찰하여 사실 위주로 객관적으로 서술하고 있다.

2-1 (1) ㉠에서는 소년의 행동을 서술하고 있고, ㉡에서는 소녀의 심리를 서술하고 있다.
(2) 작품 밖의 서술자가 인물의 대화와 행동, 생각이나 심리까지 서술하고 있다.

2-2 아버지와의 이별과 자신의 죽음을 앞두고 심청이가 느끼는 슬픔과 두려움이 나타나 있다.

3 3인칭 전지적 시점은 서술자가 신처럼 전지전능한 입장에서 인물의 속마음, 과거에 한 일, 사건의 처음과 끝 등을 전부 서술할 수 있는 시점이다.

2일 **기초 집중 연습** 104~105쪽

간단체크 **1** 작품 밖 **2** 간 **3** 어리석은

01 ③ **02** ⑤ **03** ④ **04** ⑤ **05** ④ **06** ①

작품 개관 〈토끼전〉

갈래 고전 소설, 우화 소설
제재 토끼의 간
배경 • 시간적: 옛날 옛적 • 공간적: 용궁, 바닷속, 산속
주제 • 표면적: 위기를 모면할 수 있는 지혜, 임금에 대한 충성심, 헛된 욕심에 대한 경계
• 이면적: 권위적인 지배 계층에 대한 비판
특징 ① 동물을 의인화하여 인간 사회를 풍자함.
② 상황에 대응하는 방식에 따라 인물의 성격이 뚜렷하게 구별됨.

01 토끼는 자신이 위기에 빠졌음을 깨닫고 처음에는 절망감에 빠져들었다가 침착하게 용궁에서 살아 나갈

방법을 생각해 냈다. 별주부를 원망하는 모습은 나타나지 않는다.

오답 풀이

① 토끼는 간을 몸에서 꺼내어 높은 산, 깊은 바위틈에 감춰 두고 다닌다고 거짓말을 한다.
② 토끼는 용궁에서 살아 나가기 위해 정신을 차리고 묘한 꾀를 생각해 낸다.
④ 토끼는 별주부가 자신에게 사정을 말했다면 간을 가지고 왔을 것이라며, 도리어 별주부를 꾸짖고 있다.
⑤ 수궁은 육지의 사정을 잘 알지 못하기 때문에 용왕은 결국 토끼의 꾀에 넘어가고 만다.

02 이 글의 서술자는 작품 밖에서 용왕과 토끼의 생각이나 심리까지 설명하며 마치 신처럼 전지전능한 입장에서 이야기를 서술하고 있다. 이러한 시점은 3인칭 전지적 시점이다.

오답 풀이

③ 작품 속에 등장하지 않는 인물이 이야기의 주인공이 될 수는 없으므로 '3인칭 주인공 시점'은 존재하지 않는다.

03 이 글은 3인칭 전지적 시점의 소설로, 작품 밖의 서술자가 마치 신처럼 전지전능한 입장에서 인물들의 대화나 행동은 물론 인물의 생각이나 심리까지 서술하고 있다.

04 ❹에서 용왕이 토끼를 달래어 육지에 두고 온 간을 가져오게 해야겠다고 생각하고 있음을 알 수 있다.

오답 풀이

③ ❹에서 용왕은 토끼의 거짓말에 완전히 속아 넘어가서 토끼가 간을 육지에 두고 왔다고 믿고 있다. 토끼가 뱃속에 있는 간을 꺼내게 하기 위해 결박을 풀어 준 것이 아니다.

05 ㉠은 아무리 위급한 경우를 당하더라도 정신만 똑똑히 차리면 위기를 벗어날 수도 있다는 말이다. 이를 대신할 속담으로는 아무리 어려운 경우에 처하더라도 살아 나갈 방법이 생긴다는 뜻의 ④가 적절하다.

오답 풀이

① '소 잃고 외양간 고친다.'는 소를 도둑맞은 다음에서야 빈 외양간의 허물어진 데를 고치느라 수선을 떤

다는 뜻으로, 일이 이미 잘못된 뒤에는 손을 써도 소용이 없음을 비꼬는 말이다.

② '사공이 많으면 배가 산으로 간다.'는 여러 사람이 저마다 제 주장대로 배를 몰려고 하면 결국에는 배가 물로 못 가고 산으로 올라간다는 뜻으로, 주관하는 사람 없이 여러 사람이 자기주장만 내세우면 일이 제대로 되기 어려움을 비유적으로 이르는 말이다.

③ '가지 많은 나무에 바람 잘 날이 없다.'는 가지가 많고 잎이 무성한 나무는 살랑거리는 바람에도 잎이 흔들려서 잠시도 조용한 날이 없다는 뜻으로, 자식을 많이 둔 어버이에게는 근심, 걱정이 끊일 날이 없음을 비유적으로 이르는 말이다.

⑤ '낮말은 새가 듣고 밤말은 쥐가 듣는다.'는 아무도 안 듣는 데서라도 말조심해야 한다는 말 혹은 아무리 비밀히 한 말이라도 반드시 남의 귀에 들어가게 된다는 말이다.

06 토끼는 죽음의 위기에서 포기하지 않고 꾀를 내어 용왕을 설득하는 지혜로운 인물이고, 용왕은 자신의 병을 치료하려고 토끼를 잡아 오게 하는 이기적이고 권위적인 인물이다. 또한 토끼의 거짓말에 속아 토끼를 육지로 돌려보내는 어리석은 인물이다.

자료실 〈토끼전〉 속 인물의 성격과 상징적 의미

'토끼'의 성격과 상징적 의미

인물의 행동	성격
부귀영화를 누릴 수 있다는 말에 별주부를 따라나섬.	욕심이 많음, 유혹에 잘 빠짐.
죽음의 위기에서 포기하지 않고 꾀를 내어 용왕을 설득함.	침착하고 지혜로움.

→ 부유한 삶에 대한 이상이 있으나, 지배 계층의 이기적인 횡포에 맞서 스스로의 노력으로 극복하는 지혜로운 서민(평민)

'용왕'의 성격과 상징적 의미

인물의 행동	성격
자신의 병을 치료하려고 토끼를 잡아 오게 함.	권위적이고 이기적임.
결국 토끼에게 속아 극진히 대접하고 육지로 돌려보냄.	어리석음.

→ 당시의 어리석고 이기적인 권력층

3일 서술자의 태도

개념 원리 확인 106 ~ 109쪽

1-1 훈기 **1-2** (1) ① (2) 긍정적 **2-1** (1) 박 선생님:
ⓒ 강 선생님: ㉠ (2) 부정적 **2-2** (1) ① (2) 부정적

자료실 인물에 대한 서술자의 태도

긍정적 태도: 애정, 동경, 예찬, 연민, 동정 등으로 나타남.

애정	누군가 혹은 무언가를 사랑하는 마음.
동경	어떤 대상을 마음속으로 간절히 그리워하고 바람.
예찬	매우 좋거나 훌륭한 것을 칭찬하며 감탄함.
연민	불쌍하고 가엾게 여김.
동정	남의 어려운 처지를 자기 일처럼 느끼며 가엾게 여김.

부정적 태도: 비판, 풍자, 조롱, 분노 등으로 나타남.

비판	무엇에 대해 자세히 따져 옳고 그름을 밝히거나 잘못된 점을 지적함.
풍자	인물의 부정적인 면이나 사회의 부조리 등을 간접적으로 비판하며 웃음을 유발함.
조롱	어떤 대상을 얕잡아 보고 비웃거나 놀림.
분노	몹시 화를 냄.

1-1 이 글의 서술자는 김대호 씨의 대인 관계, 성격 등을 예찬하며 김대호 씨에 대해 긍정적인 태도를 드러내고 있다.

1-2 (1) 이 글의 서술자는 백선규가 그린 작품의 뛰어난 예술성을 칭찬하며 감탄하고 있다.
(2) 이 글의 서술자는 백선규의 그림 실력을 예찬하며 인물에 대한 긍정적인 태도를 드러내고 있다.

2-1 (1) 박 선생님은 눈이 부리부리하니 사납고 목소리가 쇠꼬챙이로 찌르는 것처럼 쨍쨍하다고 하였고, 강 선생님은 그와 정반대로 얼굴이 순하고 화를 내는 일도 별로 없다고 서술하고 있다.
(2) 이 글의 서술자는 박 선생님을 이상한 선생님이라면서 사나운 사람으로 묘사하고, 강 선생님은 정반대로 순한 성품을 지닌 사람으로 묘사하여 박 선생님에 대한 부정적인 태도를 드러내고 있다.

2-2 (1) 이인국은 브라운 씨 집에 있는 우리나라 유물들을 보고, 자신이 가져온 고려청자 화병이 브라운 씨에게 특별하게 느껴지지 않을까 봐 불안해하고 있다. 이인국은 고려청자 화병을 미국인 브라운 씨에게 주려고 하므로 ②와 같은 설명은 적절하지 않다.

(2) 이 글의 서술자는 ㉠을 통해 이인국이 자신의 이익만을 추구하는 이기적인 인물임을 드러내고 있으며, 여기에는 이인국을 비판적으로 보는 서술자의 태도가 반영되어 있다.

3일 기초 집중 연습   110 ~ 111쪽

간단 체크	1 느리다 2 긴데요 3 따뜻한

01 ④   **02** ④   **03** ⑤   **04** ③   **05** ②   **06** ④

작품 개관 〈길모퉁이에서 만난 사람〉

갈래 현대 소설

제재 주변에서 만날 수 있는 평범한 이웃들

배경 • 시간적: 현대 • 공간적: 어느 동네

주제 평범한 인물들의 삶의 모습과 그 의미

특징 ① 서술자가 주변 인물을 관찰하고 그들의 품성을 예찬하는 방식으로 구성됨.
② 이웃을 바라보는 서술자의 따뜻한 시선이 잘 드러남.
③ 등장인물 사이에 뚜렷한 갈등이 나타나지 않음.

작가 소개

양귀자(1955~) 소설가. 도시 변두리에 사는 소외된 사람들의 삶을 따뜻한 시선으로 그린 소설을 많이 썼다. 저서에 《원미동 사람들》, 《길모퉁이에서 만난 사람》, 《모순》 등이 있다.

---

01 김대호 씨는 "제가 긴데요."라고 전화를 받는 말버릇이 있어서 김대호 씨를 아끼는 몇몇 사람이 그 말버릇을 고치라고 충고하였다.

오답 풀이

③ "장가를 가고 싶으면", "노총각인 김대호 씨"에서 김대호 씨가 아직 결혼을 하지 않았음을 알 수 있다.

02 김대호 씨가 자신에게는 '긴데요'가 어울린다고 말하는 것을 통해 자신의 별명을 긍정적으로 생각하고 있음을 알 수 있다.

오답 풀이

① 김대호 씨는 맡은 일만큼은 빈틈없이 해내는 사람으로, 일에 하자를 내는 경우가 거의 없으므로 중요한 일을 믿고 맡길 수 있겠다는 평가는 적절하다.

03 다른 사람이 자신에게 한 충고를 진지하게 받아들이고 행동으로 실천하는 모습을 통해 김대호 씨가 다른 사람의 의견을 잘 받아들이는 포용력 있는 인물임을 짐작할 수 있다.

04 '긴데요' 하는 말버릇을 고치려고 연습한 일이 쓸모없게 되었음에도 아쉬워하지 않고 자신에게 '긴데요'가 어울린다고 말하는 모습을 통해 그의 낙천적인 성격을 엿볼 수 있다.

오답 풀이

② 즉흥적: 그 자리에서 바로 일어나는 느낌이나 기분에 따라 하는 것.
④ 의존적: 자신의 힘으로 하지 못하고 무엇에 기대는 성질이 있는 것.
⑤ 소극적: 스스로 하려는 의지가 부족하고 활동적이지 않은 것.

05 이 글의 서술자는 요즘과 같은 세상에 김대호 씨가 존재하는 것이 행복한 일이라고 하며 등장인물에 대한 긍정적인 태도를 드러내고 있다.

06 이 글의 서술자는 정신없이 바쁘게 돌아가는 세상에서 김대호 씨처럼 느린 사람이 필요하다고 생각하고 있다. 율희도 여유로운 삶의 태도가 필요함을 드러내고 있다.

4일 소설의 서술 방식

개념 원리 확인   112 ~ 115쪽

1-1 (1) '나' (2) 아버지, 어머니 (3) 시후   **1-2** (1) 작품 밖 서술자 (2) 인삼, 받지 않고 (3) 승현   **2-1** (1) ② (2) 그림   **2-2** (1) ① (2) 진우

1-1 (1) 이 글의 서술자는 작품 속 '나'(옥희)이다.
(2) '나'는 어머니, 외삼촌과 함께 살고 있으며 아버지는 자신이 세상에 나오기 한 달 전에 돌아가셨다고 서술되어 있다.
(3) 서술자 '나'가 인물과 사건을 직접 설명하고 있다. '나'가 외할머니를 통해 알게 된 사실이 나타나 있으나 작품 속 인물들이 서로 주고받는 말은 나타나지 않는다.

1-2 (1) 이 글의 서술자는 작품 속에 등장하지 않고 작품 밖에서 이야기를 전달하고 있다. 홍득주는 작품 속에 등장하는 인물이다.
(2) 임상옥은 인삼을 파는 상점에서 일한 지 어느덧 3년이 지났으며, 품삯을 받지 못하고 일했다고 서술되어 있다.
(3) 서술자가 인물에 관해 직접 설명하고 있다. 소설의 배경을 그림 그리듯이 묘사하는 내용은 나타나지 않는다.

2-1 (1) 이 글은 달빛이 비추는 고요한 밤에 세 사람이 나귀를 타고 메밀밭을 지나는 모습을 묘사하고 있다.
(2) 이 글은 달밤의 메밀밭 풍경을 그림 그리듯이 구체적으로 표현하고 있다.

2-2 (1) 엄마가 안 계시냐는 물음에 '나'는 자신 말고는 아무도 없다고 대답하고 있다. '나'와 통화 중인 상대방은 '나'를 꾸짖는 것이 아니라 우는 '나'를 달래며 상냥하게 응급처치 방법을 알려 주고 있다.
(2) 이 글은 인물 간의 대화를 통해 사건을 전개하고 있다.

---

02 등장인물들이 주고받는 말을 통해 사건을 전개하는 서술 방식은 '대화'이다. [B]에는 대화가 나타나 있지 않다.

03 소녀와 눈이 마주치자 아래쪽으로 눈을 떨구는 것을 보아 자신감 강한 성격이 아니라 수줍음이 많은 성격임을 알 수 있다.

04 소녀가 소년에게 "이 바보."라고 말하며 조약돌을 던진 것은 소년과 친해지고 싶은 자신의 마음을 몰라주고 며칠째 자신을 지켜보기만 하는 소년의 소극적인 태도에 대한 답답함과 서운함을 표현한 행동으로 볼 수 있다.

자료실	〈소나기〉 속 인물의 성격

소년의 성격

인물의 행동	성격
• 개울둑에 앉아 소녀가 비키기를 기다림. • 다음 날 늦게 개울가로 나옴. • 소녀와 눈이 마주치자 눈을 피함.	⇒ 부끄러움이 많고 소극적임.

소녀의 성격

인물의 행동	성격
• 징검다리 한가운데 앉아 물장난을 함. • 소년에게 "이 바보."라고 말하고 조약돌을 던짐. • 소년에게 먼저 말을 건넴.	⇒ 적극적이고 당당함.

05 이 소설은 소나기처럼 짧게 끝나 버린 소년과 소녀의 순수한 사랑을 그리고 있다.

5일 서술자와 시점_종합

5일	기초 집중 연습	120 ~ 123쪽

간단 체크 1 '나' 2 안 3 모르고 4 '나'(옥희) 5 아빠
6 성이 났기

01 ② **02** ③ **03** ④ **04** ② **05** 은수 **06** ①
07 ② **08** ② **09** ④ **10** 부끄러움, 당황

4일	기초 집중 연습	116 ~ 117쪽

간단 체크 1 가을 2 사랑 3 관심

01 ③ **02** ④ **03** ⑤ **04** ④ **05** 소나기

01 이 글의 서술자는 작품 속에 등장하는 인물이 아니다. 따라서 소년이 서술자가 되어 이야기를 전개한다는 설명은 적절하지 않다.

작품 개관 〈동백꽃〉

갈래	현대 소설
제재	동백꽃
배경	• 시간적: 1930년대 봄　• 공간적: 강원도 농촌 마을
주제	농촌 소년과 소녀의 사랑
특징	① 어리숙하고 순박한 인물을 서술자로 설정하여 웃음을 유발함. ② 산골 마을을 배경으로 토속적인 어휘를 사용하여 향토적인 분위기를 자아냄. ③ '현재-과거-현재'의 시간 흐름이 나타남.

작가 소개

김유정(1908~1937) 소설가. 1930년대 농촌을 배경으로 하여 해학적이면서도 현실 비판적인 소설들을 발표하였다. 주요 작품에 〈동백꽃〉, 〈봄·봄〉, 〈금 따는 콩밭〉, 〈만무방〉 등이 있다.

01 이 글의 서술자 '나'는 작품 속에 등장하여 자신이 직접 겪은 이야기를 전달하고 있다.

> 오답 풀이
>
> ③ 이 글은 1인칭 주인공 시점으로, 주인공인 서술자 '나'가 자신의 심리를 생생하게 전달할 수 있지만 모든 등장인물의 심리를 알지는 못한다. 서술자가 모든 등장인물의 심리를 아는 것은 3인칭 전지적 시점이다.

자료실 〈동백꽃〉의 서술자 '나'의 특성과 주제

서술자의 특성		주제와의 연관성
'나'는 점순이의 이성적인 관심을 알아채지 못하는 어수룩한 인물임.	➡	'산골 남녀의 순박한 사랑'이라는 주제를 효과적으로 전달함.
연애나 사랑을 경험해 보지 못한 '나'의 시선을 통해 이야기가 전개됨.	➡	어설프지만 풋풋하고 순수한 사랑의 느낌을 효과적으로 드러냄.

02 '나'는 눈치가 없어 점순이가 화가 난 이유를 전혀 알지 못하고 있다.

> 오답 풀이
>
> ① 울타리를 엮는 '나'를 보고 "한여름이나 되거던 하지 벌써 울타리를 하니?"와 같이 말하는 모습을 통해 점순이가 농촌 생활에 익숙함을 짐작할 수 있다.
>
> ②, ④ '나'는 이 동리에 와서 지낸 지 3년 가까이 되었고, '나'와 점순이는 어제까지만 해도 이야기도 잘 하지 않고 서로 만나도 본척만척하는 사이였음이 나타나 있다.

⑤ 점순이는 '나'에게 감자를 주며 자신이 감자를 준 것을 사람들이 알면 큰일이 날 테니 얼른 먹어 버리라고 말하고 있다.

03 점순이의 마음을 조금도 알아차리지 못하는 모습을 통해 '나'가 둔하고 눈치 없는 인물임을 알 수 있다.

04 점순이는 평소와 다르게 '나'에게 말을 붙이고, 보는 사람은 없는지 확인까지 하며 '나'에게 감자를 건넨다. 감자는 '나'를 향한 점순이의 관심이자 애정을 의미한다.

> 오답 풀이
>
> ⑤ 점순이가 '나'의 수탉과 자기네 수탉을 닭싸움 붙인 일은 '나'에게 감자를 건넸다가 거절당한 뒤에 일어난 일이므로 ⑤는 점순이가 '나'에게 감자를 건넨 의도로 적절하지 않다.

05 '나'는 "느 집에 이거 없지?" 하는 점순이의 말을 듣고 자기네 집보다 잘 사는 마름의 딸인 점순이가 감자를 건네며 자랑한다고 생각하여 기분이 상해 감자를 받지 않았다.

작품 개관 〈사랑손님과 어머니〉

갈래	현대 소설
제재	어머니와 '나'(옥희)가 살고 있는 집의 사랑채에 아저씨가 하숙을 오며 생기는 일
배경	• 시간적: 1930년대　• 공간적: 어느 작은 마을
주제	어머니와 사랑손님의 사랑과 이별
특징	① 어린아이의 관점에서 어른들의 사랑 이야기를 순수하게 그려 냄. ② 대화와 행동을 통해 인물의 심리를 드러냄.

작가 소개

주요섭(1902~1972) 소설가. 인간에 대한 애정 어린 시선을 기반으로 서정적인 작품을 많이 썼다. 주요 작품에 〈사랑손님과 어머니〉, 〈아네모네의 마담〉, 〈인력거꾼〉 등이 있다.

06 아저씨는 '나'와 어머니가 예배당에 간다는 사실을 알고 예배당에 나왔다. 아저씨가 예배당에 가는 것을 싫어하는지는 알 수 없다.

07 이 글은 1인칭 관찰자 시점으로 서술된 글이다. 작품 안에 있는 '나'가 주인공인 어머니와 아저씨의 이야기를 관찰하여 전달하고 있다.

정답과 해설

③ 작품 속에 등장하지 않는 인물이 이야기의 주인공이 될 수 없으므로 '3인칭 주인공 시점'은 존재하지 않는다.

08 아저씨가 아빠라면 좋겠다는 '나'의 말에 당황하여 떨리는 목소리로 ⓒ과 같이 말한 것이다. 아저씨는 '나'의 어머니에게 관심을 갖고 있는 상황으로, '나'의 아빠가 되기 싫어서 화를 낸 것은 아니다.

09 이 글의 서술자 '나'는 여섯 살 난 어린아이로, 어머니와 아저씨의 행동과 말을 어린아이의 순수한 시선으로 관찰하여 전달하고 있다. 어머니와 아저씨의 관계에 대한 부정적인 태도는 드러나지 않는다.

10 ⓐ에서 아저씨는 "옥희야." 하는 어머니의 목소리를 듣고 부끄러워하고 있다. ⓑ에서 어머니는 아저씨와 주위 사람들을 의식하여 당황하고 부끄러워하고 있다.

자료실 〈사랑손님과 어머니〉 속 등장인물의 성격

'나'(옥희)	이 글의 서술자로, 천진난만한 어린아이임.
어머니	• 전통적 윤리 의식을 지니고 있음. • 옥희를 매우 사랑하며, 자신의 사랑에 대해서는 소극적임.
아저씨 (사랑손님)	• 소극적 성격임. • 옥희에게 다정하게 대하며 진심으로 귀여워함.

누구나 100점 테스트   124 ~ 125쪽

01 (1) 서술자 (2) 시점   **02** 시후   **03** (1) 1인칭 관찰자 시점, 1인칭 주인공 시점 (2) 3인칭 관찰자 시점, 3인칭 전지적 시점   **04** (1) 안 (2) 밖   **05** '나'   **06** ㉠, ㉡   **07** (1) 3인칭 전지적 (2) 심리   **08** 부   **09** (1) ㉢ (2) ㉠ (3) ㉡   **10** (1) 대화 (2) 서술

02 1인칭 시점의 소설에서는 작품 속 '나'가 서술자이지만 3인칭 시점의 소설에서는 서술자가 작품 밖에 위치한다.

03 (1) 서술자가 작품 안에 위치하므로 1인칭 시점에 해당한다.
(2) 서술자가 작품 밖에 위치하므로 3인칭 시점에 해당한다.

06 이 글의 시점은 1인칭 관찰자 시점이다. 작품 속 '나'가 어머니의 행동과 표정을 관찰하여 서술하고 있다.

08 이 글의 서술자는 "박 선생님은 참 이상한 선생님"이라면서 박 선생님을 사나운 사람으로 묘사하여 박 선생님에 대한 부정적인 태도를 드러내고 있다.

10 (1) 등장인물들이 주고받는 말인 대화가 나타나 있다.
(2) 서술자가 독자에게 인물에 대해 직접 설명하고 있다.

특강 | 창의·융합·코딩   126 ~ 129쪽

❶ 신나는 어휘 놀이

1 만두   **2** 고기, 부추, 두부, 밀가루, 새우, 당면

❷ Q&A 특강

순수하게

❶-1 '매우 좋거나 훌륭한 것을 칭찬하고 감탄하다.'는 '예찬하다'의 뜻이고, '본래 타고난 성격이나 성품.'은 '천성'의 뜻이다. '자잘하고 약은 꾀.'는 '잔꾀'의 뜻이고, '성질이나 행동 등이 질기고 끈기가 있다.'는 '진득하다'의 뜻이다. '옥의 얼룩진 흔적.'이라는 뜻으로 '흠'을 이르는 말은 '하자'이다. 각 단어의 오른쪽 칸에 적힌 자음이나 모음을 순서대로 결합하면 '만두'가 된다.

❶-2 '얼굴을 들지 못할 만큼 수줍거나 창피하다.'는 '무안하다'의 뜻이고, '남에게 도움을 주고 그것을 자랑하거나 체면을 세우는 태도.'는 '생색'의 뜻이다. '세상과 인생을 즐겁고 좋은 것으로 여기는 것.'은 '낙천적'의 뜻이고, '어떤 일을 이루기 위하여 대책과 방법을 세우다.'는 '도모하다'의 뜻이다. '육체적, 정신적으로 하는 일이 괴롭고 힘들다.'는 '고되다'의 뜻이고, '일한 대가로 주는 돈이나 물품.'은 '보수'의 뜻이다.

소설의 감상

4주

이번 주에는 무엇을 공부할까? ❷

134 ~ 135쪽

1 (1) 훈기 (2) ㉡　**2** (1) 수호: 작가의 삶, 지희: 작품 자체 (2) ㉠

1 (1) 봉투를 받은 젊은 남자가 어두운 표정으로 "저는 따님을 사랑하고 있습니다."라고 말한 것으로 보아 중년 남성은 자신의 딸과 헤어지라는 의미로 봉투를 주었음을 짐작할 수 있다.
(2) ㉮에서 따님을 사랑하고 있다고 한 말과, ㉯에서 TV를 보는 여학생이 "자기 마음이랑 반대로 말하네?"라고 하는 것을 보아 ㉯의 남자의 진짜 속마음은 '너를 사랑한다. 너와 헤어지고 싶지 않다.'이다.

1일　소설의 배경

개념 원리 확인

136 ~ 139쪽

1-1 가을　**1-2** (1) 강에서 소를 주운 것 (2) 장마　**1-3** (1) 제2차 세계 대전, 대동아 전쟁, 창씨개명령 (2) 일제 강점기
2-1 농촌　**2-2** (1) 원미동/원미동 23통 5반 (2) 사실성
2-3 (1) 시간적 배경: 봄, 공간적 배경: 서울 (2) 시하

1-1 "유난히 맑은 가을 햇살"에서 이 소설의 시간적 배경이 가을임을 알 수 있다.

1-2 (1) '나'는 평소에도 불어난 강물에서 떠내려오는 물건들을 건져 냈는데, 그해에는 살아 있는 소를 줍게 되었다.
(2) "긴 장마가 조금 누그러지자"에서 이 소설의 시간적 배경이 여름임을 알 수 있다.

1-3 (1) '제2차 세계 대전', '대동아 전쟁', '창씨개명령'은 1930~1940년대 일제 강점기와 관련 있는 표현이다.

2-1 '언덕', '송아지', '밤나무', '풀' 등을 볼 때 이 글의 공간적 배경은 도시가 아니라 농촌임을 알 수 있다.

2-2 (1) 첫 번째 문장에서 "원미동에 사는 사람들은, ~ 원미동 23통 5반 사람들은"이라고 밝히고 있다.
(2) 실제 지명을 사용함으로써 독자로 하여금 소설 속 사건을 실제로 벌어진 일처럼 느끼게 할 수 있다.

2-3 (1) "그 어느 해보다도 긴 겨울이 가고 봄이 왔다."에서 시간적 배경이 봄임을, "바람 부는 서울의 뒷골목은"에서 공간적 배경이 서울임을 알 수 있다.
(2) 마지막 문장인 "바람 부는 서울의 뒷골목은 흉흉하고 을씨년스러웠다."에서 봄에 부는 바람이지만, 흉흉한 분위기를 만들고 있음을 알 수 있다.

1일　기초 집중 연습

140 ~ 141쪽

간단 체크　1 일제 강점기　2 의사　3 불안해하고

01 ③　**02** ④　**03** ④　**04** ⑤　**05** ⓐ, ⓓ, ⓕ
06 율희

작품 개관　〈꺼삐딴 리〉
갈래	현대 소설
제재	이인국의 삶
배경	• 시간적: 일제 강점기에서 1950년대까지 • 공간적: 한반도의 남쪽과 북쪽
주제	시대와 상황에 따라 빠르게 변하는 기회주의자의 삶을 비판
특징	① 일제 강점기, 소련군 주둔 시기, 6·25 전쟁 이후 1950년대를 배경으로 함. ② 급변하는 시대에 대응하는 인물의 모습이 잘 나타남. ③ 현재와 과거를 오가는 구성이 나타남.

작가 소개
전광용(1919~1988) 소설가이자 국문학자. 현실의 부정적인 측면을 비판하는 소설을 많이 썼다. 소설집으로 《흑산도》, 《꺼삐딴 리》 등이 있고 장편 소설로는 〈나신(裸身)〉, 〈태백산맥(太白山脈)〉 등이 있다.

01 ㉮의 "친일파, 민족 반역자를 타도하자."에서 해방 이후 친일파를 민족 반역자로 여기고 이들을 찾아 벌을 주려 했던 당시 사회 분위기를 알 수 있다.

02 "이인국 박사는 이 며칠 동안 불안과 초조에 휘몰려 잠도 제대로 자지 못했다."에서 이인국이 현재 불안해 하고 있음을 알 수 있다.

자료실 이 글에 나타난 시대 상황과 이인국의 심리

시대 상황	• 일제 강점기가 끝나고 광복을 맞이함. • 친일파, 민족 반역자에게 죄를 물어 벌을 주려 함.

↓

이인국의 심리	자신의 친일 행적 때문에 문제가 생길까 봐 불안하고 초조해함.

03 "해방의 감격이 온 누리를 뒤덮어"라는 부분을 볼 때, 사람들이 해방이 되어 매우 감격스러워하고 있음을 알 수 있다. 따라서 많은 사람이 해방이 된 것을 아쉬워하고 있는 것은 아니다.

오답 풀이
② "1945년 팔월 하순."에서 시간적 배경이 1945년 여름임을 알 수 있다.
③, ⑤ 우리나라가 일본에서 해방된 1945년을 배경으로 제시해 사실성을 높이고 있다.

04 이인국은 환자의 몰골과 업고 온 사람의 옷차림을 보고 그들이 경제적으로 좋지 않은 형편임을 알게 된다. 그러나 그것보다는 일본인 간부급들이 들락날락하는 병원에서 사상범인 환자를 치료했다가 "모범적인 황국 신민의 공든 탑이 하루아침에 무너"질까 봐 ⓒ과 같은 고민을 하고 있다.

05 이 글은 일제 강점기부터 1950년대까지를 배경으로 하고 있다. 이를 알 수 있는 소재는 ⓐ 해방, ⓓ 친일파, ⓕ 황국 신민이다.

06 이인국은 옳고 그름과는 상관없이 자신의 이익과 생존만을 위해 행동하며 시대에 적응해 살아가는 기회주의자의 모습을 보이고 있으므로, 율희의 분석이 적절하지 않다.

2일 소설의 소재

개념 원리 확인 142 ~ 145쪽

1-1 (1) 화남 (2) 감자   **1-2** (1) ⓒ-ⓐ-ⓑ (2) 연결
2-1 (1) 메주 (2) ② (3) 성격   **2-2** (1) 목걸이 (2) 인간의 헛된 욕심

1-1 (1) 점순이는 자신의 호의가 거절당한 것에 대해 화가 나 있다.
(2) 점순이는 '나'에게 호의와 관심의 의미로 '감자'를 주었지만, '나'는 그것을 단번에 거절한다.

1-2 (1) 소나기가 올 것 같다는 농부의 말을 듣고 소년과 소녀가 산에서 내려가던 중 소나기가 세차게 내린다. 소년과 소녀는 비를 피하기 위해 원두막으로 간다.
(2) 산에서 내려가던 소년과 소녀는 소나기 때문에 원두막으로 향한다. 즉, 다음 사건으로 연결하는 기능을 하고 있다.

2-1 (1) 이 글은 메주를 둘러싸고 일어나는 할머니와 엄마의 갈등을 그리고 있는 소설이다.
(2) "시상이 아무리 ~ 있는 법이여."라는 할머니의 말에서 새로운 방식을 추구하기보다는 전통적인 방식을 지키는 성격임을 알 수 있다.
(3) 이 글의 중심 소재인 메주를 대하는 태도를 통해 할머니의 성격을 파악할 수 있다.

2-2 (1) 이 글은 허영심 강한 한 여자가 목걸이 때문에 겪은 사건을 그리고 있는 소설이다.
(2) 이 글의 주제가 '인간의 헛된 욕심 비판'임을 고려할 때, 마틸드가 고생하는 계기가 된 소재인 '목걸이'는 '인간의 헛된 욕심'을 의미한다고 볼 수 있다.

2일 기초 집중 연습 146 ~ 147쪽

간단 체크 1 팔, 다리 2 위로한다 3 포기하지 않는다

01 ⑤ **02** ③ **03** ⑤ **04** ①, ③ **05** ③

01 이 글은 아버지와 아들의 2대에 걸친 수난을 통해 우
리 민족이 겪은 수난과 비극, 그리고 그 극복 의지를
보여 주는 소설이다.

오답 풀이

① 이 글의 전체적인 배경은 일제 강점기부터 6·25
전쟁 직후까지이다. 제시된 부분의 배경은 6·25 전쟁
직후이다.

② 이 글은 3인칭 전지적 시점과 3인칭 관찰자 시점이
혼용되어 나타난다.

02 진수가 아버지에게 분노하는 장면은 나타나지 않는다.

오답 풀이

① 만도는 자신의 처지를 비관하는 진수에게 '목숨만
붙어 있으면 산다, 집에서 할 일은 네가 하고, 나다니
며 하는 일은 내가 하면 된다.'라고 말하며 진수를 위
로하고 있다.

② 진수는 만도에게 "이래 가지고 나 우째 살까 싶습
니더."라고 말하고 있다. 자신의 처지를 비관하는 진
수의 태도가 드러난다.

④ 만도의 말 "나 봐라. 팔뚝이 하나 없어도 잘만 안
사나?"에서 만도의 긍정적인 태도가 드러난다.

⑤ 만도가 "집에 앉아서 할 일은 니가 하고, 나댕기메
할 일은 내가 하고"라고 말하는 장면에서 만도는 서로
도우면 어려움을 해결할 수 있다고 생각하고 있음을
알 수 있다.

03 진수는 한쪽 다리로 외나무다리를 건너야 한다는 생
각에 걱정이 되었던 것이다. 한쪽 다리로는 외나무다
리를 건너는 것이 어렵기 때문이다.

04 고등어는 아버지인 만도가 아들 진수를 위해 산 것으
로, 진수에 대한 만도의 애정을 나타내는 소재이다.
그리고 만도는 한쪽밖에 없는 손으로 고등어를 들었
기 때문에 간지러운 겨드랑이 사이를 속 시원히 긁을
수 없어 어깻죽지를 연방 위아래로 움직인다. 이것을
보아 고등어는 한쪽 팔이 없어 불편한 만도의 상황을
상징적으로 보여 주는 소재라고 할 수 있다.

05 만도와 진수가 만난 '외나무다리'는 몸이 불편한 이들
에게 닥친 일종의 위기 상황으로, 앞으로 그들이 겪게
될 시련과 고난을 상징한다. 그러나 그들은 서로 협력
하여 외나무다리를 건넘으로써 시련과 고난을 극복하
려는 의지를 보여 준다.

3일 소설의 표현 방법

개념 원리 **확인**   148 ~ 151쪽

1-1 (1) 파리 떼 (2) 소녀 (3) 실감   **1-2** (1) 머슴의 자
식이기 때문에 (2) 꿩 (3) 용기   **2-1** (1) ② (2) 불행, 반
어, 반어   **2-2** (1) ① (2) 풍자

1-1 (1) "아이들이 파리 떼처럼 붙어 있다."에서 '아이들'을
'파리 떼'에 비유하고 있음을 알 수 있다.
(2) '짐짝', '쓰레기', '선물'은 모두 피란민들이 머물다
떠난 자리에 남겨진 '소녀'를 비유한 표현이다.
(3) 비유를 사용하면 장면이나 인물을 더욱 실감 나게
표현할 수 있다.

1-2 (1) "용이는 머슴의 자식이라는 이유로 다른 아이들의
책 보퉁이를 대신 메 주는"에서 알 수 있다.
(2) 용이는 꿩을 본 뒤 용기를 얻어 아이들의 부당한
요구를 물리치며 당당히 맞선다.
(3) 용이는 꿩이 소리치며 하늘로 날아오는 것을 보고

힘이 솟구치는 것을 느끼며 용기를 얻어 다른 아이들의 책 보퉁이를 골짜기 아래로 던져 버린다.

2-1 (1) 병든 아내가 죽은 가장 불행한 날을 운수 좋은 날이라고 반대로 말하고 있다.
(2) 원래 표현하려는 내용을 실제 의미와는 반대되는 말이나 상황으로 표현하는 방법은 '반어'이다.

2-2 (1) 이 글에서는 박 선생님이 생긴 것부터 무척 이상하게 생겼다고 하면서, 박 선생님의 외모를 우스꽝스럽게 표현한 '뺌생', '뺌박', '대갈장군'과 같은 별명을 소개하고 있다.
(2) 인물을 우스꽝스럽게 만들어 간접적으로 비판하는 표현 방법은 '풍자'이다.

3일 기초 집중 연습
152 ~ 153쪽

간단 체크 1 연 2 가난해서 3 걱정한다

01 ⑤ **02** ⑤ **03** ⑤ **04** ⑤ **05** ② **06** ⑤

작품 개관 〈연〉

갈래	현대 소설
제재	연
배경	• 시간적: 현대 • 공간적: 어느 마을
주제	연을 날리다 고향을 떠난 아들의 안녕을 기원하는 어머니의 염려와 한없는 사랑
특징	① 상징적 소재를 중심으로 내용을 전개함. ② 핵심 소재인 '연'의 높이의 따른 인물의 심리 변화를 섬세하게 묘사함. ③ 인물들의 감정과 내적 갈망을 절제된 표현으로 서술함.

작가 소개

이청준(1939~2008) 소설가. 초기에는 상징적이고 관념적인 성격의 소설을 많이 썼으나 1980년대에 접어들면서 삶의 본질에 대한 소설을 썼다고 평가된다. 주요 작품에 〈소문의 벽〉, 〈이어도〉, 〈서편제〉 등이 있다.

01 이 글은 '연'을 중심 소재로 하여, 아들에 대한 어머니의 애틋한 사랑을 그리고 있다.

02 아들은 가난한 처지 때문에 상급 학교에 진학하지 못

했다. 상급 학교에 진학하지 못해 느끼는 허전함, 실망감, 좌절감을 달래려 연날리기를 하고 있는 것이다.

03 "연을 보면 아들의 얼굴을 ~ 보는 것 같았다."를 보면 어머니가 아들과 연을 동일시하고 있음을 짐작할 수 있다. 따라서 연이 떠날 것처럼 언젠가 아들도 떠날까봐 불안해하고 있는 것이다.

04 ㉠에는 비유가 쓰였다. ⑤는 '상징'에 대한 설명이므로 적절하지 않다.

05 어머니는 아들이 떠난 것을 알고 어디를 가든 몸 건강하기를 기원하고 있다. 즉, 아들에 대해 염려하는 마음이 담겨 있다.

06 연실이 끊어진 연은 바람에 날려 사라지는 경우가 많으므로 '반드시 제자리로 돌아온다.'는 서준의 말은 적절하지 않다.

자료실 이 소설에서 '연'이 상징하는 의미

연의 속성
• 하늘에 떠 있지만 연실에 매여 있음.
• 연실이 끊어지면 자유롭게 날아갈 수 있음.

연이 상징하는 의미
• 떠나고 싶지만 떠날 수 없는 존재
• 현실의 제약에서 벗어나 새로운 세계로 떠나는 존재
→ '아들'을 상징함.

4일 소설의 감상 방법

개념 원리 확인
154 ~ 157쪽

1-1 (1) 고백 (2) 문기의 내적 갈등 (3) 괴로움, 두려움
1-2 (1) ① (2) 은수 **2-1** (1) 어린 시절의 독서 경험 (2)
황홀감 (3) ① **2-2** (1) 변두리, 연탄, 판잣집 (2) 은수

1-1 (1) 문기는 자신의 잘못을 솔직하게 고백하기 위해 선생님을 찾았다.

(2) 이 글에서 문기는 자신의 잘못을 선생님께 솔직하게 고백하려 하지만, 두려운 마음에 망설이다 사실을 말하지 못하고 결국 선생님 집을 나온다.

(3) 문기는 죄책감 때문에 괴로워 자신의 잘못을 솔직하게 고백하려 하지만, 두려움 때문에 하지 못한다.

1-2 (1) 이 글은 발단 부분에서 배경 제시나 등장인물에 대한 소개 없이 편지의 일부분이 직접 제시되고, 그에 대한 서술자의 묘사로 내용이 전개되고 있다.

(2) 은수는 작품 자체에 초점을 맞춰 감상하여 편지의 내용에서 아버지의 사랑이 느껴진다고 이야기하고 있고, 훈기는 편지를 당시의 사회 현실과 관련지어 감상하고 있다.

2-1 (1) 이 글은 '나'가 도서관에서 책을 읽은 경험에 대해 이야기하고 있다. "어린 날의 찬란한 빛"에서 어린 시절의 이야기임을 알 수 있다.

(2) "읽는 재미에다 황홀감을 더해 주었다."에서 '나'가 '황홀감'을 느꼈음을 알 수 있다.

(3) 소설에 작가의 경험이 반영되었다고 말하고 있으므로, 작가의 삶과 관련지은 감상으로 볼 수 있다.

2-2 (1) 이 글에 제시된 동네는 변두리에 있고 판잣집들이 빽빽이 붙어 있는 곳이다. 이 동네에 사는 사람들은 그날그날 벌어먹고 사는 경우가 많아서 연탄은 구멍가게에서 두서너 장씩 사서 쓰는 게 고작임이 드러나 있다.

(2) 은수는 이 글에 나타난 동네의 변화를 1970년대 도시화와 관련지어 감상하고 있고, 훈기는 서술 방식, 즉 작품 그 자체에 초점을 맞춰 감상하고 있다.

4일 | 기초 집중 연습 158~159쪽

간단 체크 1 슬퍼했다 2 활빈당 3 탐관오리

01 ⑤ **02** ② **03** ① **04** ④ **05** ③ **06** 율희

---

01 이 글은 고전 소설로, 대부분의 고전 소설은 작품 밖의 서술자가 인물의 속마음, 인물이 과거에 한 일, 사건의 처음과 끝 등을 말해 주는 3인칭 전지적 시점으로 서술되어 있다.

오답 풀이

① 이 글은 우리나라에서 처음으로 한글로 쓴 소설이다.

② ❹에서 홍길동의 비범한 모습이 드러나 있다.

③ 이 글에는 조선 시대 신분 제도, 적서 차별, 탐관오리의 횡포 등 당시 사회·문화적 상황이 반영되어 있다.

④ ㉮에서 신분상의 제약 때문에 갈등하는 길동의 모습이 제시되어 있다.

02 이 글에는 관직에 진출한 여성이나, 재력을 바탕으로 성장한 상인 계급의 모습은 나타나 있지 않다.

03 길동이 타고난 재능이 부족하다는 내용은 ㉮에서 나오지 않는다. 오히려 "총명하기가 ~ 백을 깨달았다."에서 길동이 총명한 아이였음을 알 수 있다.

04 ㉠은 '출세하여 이름을 세상에 떨침.'을 뜻하는 '입신양명(立身揚名)'과 관련 있다.

오답 풀이

① 고진감래(苦盡甘來): 쓴 것이 다하면 단 것이 온다는 뜻으로, 고생 끝에 즐거움이 옴을 이르는 말.

② 관포지교(管鮑之交): 관중과 포숙의 사귐이란 뜻으로, 우정이 아주 돈독한 친구 관계를 이르는 말.

③ 역지사지(易地思之): 처지를 바꾸어서 생각하여 봄.

⑤ 청출어람(靑出於藍): 쪽에서 뽑아낸 푸른 물감이 쪽보다 더 푸르다는 뜻으로, 제자나 후배가 스승이나 선배보다 나음을 비유적으로 이르는 말.

05 ❹에서 부하들은 길동이 가난한 사람을 구제하면서 백성을 침범하지 않고 나라의 재산에 손을 대지 않는 모습에 감복하고 있다.

06 〈보기〉에서는 작품이 창작됐던 시대 상황에 중점을 두어 작품을 감상하고 있다. 네 학생 중 시대 상황에 중점을 두어 감상한 내용을 말한 사람은 율희이다.

5일 소설의 감상_종합

5일 기초 집중 연습　　　　162~165쪽

간단 체크　1 '나'　2 6·25 전쟁　3 금가락지　4 빚을 갚기 위해서　5 이익이　6 도둑놈

01 ⑤　　02 ①　　03 6·25 전쟁　　04 ①　　05 ③
06 ②　　07 ③　　08 ⑤　　09 ①　　10 양반, 비판(풍자)　　11 ①　　12 ②

작품 개관 〈기억 속의 들꽃〉
갈래　현대 소설
제재　전쟁으로 인해 황폐해져 가는 사람들의 모습
배경　• 시간적: 6·25 전쟁이 한창인 한여름
　　　• 공간적: 만경강 근처의 어느 시골 마을
주제　전쟁의 비극성과 인간성 상실
특징　① 과거 회상의 형식을 취하면서 어린아이의 시선을 통해 전쟁의 비극성과 비인간성을 드러냄.
　　　② 사투리, 비속어를 사용하여 향토성과 사실성을 높임.
　　　③ 상징적 제목으로 주인공 명선이의 비극적 삶의 모습을 나타냄.

작가 소개
윤흥길(1942~)　소설가. 분단 문제, 노동 문제, 권력 문제 등 우리 사회의 중요 문제들을 비판적으로 탐구하는 작품을 많이 썼다. 주요 작품에 〈장마〉, 〈아홉 켤레의 구두로 남은 사내〉, 〈완장〉 등이 있다.

01 이 글은 1인칭 관찰자 시점의 소설로, 작품 속 인물 '나'가 주인공인 '녀석'의 이야기를 서술하고 있다.
　오답 풀이
　① 1인칭 주인공 시점에 대한 설명이다.
　② 3인칭 관찰자 시점에 대한 설명이다.
　③, ④ 3인칭 전지적 시점에 대한 설명이다.

02 "겁 없는 눈짓", "텃세가 조금도 두렵지 않은 모양이었다."를 보면 겁이 없는 성격임을 알 수 있다.
　오답 풀이
　② "간드러진 소리로 나를 부르고 있었다."를 통해 알 수 있다.
　③ "곱살스러운 얼굴에 꼭 계집애처럼 생긴 녀석이었다."에 드러난다.
　④ "그처럼 교과서에서나 보던 서울 말씨로 나를 부르

는 아이는"에서 알 수 있다.
　⑤ "어딘지 모르게 도시 아이다운 냄새가"에서 알 수 있다.

03 '피란민'이란 단어를 볼 때, 이 글의 시대적 배경은 6·25 전쟁임을 알 수 있다.

04 〈보기〉의 "어머니의 인심이 날로 얄팍해져 갔다."를 통해 전쟁 때문에 먹고살기가 힘든 상황이라 인심이 각박해져서 녀석에게 차갑게 대했음을 알 수 있다.

05 금가락지는 사건 전개의 중심 소재로, 녀석이 어머니의 환심을 사는 수단이 된다. 녀석의 생존 수단이기도 하다.

06 어머니는 금가락지를 자세히 살펴보고 침을 묻혀도 보고, 이빨로 깨물어 본 결과 금반지가 진짜임을 확인했기 때문에 미소를 띤 것이다.

작품 개관 〈양반전〉
갈래　고전 소설, 한문 소설
제재　양반 신분의 매매
배경　• 시간적: 조선 후기(18세기)　• 공간적: 강원도 정선군
주제　양반들의 무능과 허례허식, 탐욕에 대한 풍자
특징　① 양반 신분의 매매 사건을 통해 당대 사회와 양반의 모습을 풍자함.
　　　② 조선 후기의 사회상을 반영함.

작가 소개
박지원(1737~1805)　조선 후기의 실학자이자 문인. 호는 연암(燕巖). 현실을 비판하는 내용의 한문 단편 소설을 많이 썼다. 주요 작품에 〈양반전〉, 〈허생전〉, 〈호질〉 등이 있다.

07 양반은 가난하다 할지라도 늘 존귀하지만, 부자는 항상 비천해서 수모를 겪으며 살아왔다고 하는 것을 보아 사람이 각자의 능력에 따라 대우받았다는 것은 적절하지 않다.
　오답 풀이
　① 양반이 환자를 갚기 위해 돈을 받고 자기 신분을 부자에게 파는 것에서 알 수 있다.
　② ㉮의 "양반은 가난하다 할지라도 늘 존귀하지만"에서 알 수 있다.
　④ ㉮의 부자의 말에서 평민은 돈이 많아도 양반들에

게 수모를 당했음을 알 수 있다.

⑤ ㉣의 두 번째 양반 매매 증서에 양반이라는 신분을 이용해 백성들에게 횡포를 부리는 양반의 모습이 제시되어 있다.

08 "밥 먹을 때 국을 먼저 떠먹어서는 안 되고"라고 하였으므로 ⑤의 내용은 적절하지 않다.

09 부자가 두 번째 매매 증서의 내용을 듣고 가더니 죽을 때까지 양반이 되겠다는 말을 하지 않았다고 하는 것으로 보아 ㉣의 매매 증서는 부자가 양반이 되기를 포기하게 만드는 역할을 한다.

10 '도둑놈'에는 양반에 대한 작가의 부정적 인식이 단적으로 드러나 있다. 즉, 부당한 특권을 누리고 횡포를 저지르는 양반의 모습을 '도둑놈'이란 말을 통해 비판하고 있는 것이다.

11 일해서 빚을 갚을 생각을 안 하고 울기만 하는 양반을 보고 '한 푼어치도 안 되는 양반'이라고 말하는 것을 보아 현실 문제를 해결하지 못하고 경제적으로 무능한 양반을 풍자하고 있음을 알 수 있다.

자료실 〈양반전〉 등장인물의 특징

양반	• 학식과 인품이 뛰어나지만, 경제적인 문제를 소홀하게 여긴다. • 빚을 갚기 위해 부자에게 양반 신분을 판다. • 조선 후기 경제적으로 몰락한 일부 양반 계층을 나타내는 인물이다.
부자	• 경제력을 바탕으로 하여 신분 상승을 꾀한다. • 양반을 동경했으나, 양반의 횡포를 알고서는 양반이 되는 것을 포기한다. • 조선 후기 부를 축적한 신흥 부유층을 나타내는 인물이다.
양반의 아내	생활 능력이 없는 무능한 양반을 비판한다.
군수	양반과 부자의 신분 매매를 중개하는 인물로, 증서를 작성한다.

12 이 글에는 가난한 백성을 위해 일하는 양반의 모습은 나타나 있지 않으므로 ②의 내용이 적절하지 않다.

자료실 〈양반전〉의 풍자 대상

양반 매매 증서를 통한 풍자	• 첫 번째 매매 증서: 양반이 지켜야 할 규범이 나열되어 있음. → 체면만을 중시하며 허례허식에 얽매인 양반의 모습을 비판하고 있음. • 두 번째 매매 증서: 양반이 누릴 수 있는 특권이 나열되어 있음. → 하는 일 없이 놀고먹으며 백성들을 괴롭히는 양반의 모습을 비판하고 있음.
인물의 말을 통한 풍자	• "양반! 양반은 한 푼어치도 안 되는구려!" → 양반의 아내의 말을 통해 양반의 무능력을 풍자하고 있음. • "장차 나를 도둑놈으로 만들 셈입니까?" → 부자의 말을 통해 양반의 부도덕한 모습을 풍자하고 있음.

누구나 100점 테스트 166~167쪽

01 시간, 공간 **02** 6·25 전쟁 **03** ㉠, ㉢ **04** 소재 **05** 훈기 **06** 편지 **07** (1) ㉠ (2) ㉣ (3) ㉡ (4) ㉢ **08** 풍자 **09** (1) 작품 자체에 (2) 시대 상황을 중심으로 한 **10** (1) ㉡ (2) ㉢ (3) ㉠ (4) ㉣

02 '피란민'이란 단어를 보아 이 글의 시간적 배경이 6·25 전쟁임을 알 수 있다.

03 '1945년'과 '팔월', '해방의 감격'을 통해 이 글의 시간적 배경이 해방 직후(㉢) 여름(㉠)임을 알 수 있다.

05 소설의 소재는 주제를 압축적으로 드러내기도 하므로 훈기의 말은 적절하지 않다.

특강 | 창의·융합·코딩 168~171쪽

❶ 신나는 어휘 놀이

1 837 **2** 이효석

❷ Q&A 특강

직접적으로

❶-1 '대상이나 세력을 쳐서 무너뜨리다.'는 '타도하다'의 뜻이고, '어려운 처지에 놓인 사람을 도와주다.'는 '구제하다'의 뜻이다. '자기만 생각하고 남의 사정을 돌볼 마음이 거의 없다.'는 '야멸차다'의 뜻이다. 각 단어의 숫자를 순서대로 나열하면 '837'이 된다.

❶-2 ①: 개천 → ㅇ
②: 병법 → ㅣ
③: 인지 → ㅎ
④: 빈지문 → ㅛ
⑤: 먹장구름 → ㅅ
⑥: 궁극적 → ㅓ
⑦: 들머리 → ㄱ

안녕!